Teto para dois

Teto para dois

BETH O'LEARY

Tradução de Carolina Selvatici

intrínseca

TÍTULO ORIGINAL
The Flatshare

PREPARAÇÃO
Carolina Vaz

REVISÃO
Marcela de Oliveira
Carolina Rodrigues

DIAGRAMAÇÃO
Inês Coimbra

ADAPTAÇÃO DE CAPA E IMAGENS DO MIOLO
Antonio Rhoden

CIP-BRASIL. CATALOGAÇÃO NA PUBLICAÇÃO
SINDICATO NACIONAL DOS EDITORES DE LIVROS, RJ

O38t

O'Leary, Beth
Teto para dois / Beth O'Leary ; tradução de Carolina Selvatici.
- 1. ed. - Rio de Janeiro : Intrínseca, 2019.
400 p. ; 23 cm.

Tradução de: The flatshare
ISBN: 978-85-510-0541-5

1. Romance inglês. I. Selvatici, Carolina. II. Título.

19-58372 CDD: 823
CDU: 82-31(410.1)

Vanessa Mafra Xavier Salgado - Bibliotecária - CRB-7/6644

[2019]

Editora Intrínseca Ltda.
Av. das Américas, 500, bloco 12, sala 303
22640-904 – Barra da Tijuca
Rio de Janeiro – RJ
Tel./Fax: (21) 3206-7400
www.intrinseca.com.br

Para Sam

FEVEREIRO

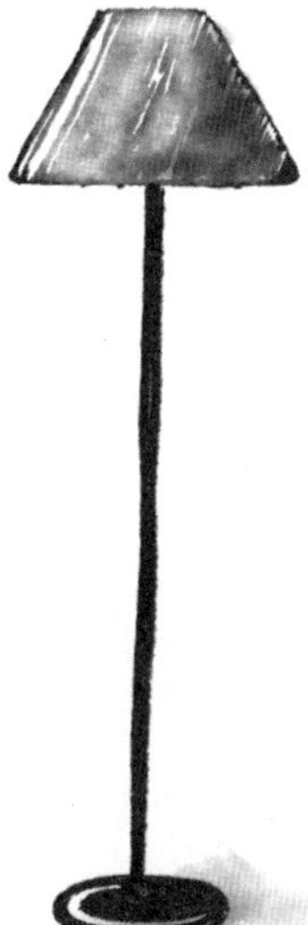

1

Tiffy

É preciso dizer uma coisa sobre o desespero: ele deixa a cabeça da gente muito mais aberta.

Consigo ver muitos lados bons neste apartamento. Se eu esfregar bem, o mofo multicolorido na parede da cozinha vai desaparecer, pelo menos por um tempo. O colchão nojento pode ser substituído por outro baratinho. E a gente pode muito bem argumentar que os cogumelos crescendo atrás da privada dão certo frescor ao ambiente.

Gerty e Mo, no entanto, não estão desesperados nem tentando adotar uma postura positiva. Eu descreveria a expressão deles como "pasma".

— Você não pode morar aqui.

Foi Gerty quem disse isso. Ela está de pé, os calcanhares grudados e os cotovelos junto ao corpo, como se tentasse ocupar o menor espaço possível para protestar contra o fato de estar aqui. Seu cabelo está preso em um coque baixo, já com os grampos que facilitam a colocação da peruca que ela usa no tribunal. Seu semblante seria cômico se no momento não estivéssemos discutindo minha vida.

— Tem que ter outro lugar que caiba no seu orçamento, Tiff — diz Mo, preocupado, levantando-se depois de examinar o armário onde fica o aquecedor. Ele parece ainda mais descabelado que de costume, mas talvez fosse só a teia de aranha presa em sua barba. — Este é pior ainda do que o que a gente viu ontem à noite.

Olho em volta, procurando o corretor. Por sorte, ele está longe demais para ouvir, fumando na "varanda" (ou melhor, no telhado bambo da garagem do vizinho, que definitivamente não foi construído para que alguém andasse em cima).

— Não vou mais me dar o trabalho de ver outro buraco que nem esse — diz Gerty, consultando o relógio. São oito da manhã. Ela precisa estar no Tribunal Real de Southwark às nove. — Deve ter outra opção.

— A gente pode dar um jeito de ela ficar no nosso — sugere Mo, pela quinta vez desde sábado.

— É sério, dá para parar com isso? — retruca Gerty. — Não é uma solução a longo prazo. E ela teria que dormir de pé para caber em algum lugar. — Ela me lança um olhar exasperado. — Você não podia ser mais baixa? Daria para dormir embaixo da mesa de jantar se tivesse menos de um e setenta e cinco.

Faço cara de quem pede desculpa, mas eu realmente preferiria ficar aqui a dormir no chão do apartamento minúsculo e ridiculamente caro que Mo e Gerty compraram no mês passado. Eles nunca moraram juntos, nem quando estávamos na faculdade. Tenho medo de que isso acabe com a amizade dos dois. Mo é bagunceiro, distraído e tem uma capacidade inacreditável de ocupar espaço, apesar de ser baixinho. Já Gerty passou os últimos três anos morando em um apartamento sobrenaturalmente limpo, tão perfeito que parecia gerado por computador. Não sei como esses estilos de vida vão coexistir sem que ocorra uma explosão em Londres.

Mas a grande questão é que, se for para dormir no chão, posso simplesmente voltar para o apartamento de Justin. E, às onze da noite da última quinta-feira, tomei de uma vez por todas a decisão de que essa não é mais uma opção. Preciso continuar minha vida e me comprometer com outro lugar para não ser obrigada a voltar para lá.

Mo esfrega a testa, desabando no sofá de couro encardido.

— Tiff, eu posso te emprestar um pouco...

— Não quero seu dinheiro — digo, mais ríspida do que pretendia. — Olha, eu quero *muito* resolver isso ainda esta semana. É este lugar ou o apartamento compartilhado.

— A cama compartilhada, você quer dizer — lembra Gerty. — Posso saber por que você tem que fazer isso *agora*? Não que eu não esteja adorando essa sua decisão. É que, da última vez que conversamos sobre isso, você estava sentadinha naquele apartamento, esperando aquele-que-não-deve-ser-nomeado se dignar a aparecer.

Eu me encolho, surpresa. Não com a opinião deles — Mo e Gerty nunca gostaram de Justin e sei que eles odeiam o fato de eu ainda estar morando na casa dele, apesar de ele quase nunca estar lá. Só não é normal ouvir Gerty falar dele diretamente. Depois que a última tentativa de ter um jantar tranquilo terminou com uma briga violenta entre nós quatro, desisti de me esforçar para fazer todos se entenderem e apenas parei de falar sobre Justin com Gerty e Mo. Não é fácil se livrar de velhos hábitos — e, mesmo após o término, todos evitamos falar dele.

— E por que tem que ser *tão* barato? — continua Gerty, ignorando o olhar de repreensão de Mo. — Eu sei que você ganha uma ninharia, mas, sério, Tiffy, quatrocentos por mês é impossível em Londres. Você já parou para pensar em tudo isso? De verdade?

Engulo em seco. Vejo que Mo está me observando com atenção. Este é o problema de ser amiga de um psicólogo: Mo é basicamente formado em leitura de mentes e parece incapaz de desligar seus superpoderes.

— Tiff? — chama ele, carinhoso.

Ah, droga, vou ter que mostrar a eles. Não tenho mais como escapar disso. Depressa e de uma vez só, essa é a melhor maneira — como arrancar um curativo, entrar na água fria ou contar à minha mãe que quebrei um bibelô da cômoda da sala.

Pego o telefone e abro a mensagem no Facebook.

Tiffy,

Fiquei muito decepcionado com sua reação ontem à noite. Você ultrapassou todos os limites. O apartamento é meu, Tiffy. Posso vir para cá quando quiser, com quem eu quiser.

Achei que receberia mais gratidão de sua parte por eu ter deixado você ficar. Sei que o nosso término foi difícil e que você não está pronta para sair de casa. Mas se acha que isso lhe dá o direito de tentar "estabelecer regras", está na hora de me pagar os últimos três meses de aluguel. E vai ter que pagar todos os meses daqui para a frente também. Patricia disse que você está se aproveitando de mim, já que está morando basicamente de graça na minha casa. Apesar de eu sempre ter defendido você, é impossível não achar que ela talvez esteja certa depois do seu showzinho de ontem.

Bjs,

Justin

Meu estômago se revira quando releio o trecho *você está se aproveitando de mim*, porque essa nunca foi a minha intenção. Só não sabia que, desta vez, ele tinha mesmo saído de casa.

Mo termina de ler primeiro.

— Ele "apareceu" de novo na quinta? Com a Patricia?

Evito olhar para eles.

— Ele está certo. Foi muita gentileza me deixar ficar tanto tempo...

— Engraçado... — diz Gerty, séria. — Sempre tive a impressão de que ele gostava de manter você lá.

Soa estranho como ela falou, mas eu meio que tenho a mesma sensação. Enquanto estiver no apartamento de Justin, nosso namoro não vai ter terminado de verdade. Afinal, ele acabou voltando todas as outras vezes. Mas aí... conheci a Patricia na quinta-feira. A mulher real, extremamente atraente e muito simpática por quem Justin me trocou. Ele nunca esteve com outra mulher antes.

Mo pega minha mão; Gerty pega a outra. Nós três ficamos ali, ignorando o corretor fumando na varanda, e me permito chorar por um instante — apenas uma lágrima pesada em cada bochecha.

— Bom, é isso! — digo, animada, largando as mãos deles para secar os olhos. — Preciso me mudar. Agora. Mesmo que quisesse ficar e correr o risco de ele levar a Patricia lá outra vez, não consigo pagar o aluguel. Estou devendo um monte de dinheiro ao Justin e não quero pedir emprestado para ninguém. Para ser sincera, estou cansada de não conseguir me sustentar, então... sim. É isto aqui ou o apartamento compartilhado.

Mo e Gerty se encaram. Gerty fecha os olhos, dolorosamente resignada.

— Bom, de jeito nenhum você vai morar aqui. — Ela abre os olhos e estende a mão. — Me mostre o anúncio de novo.

Entrego o telefone, passando da mensagem de Justin para o anúncio de um apartamento compartilhado.

Aluga-se cama de casal em apartamento ensolarado de um quarto em Stockwell. Aluguel: 350 libras por mês com taxas inclusas. Disponibilidade imediata, contrato de no mínimo seis meses.

O apartamento (e quarto/cama) será compartilhado com profissional de cuidados paliativos de vinte e sete anos que trabalha à noite e fica fora nos fins de semana. Está em casa apenas de nove da manhã às seis da tarde. De segunda a sexta. No resto do tempo, o imóvel será todo seu! Perfeito para alguém que trabalha de nove às cinco.

Para visitar, entre em contato com L. Twomey – informações abaixo.

— Você não iria só dividir um apartamento, Tiff. Dividiria uma cama. Isso é *muito* estranho — diz Mo, preocupado.

— E se esse L. Twomey for um homem? — pergunta Gerty.

Estou preparada para essa pergunta.

— Não importa — respondo, mantendo a calma. — Não é como se a gente fosse usar a cama ao mesmo tempo. Na verdade, nem o apartamento.

A frase soa estranhamente parecida com a que eu disse para justificar o fato de que ficaria no apartamento de Justin no mês passado, mas tudo bem.

— Você vai dormir com o cara, Tiffany! — exclama Gerty. — Todo mundo sabe que a principal regra para se dividir um apartamento é não dormir com o colega de quarto.

— Acho que as pessoas não estão pensando nesse tipo de acordo quando dizem isso — respondo, seca. — Olha, Gerty, às vezes, quando as pessoas falam "dormir juntas", elas se referem a...

Gerty olha no fundo dos meus olhos por um bom tempo.

— Eu sei, obrigada, Tiffany.

Mo abafa uma risada quando Gerty dirige seu olhar frio para ele.

— Eu diria que a principal regra para se dividir um apartamento é ter certeza de que se dá bem com a pessoa que vai morar com você — diz Mo, espertamente redirecionando o olhar de Gerty para mim. — *Sobretudo* nessas circunstâncias.

— É óbvio que eu vou conhecer esse tal de L. Twomey primeiro. Se a gente não se der bem, não vou alugar o quarto.

Depois de alguns segundos, Mo assente e aperta meu ombro. Todos mergulhamos no tipo de silêncio que acompanha um assunto difícil — estamos gratos por ter acabado e aliviados por termos conseguido falar a respeito.

— Está bem — concorda Gerty. — Tudo bem. Faça o que tiver que fazer. Só pode ser melhor que morar nesta imundície. — Ela sai marchando do apartamento, mas se vira no último instante para falar com o corretor quando ele sai da varanda. — E você — diz em voz alta — é uma maldição para a sociedade.

Ele pisca quando ela bate a porta. Um silêncio longo e constrangedor toma a sala.

O corretor amassa a bituca do cigarro.

— Isso quer dizer que você está interessada? — pergunta.

Chego ao trabalho cedo e desabo na cadeira. No momento, minha mesa é a coisa mais próxima que tenho de um lar. É o paraíso dos projetos de artesanato semiprontos, coisas que acabaram sendo pesadas demais para se levar de ônibus e vasos de plantas numa configuração que me permita ver as pessoas se aproximando antes que elas saibam se estou ou não na minha mesa. A parede de plantas é vista por toda a equipe como um exemplo inspirador de design de interiores. (A dica é escolher plantas da mesma cor do seu cabelo — ruivo, no meu caso — e se esconder/fugir quando vir alguém cheio de determinação se aproximando.)

Minha primeira tarefa do dia é uma reunião com Katherin, uma das minhas autoras favoritas. Ela escreve livros sobre tricô e crochê. O público que compra essas obras pertence a um nicho, mas este é o forte da Butterfingers Press: adoramos um bom nicho. Nós nos especializamos em livros de artesanato e do tipo “faça você mesmo”. Lençóis de batique, vestidos, luminárias de crochê, móveis criados a partir de escadas... Esse tipo de coisa.

Adoro o meu trabalho. É a única explicação possível para eu ser editora assistente há três anos e meio, ganhar menos de um salário-mínimo e nunca ter tentado corrigir essa situação, arrumando, por exemplo, uma entrevista em uma editora que lucre de verdade. Gerty diz que não tenho ambição, mas não é bem isso. A verdade é que adoro essas coisas. Quando criança, eu passava os dias lendo ou remexendo nos meus brinquedos até deixá-los mais com a minha cara: tingindo o cabelo da Barbie, decorando meu caminhão-escavadeira... Agora ganho a vida lendo e fazendo artesanato.

Bom, na verdade, não chego a ganhar a vida. Mas recebo um pouquinho de dinheiro. O bastante para pagar os impostos.

— É sério, Tiffy, os livros de crochê são os próximos livros de colorir — diz Katherin, depois de se sentar em nossa melhor sala de reuniões e falar sobre seu próximo projeto.

Examino o dedo que ela está balançando em minha direção. Katherin tem cerca de cinquenta anéis em cada mão, mas ainda tenho que descobrir se algum é uma aliança de noivado ou de casamento (acho que, caso ela tenha algum deles, deve ter mais de um).

Katherin é uma pessoa que vive dentro do espectro aceitável da excentricidade: usa trança no cabelo louro-claro, tem um daqueles bronzeados que, de alguma forma, fica bem em pessoas mais velhas e guarda várias histórias sobre os lugares que invadiu nos anos 1960 para mijar nas coisas. Foi uma verdadeira rebelde. Se recusa a usar sutiã até hoje, apesar de os sutiãs terem se tornado muito mais confortáveis e as mulheres já terem desistido de lutar pelo poder porque a Beyoncé está fazendo isso por nós.

— Isso seria ótimo — digo. — Talvez a gente possa usar um slogan com a palavra “atento”. É uma atividade que nos deixa mais atentos, não? Ou será que distrai?

Katherin ri, jogando a cabeça para trás.

— Ah, Tiffy. O seu trabalho é ridículo. — Ela dá uma série de tapinhas carinhosos na minha mão e pega a bolsa. — Se encontrar aquele menino, o Martin, diga que só vou dar aquela aula no cruzeiro se tiver uma assistente jovem e glamorosa.

Solto um grunhido. Sei onde isso vai dar. Katherin gosta de me arrastar para essas coisas — pelo visto, qualquer aula que exija um modelo vivo para demonstrar como tirar medidas para peças de roupa. Certa vez, cometi o erro fatal de me oferecer para o trabalho porque ela não tinha conseguido encontrar ninguém. Agora sou sua favorita. O setor de relações públicas precisa tanto que Katherin vá a esse tipo de evento que começou a implorar que eu participe também.

— Isso está indo longe demais, Katherin. Não vou fazer um cruzeiro com você.

— Mas é de graça! As pessoas pagam milhares de libras para ir, Tiffy!

— Você só vai subir no navio para dar a volta na Ilha de Wight. — Martin já me falou sobre esse evento. — E é num fim de semana. Não trabalho nos fins de semana.

— Não é trabalho — insiste Katherin, reunindo suas anotações e as enfiando na bolsa de qualquer jeito. — É um lindo cruzeiro num sábado com uma amiga. — Ela faz uma pausa. — Eu, no caso. Somos amigas, não somos?

— Eu sou sua editora! — digo, empurrando-a para fora da sala de reunião.

— Pense um pouco, Tiffy! — grita ela, sem se perturbar. É então que ela vê Martin, que já está olhando para ela por cima das impressoras. — Só vou se ela for, Martin, querido! É ela quem você precisa convencer!

Então Katherin vai embora, deixando as portas de vidro sujo do escritório balançando atrás dela.

Martin se vira para mim.

— Gostei dos seus sapatos — diz, com um sorriso charmoso.

Eu estremeço. Não suporto Martin, um dos relações-públicas. Ele diz coisas como “vamos agregar valor a isso” nas reuniões e estala os dedos para Ruby, uma executiva de marketing que Martin considera sua assistente. Ele só tem vinte e três anos, mas acha que parecer mais velho pode ajudar em sua busca implacável por cargos mais altos, então sempre usa uma voz jocosa horrível e tenta conversar com nosso diretor-geral sobre golfe.

Só que meus sapatos são *mesmo* maravilhosos. São botas roxas no estilo Doc Martens pintadas com lírios brancos que me tomaram a maior parte do sábado. A dedicação ao artesanato e à customização de objetos se tornou bem mais frequente desde que Justin me largou.

— Obrigada, Martin — respondo, já tentando voltar para a segurança da minha mesa.

— Leela comentou que você está procurando um lugar para morar.

Hesito por um instante. Não sei onde isso vai dar. Sinto que num lugar nada bom.

— Eu e Hana — uma mulher do marketing que está sempre criticando minhas roupas — temos um quarto vago. Talvez você tenha visto no Facebook, mas achei melhor mencionar, tipo, ao vivo. O quarto tem uma cama de solteiro, mas, bom, imagino que isso não vá ser problema para você agora. Como somos amigos, Hana e eu decidimos que podíamos oferecer para você por quinhentos ao mês, fora as taxas.

— É muita gentileza sua! Mas na verdade *acabei* de encontrar um apartamento.

Bem, eu meio que encontrei. Quase. Ah, meu Deus, se L. Twomey não me quiser, será que vou ter que morar com Martin e Hana? Quer dizer, passo todos os dias úteis com eles e, sinceramente, já é tempo demais para mim. Não sei se minha decisão (já incerta) de deixar a casa de Justin vai se manter diante da ideia de ter Martin correndo atrás de mim para cobrar o aluguel ou de Hana me julgando toda manhã porque estou com meu pijama de *Hora de Aventura* manchado de mingau.

— Ah. Certo, tudo bem. Vamos ter que achar outra pessoa, então. — O rosto de Martin adquire uma expressão astuta. Ele sente cheiro de culpa. — Você poderia compensar isso indo com Katherin ao...

— Não.

Ele solta um suspiro exagerado.

— Caramba, Tiffy. É um cruzeiro de graça! Você não faz cruzeiros o tempo todo?

Eu *fazia* cruzeiros o tempo todo, quando meu namorado maravilhoso, e agora ex, me levava com ele. Navegávamos de ilha caribenha em ilha caribenha em meio a uma bruma ensolarada de alegria romântica. Explorávamos as cidades europeias, depois voltávamos ao navio para fazer um sexo incrível em nossa pequena cabine. Nós nos entupíamos no bufê liberado e depois nos deitávamos no deque para observar as gaivotas voando, enquanto conversávamos sem a menor preocupação sobre nossos futuros filhos.

— Parei — falo, pegando o telefone. — Agora, com licença, tenho que fazer uma ligação.

2

Leon

O telefone toca enquanto a dra. Patel prescreve remédios para Holly (menininha com leucemia). Hora errada. Péssima. A dra. Patel não está feliz por ser interrompida e deixa isso claro. Parece ter esquecido que eu, por ser enfermeiro da noite, já deveria ter ido para casa às oito da manhã, mas ainda estou aqui lidando com doentes e profissionais irritados como ela.

Ignoro a ligação, óbvio. Depois tenho que me lembrar de ouvir o recado e mudar o toque do celular para alguma coisa menos vergonhosa (esse de agora se chama "Jive" e é animado demais para o ambiente hospitalar. Não que um lugar com pessoas doentes não mereça animação, mas *nem sempre* é apropriado).

Holly: Por que não atendeu? Não é falta de educação de sua parte? E se fosse sua namorada de cabelo curto?

Dra. Patel: Falta de educação é não colocar o celular para vibrar durante a ronda. Mas estou surpresa de alguém, seja lá quem for, ter tentado ligar para ele a essa hora.

Olha para mim, meio irritada, meio rindo.

Dra. Patel: Talvez você tenha notado que o Leon não é de falar muito, Holly.

Ficam de segredinho.

Dra. Patel: Um dos residentes diz que o Leon tem um número de palavras limitado para usar por turno e, a essa hora, o estoque já acabou.

Não me digno a responder.

Falando em namorada de cabelo curto: ainda não contei a Kay sobre o negócio do quarto. Não tive tempo. Tentando fugir de uma briga inevitável. Mas preciso ligar para ela hoje de manhã, sem falta.

Hoje foi bom. A dor do sr. Prior diminuiu. O bastante para ele começar a me contar sobre o homem pelo qual se apaixonou nas trincheiras: um cara charmoso de cabelo preto chamado Johnny White, com um brilho no olhar e o queixo esculpido de um astro de Hollywood. Passaram um verão romântico e agitado em meio à guerra e depois se separaram. Johnny White foi levado para o hospital com estresse pós-traumático. Os dois nunca mais se viram. O sr. Prior podia ter enfrentado muitos problemas (homossexualidade é perturbador para militares).

Eu estava cansado, o café, perdendo efeito, mas fiquei com o sr. Prior depois da troca de turno. O cara nunca recebe visita e adora conversar. Impossível escapar da conversa sem um cachecol (o décimo quarto que ganho dele). Só posso recusar até certo ponto, e o sr. Prior tricota tão rápido que me pergunto por que se deram o trabalho de fazer a Revolução Industrial. Quase certeza de que ele é mais rápido do que uma máquina.

Ouço a caixa postal depois de comer um frango refogado, perigosamente requentado, vendo *Masterchef* da semana anterior.

Recado: Oi, este é o telefone de L. Twomey? Ah, droga, caixa postal. Sempre faço isso. Tudo bem, vou supor que você é L. Twomey. Meu nome é Tiffy Moore e estou ligando para falar do anúncio sobre o quarto. Olha, meus amigos acham que é estranho a gente dividir uma cama, apesar de ser em momentos diferentes, mas não vou me incomodar com isso se você não se incomodar. E, para ser sincera, eu faria qualquer coisa para conseguir um apartamento no centro de Londres por esse preço, disponível para mudança imediata. [Pausa.] Meu Deus, qualquer coisa não. Tem *um monte* de coisa que eu não faria. Não sou... Não, Martin, *agora* não. Não dá para ver que estou no telefone?

Quem é Martin? Uma criança? Essa mulher tagarela com sotaque de Essex quer levar uma criança para minha casa?

Recado continua: Desculpa, foi o meu colega de trabalho. Ele quer que eu faça um cruzeiro com uma senhora de meia-idade para falar sobre crochê com uma porção de aposentadas.

Não esperava essa explicação. É melhor, mas gera muitas perguntas.

Recado continua: Olha, pode me ligar de volta ou me mandar uma mensagem se o quarto ainda estiver disponível? Sou superorganizada, não vou atrapalhar e costumo preparar o dobro da comida necessária, então, se gostar de comida caseira, posso deixar sempre um pouco para você.

Ela passa o número de telefone. Bem a tempo, lembro-me de anotar.

Moça irritante, com certeza. E é mulher, o que pode incomodar Kay. Mas só duas outras pessoas ligaram: uma perguntou se eu tinha algum problema com porcos-espinhos de estimação (resposta: não, a menos que morem na minha casa) e a outra com certeza era traficante (não estou julgando — me ofereceu drogas durante a ligação). Preciso de trezentas e cinquenta libras a mais por mês se quiser continuar pagando Sal sem ajuda de Kay. É o único plano possível. Além disso, nunca vou ver a moça irritante. Só vou estar no apartamento quando ela estiver fora.

Mando mensagem:

Oi, Tiffy. Obrigado pelo recado. Seria ótimo encontrar você e falar sobre o apartamento. Que tal sábado de manhã? Tchau, Leon Twomey.

Mensagem legal, de uma pessoa normal. Resisto à vontade de perguntar sobre o cruzeiro de Martin, mas fico curioso.

Ela responde quase instantaneamente:

Oi! Está ótimo. Às dez no apartamento então? Bj.

Melhor às nove, senão vou acabar dormindo! Vejo você no sábado. O endereço está no anúncio. Tchau, Leon.

Pronto. Combinado. Fácil: trezentas e cinquenta libras por mês quase na mão. Agora é contar para Kay.

3

Tiffy

Naturalmente, fico curiosa e procuro o nome dele no Google. Leon Twomey é um nome pouquíssimo comum, e eu o encontro no Facebook sem ter que usar as técnicas de perseguidora bizarra que reservo para os novos escritores que estou tentando roubar de outras editoras.

É um alívio ver que ele não faz nem um pouco meu tipo, o que com certeza vai simplificar bastante as coisas — se Justin um dia conhecesse Leon, por exemplo, acho que não o veria como uma ameaça. Ele tem pele parda e cabelo encaracolado grosso, comprido o bastante para ficar atrás da orelha, e é desengonçado demais para o meu gosto. Estabanado, sabe como é. Mas parece um cara legal. Em todas as fotos, está com um sorriso gentil, meio torto, que não é nem um pouco assustador nem psicopata — embora, quando olhamos para qualquer foto com isso na cabeça, todos pareçam assassinos da serra elétrica, por isso tento não pensar na ideia. Ele parece simpático e inofensivo. São duas coisas boas.

No entanto, sei com certeza absoluta que é um homem.

Será que estou mesmo disposta a dividir uma cama com um homem? Dividir a cama com Justin já era horrível às vezes e nós estávamos em um relacionamento. O lado dele do colchão afundava no meio e ele nem sempre tomava banho depois da academia, então deixava certo… cheiro de suor no edredom. Eu sempre tinha o cuidado de manter as cobertas na mesma posição para não ficar com a parte suada.

Mas mesmo assim. Trezentas e cinquenta libras por mês. E ele nunca estaria *em casa* de fato.

— Tiffany!

Levanto a cabeça rápido. Droga, é Rachel, já até sei o que ela quer. Quer o manuscrito do maldito livro sobre bolos caseiros para crianças que passei o dia inteiro ignorando.

— Não tente fugir para a cozinha ou fingir que está no telefone — diz ela, por cima da minha parede de vasos de plantas.

Este é o problema de trabalhar com amigas: você vai ao bar com elas, fica bêbada, conta seus truques e depois fica indefesa.

— Você foi ao cabeleireiro! — É uma tentativa desesperada de mudar de assunto, mas o cabelo dela está *mesmo* muito legal hoje. Trançado, como sempre, mas desta vez com pequenas tranças feitas com fitas azul-turquesa entre os fios, parecidas com as fitas de um corpete. — Como você faz essas tranças?

— Não tente me distrair usando um dos meus assuntos preferidos, Tiffany Moore — diz Rachel, batendo as unhas maravilhosamente pintadas com bolinhas. — Quando vou receber o manuscrito?

— Só preciso... de *um pouco* mais de tempo.

Ponho a mão nos papéis à minha frente para que ela não veja o número da página — ainda não passei da 10.

Ela semicerra os olhos.

— Na quinta?

Assinto, com entusiasmo. É, por que não? Quer dizer, é absolutamente impossível, mas sexta parece muito melhor quando sugerimos isso na quinta, então vou avisar quando chegar a hora.

— E quer sair para beber alguma coisa amanhã à noite?

Paro para refletir. Eu estava pensando em bancar a certinha e não gastar dinheiro *nenhum* nesta semana, por causa da minha dívida enorme, mas sair com Rachel é sempre ótimo e, sinceramente, preciso me divertir um pouco. Além disso, ela não vai poder brigar comigo por causa do manuscrito se estiver de ressaca na quinta.

— Combinado.

• • •

O Bêbado nº 1 é expressivo. Do tipo que gosta de abrir bem os braços, sem se importar com o que está por perto (até agora, isso incluiu uma enorme palmeira falsa, uma bandeja com doses de sambuca e uma modelo ucraniana relativamente famosa). Todo movimento é exagerado, inclusive para andar — tipo, pé esquerdo para a frente, pé direito para a frente, e assim por diante. O Bêbado nº 1 faz uma caminhada parecer uma apresentação de conga.

O Bêbado nº 2 é do tipo traiçoeiro. Ele mantém o rosto impassível quando está ouvindo você, como se a ausência de expressão fosse deixar claro que ele está sóbrio. Ele assente de tempos em tempos, de maneira bastante convincente, mas não pisca muito. E as tentativas de olhar para seus seios são muito menos sutis do que ele imagina.

Gostaria de saber o que eles acham de mim e de Rachel. Os dois vieram direto até nós, mas isso não é necessariamente positivo. Quando eu namorava Justin, sempre que ia para uma festa com Rachel, ele lembrava que muitos homens veem uma "mulher peculiar" e pensam que ela é "desesperada e fácil". Ele está certo, como sempre. Eu nunca soube dizer se é mais fácil transar sendo uma mulher peculiar ou fazendo o tipo animadora de torcida ousada. As peculiares são mais abertas para conversas e ninguém imagina que estejam namorando. Parando para refletir, talvez também fosse por isso que Justin não gostava muito das minhas saídas com Rachel.

— Então, tipo, livros sobre fazer bolos? — pergunta o Bêbado nº 2, provando sua capacidade de ouvir e a sobriedade já mencionada (sério, para que tomar sambuca se vai fingir que não bebeu a noite toda?).

— Isso! — responde Rachel. — Ou sobre fazer prateleiras, costurar roupas ou… ou… O que *você* gosta de fazer?

Ela já bebeu o bastante para achar o Bêbado nº 2 atraente, mas desconfio de que só esteja tentando manter o cara ocupado e abrir espaço para que eu ataque o Bêbado nº 1. Dos dois, o Bêbado nº 1 é claramente a melhor opção — ele é alto, para começar. Esse é o primeiro desafio. Tenho um metro e oitenta e dois de altura e, apesar de não ver problema nenhum em namorar homens mais baixos, eles costumam ficar incomodados quando sou um ou dois centímetros maior. Por mim tudo bem — não me interesso por caras que se importam com esse tipo de coisa mesmo. É um bom filtro.

— O que eu gosto de fazer? — repete o Bêbado nº 2. — Gosto de dançar com mulheres bonitas em bares com nomes ruins e drinques caros.

Ele abre um sorriso que, apesar de mais preguiçoso e torto do que provavelmente pretendia, é muito atraente.

Vejo que Rachel está pensando a mesma coisa. Ela me lança um olhar calculista — não está tão bêbada assim, afinal — e avalia a minha situação com o Bêbado nº 1.

Olho para o Bêbado nº 1 e faço minha própria avaliação. Ele é alto, tem belos ombros largos e cabelo grisalho nas têmporas de um jeito bastante sexy. Provavelmente tem trinta e muitos anos — poderia ser um George Clooney dos anos 1990 se eu fechasse um pouco os olhos ou diminuísse as luzes.

Estou a fim dele? Se estiver, posso dormir com ele. A gente pode fazer isso quando solteira.

Estranho.

Não tive vontade de dormir com ninguém desde Justin. A gente volta a ter um monte de tempo livre quando está solteira e não transa — não o tempo que gastaria na transa em si, mas o que passaria raspando as pernas, comprando lingerie bonita, se perguntando se todas as outras mulheres depilam a virilha etc. É uma grande vantagem. Obviamente, tem a ausência esmagadora de um dos melhores aspectos da vida adulta, mas a gente acaba fazendo muito mais coisas úteis.

É claro que sei que a gente terminou há três meses. Sei que, em teoria, posso transar com outras pessoas. Mas... não consigo deixar de pensar no que Justin diria. Em como ele ficaria irritado. Pode ser tecnicamente permitido, mas não é... sabe? *Permitido* de verdade. Não na minha cabeça, ainda não.

Rachel entende.

— Desculpa, cara — diz ela, dando tapinhas no braço do Bêbado nº 2. — *Eu* gosto de dançar com minha amiga.

Rachel anota o telefone dela em um guardanapo — só Deus sabe de onde ela tirou a caneta, essa mulher é mágica —, e então estamos de mãos dadas, abrindo caminho até o meio da pista de dança, onde a música nos atinge por todos os lados, fazendo meus tímpanos estremecerem.

— Que tipo de bêbada você é? — pergunta Rachel, enquanto dançamos de maneira inapropriada ao som de um clássico do Destiny's Child.

— Sou um pouco... *reflexiva* — grito para ela. — Analítica demais para dormir com aquele cara legal.

Ela pega um drinque da bandeja de uma das moças que andam pela boate pedindo que você pague mais caro pelas bebidas e entrega um pouco de dinheiro a ela.

— Do tipo que não está bêbada o bastante, então — diz ela, me oferecendo a bebida. — Você pode ser editora, mas nenhuma bêbada usa a palavra "analítica".

— Editora assistente — lembro, antes de virar o copo.

Jägerbomb. É estranho como uma coisa tão nojenta, cujo sabor faz a gente querer vomitar no dia seguinte, pode ser tão deliciosa em uma pista de dança.

Rachel me enche de álcool a noite toda e flerta com todas as duplinhas de amigos, abordando um e empurrando o mais bonito para mim. Independentemente do que ela diga, já estou bem bêbada, então nem paro muito para pensar — ela só está sendo uma excelente amiga. A noite passa trazendo uma onda de dançarinos e drinques coloridos.

É só quando Mo e Gerty chegam que começo a me perguntar qual o motivo de estarmos todos juntos ali.

Mo está com cara de quem foi convocado às pressas. Sua barba está um pouco bagunçada, como se ele tivesse dormido em uma posição estranha, e ele está com uma camiseta velha que usava na época da faculdade — só que um pouco mais justa agora. Gerty está linda como sempre, sem maquiagem, o cabelo preso em um coque alto. Não dá para saber se Gerty estava planejando vir, porque ela nunca usa maquiagem e se veste de maneira impecável o tempo todo. Ela poderia ter apenas colocado, no último minuto, um par de saltos um pouco mais altos para combinar com a calça jeans skinny.

Os dois atravessam a pista de dança. Confirmo a suspeita de que Mo não planejava vir: ele não está dançando. Basta Mo pisar em uma boate para começar a dançar. Então por que os dois vieram a uma saída aleatória com Rachel em uma quarta à noite? Eles nem se conhecem direito — só se veem de vez em quando em festas de aniversário e na casa de amigos em comum. Na verdade, Gerty e Rachel têm uma rixa sutil e eterna pela liderança do grupo e, quando todos nos reunimos assim, as duas sempre terminam se estranhando.

"Será que é meu aniversário?", penso, bêbada. "Vou receber alguma notícia surpreendente?"

Eu me viro para Rachel.

— O q...?

— Mesa — diz ela, apontando para os fundos da boate.

Gerty até consegue esconder a irritação por estar sendo redirecionada depois de ter lutado para chegar ao meio da pista.

Estou com uma sensação ruim. Mas acabei de chegar ao auge da alegria alcoólica, então estou disposta a esquecer a preocupação e torcer para que tenham vindo me dizer que ganhei uma viagem de quatro semanas para a Nova Zelândia ou algo assim.

Mas, não.

— Tiffy, não sei como te contar isso — diz Rachel —, então esse foi o melhor plano que consegui inventar. Quis deixar você alegrinha, lembrar que você pode flertar com outros caras e chamei sua equipe de apoio. — Ela pega minhas mãos. — Tiffy... O Justin ficou noivo.

4

Leon

A conversa não saiu mesmo como o previsto. Kay ficou estranhamente irritada. Teria se incomodado com outra pessoa, além dela, dormindo na minha cama? Mas Kay nunca vem aqui. Odeia as paredes verde-escuras e os vizinhos idosos — entra no pacote de "você passa tempo demais com gente velha". A gente sempre está na casa dela (paredes cinza, vizinhos jovens e descolados).

A briga termina com um impasse chato. Ela quer que eu desista e cancele com a mulher de Essex, mas não vou voltar atrás. Foi a melhor ideia que tive para conseguir dinheiro fácil todo mês. Também poderia ganhar na loteria, mas isso não conta como planejamento financeiro. Não quero voltar a pedir trezentas e cinquenta libras emprestado. Foi Kay quem disse: não era bom para nosso relacionamento.

Ela chegou a esse ponto, então… vai mudar de ideia.

Noite vagarosa. Holly não conseguia dormir; jogamos damas. Ela balança os dedos sobre o tabuleiro como se estivesse lançando um feitiço antes de tocar em uma peça. Está fazendo jogos mentais, pelo visto — isso distrai a atenção do oponente da jogada seguinte. Onde uma menina de sete anos aprendeu a fazer jogos mentais?

Pergunto.

Holly: Você é muito ingênuo, não é, Leon?

Ela pronuncia "ingênio". Provavelmente nunca disse isso em voz alta, só leu em um de seus livros.

Eu: Sou um homem experiente. Obrigado, Holly!

Recebo um olhar condescendente.

Holly: Tudo bem, Leon. Você só é legal demais. Aposto que as pessoas pisam em você como se fosse um capacho.

Ela ouviu isso em algum lugar, com certeza. Provavelmente do pai, que a visita a cada quinze dias, de terno cinza chique, trazendo doces ruins e o cheiro forte de fumaça de cigarro.

Eu: Ser legal é uma coisa boa. A gente pode ser forte e legal. Não precisa ser uma coisa de cada vez.

Recebo outro olhar condescendente.

Holly: Olha. É tipo... A Kay é forte, você é legal.

Ela abre as mãos, como se dissesse: *é assim que o mundo funciona.* Fico surpreso. Não percebi que ela sabia o nome da Kay.

Richie liga bem na hora em que chego. Tenho que correr para atender o telefone fixo — sei que vai ser ele, sempre é — e bato a cabeça na lâmpada baixa da cozinha. Único defeito deste apartamento excelente.

Esfrego a cabeça. Fecho os olhos. Ouço a voz de Richie com cuidado, atento a tremores e pistas de como ele realmente está, e escuto um Richie real, vivo, que ainda está bem e respirando.

Richie: Me conte uma história boa.

Fecho os olhos com mais força. Não foi um bom fim de semana para ele, então. Fins de semana são ruins — eles ficam mais tempo encarcerados. Sei que está desanimado por causa do sotaque, tão peculiar para nós dois. Sempre um pouco de Londres, um pouco do Condado de Cork, fica mais irlandês quando ele está triste.

Conto sobre Holly. Suas habilidades nas damas. A acusação de "ingenialidade". Richie escuta.

Richie: Ela vai morrer?

É difícil. As pessoas não percebem que não importa se ela vai morrer — cuidados paliativos não são apenas um lugar para onde as pessoas vão para partir lentamente. Tem mais gente que sobrevive do que morre no nosso setor. O importante é estar em um lugar confortável durante um período necessário e doloroso. Amenizar momentos ruins.

Mas Holly... Talvez ela morra. Está muito doente. Linda, precoce e muito doente.

Eu: As estatísticas para a leucemia são muito favoráveis para crianças da idade dela.

Richie: Não quero estatísticas, cara. Quero uma história boa.

Sorrio, me lembrando de quando éramos crianças e encenamos a trama de *Neighbours* durante um mês quando a TV quebrou. Richie sempre gostou de uma boa história.

Eu: Ela vai ficar bem. Vai crescer e virar... programadora. Programadora profissional. Vai usar toda a técnica que tem no jogo de damas para desenvolver comidas geradas digitalmente, que vão acabar com a fome e tirar o emprego do Bono no Natal.

Richie ri. Não é uma grande risada, mas é o bastante para aliviar o nó de preocupação em meu estômago.

Silêncio por um tempo. Talvez tranquilo, ou apenas uma ausência de palavras expressivas para o momento.

Richie: Isso aqui é um inferno, cara.

As palavras me atingem como um soco. Este ano, por muitas vezes, tive essa sensação, a de um punho fechado na barriga. Sempre em momentos como este, quando sou atingido de novo pela realidade, depois de dias tentando esquecer.

Eu: Vai ter a audiência em breve. Falta pouco. O Sal disse...

Richie: Ah, o Sal quer receber o dinheiro dele. Eu sei quanto é, Lee. É impossível.

Voz pesada, lenta, quase arrastada.

Eu: O que houve? Perdeu a fé no seu irmão mais velho? Você dizia que eu ia ser bilionário!

Ouço um riso relutante.

Richie: Você já fez muito.

Nunca. Impossível. *Nunca* vou fazer o bastante, não em relação a isso, apesar de ter desejado muitas vezes trocar de lugar com ele e tirá-lo de lá.

Eu: Arranjei um esquema. Para ganhar dinheiro. Você vai adorar.

Tumulto.

Richie: Ei, cara, espere um pou...

Vozes abafadas. Meu coração dispara. Quando estamos ao telefone, é fácil pensar que ele está em um lugar seguro e tranquilo, apenas a voz dele e a minha. Mas ele está ali, em um pátio, à frente de uma fila, tendo que escolher entre usar a meia hora fora da cela para ligar ou aproveitar a única chance de tomar banho.

Richie: Tenho que ir, Lee. Te amo.

A ligação cai.

Oito e meia de sábado. Mesmo saindo agora, vou me atrasar. E não vou sair agora, claro. Vou trocar lençóis sujos na Ala Dorsal, de acordo com a dra. Patel. De acordo com uma enfermeira da Ala Coral, vou colher sangue do sr. Prior. De acordo com Socha, a residente de primeiro ano, vou ajudar com um paciente que está morrendo na Ala Algas.

Socha ganha. Ligo para Kay enquanto corro.

Kay atende: Você está preso no trabalho, né?

Sem fôlego para explicar direito. As alas são distantes demais para casos de emergência. O conselho diretor da casa de repouso deveria investir em corredores mais curtos.

Kay: Tudo bem. Eu recebo a moça para você.

Tropeço. Surpreso. Tinha planejado pedir, claro — por isso liguei para Kay e não para a mulher de Essex para cancelar. Mas... foi *fácil demais.*

Kay: Olha, não gosto da ideia de você dividir o apartamento, mas sei que precisa do dinheiro e entendo. Só que, para ficar tranquila com isso, acho que tudo tem que passar por mim. Vou encontrar essa tal de Tiffy, cuidar de tudo e, assim, a mulher aleatória dormindo na sua cama não vai interagir com você. Com isso, não vou me sentir *tão* incomodada e você não vai ter que lidar com a situação. Até porque, vamos ser sinceros, você não tem tempo para isso.

Pontada de amor. Ou de dor nas costelas. Difícil ter certeza nesse estágio do relacionamento, mas mesmo assim.

Eu: Você… tem certeza?

Kay, firme: Tenho. Esse é o plano. E nada de trabalhar no fim de semana, certo? Os fins de semana são para mim.

Parece justo.

Eu: Obrigado. Obrigado mesmo. E será que você pode contar a ela…

Kay: Tá, tá, vou falar do cara estranho do apartamento 5 e avisar sobre as raposas.

Pontada de amor, com certeza.

Kay: Sei que você acha que eu não escuto, mas escuto tudo.

Ainda tenho que correr mais um minuto para chegar à Ala Algas. Não mantive o ritmo adequado. Erro de principiante. Estou tão abalado pela *imediatez* horrível deste turno, com tantas pessoas morrendo e escaras e pacientes dementes complicados, que esqueci regras básicas de sobrevivência em uma casa de repouso. Ande depressa, não corra. Sempre saiba seus horários. Nunca perca a caneta.

Kay: Leon?

Eu me esqueci de falar em voz alta. Só fiquei bufando. Provavelmente de um jeito meio sinistro.

Eu: Obrigado. Te amo.

5

Tiffy

Penso em colocar os óculos escuros, mas concluo que ficaria com cara de diva, já que estamos no meio do inverno. E ninguém quer dividir apartamento com uma diva.

A pergunta, claro, é se eles preferem uma diva ou uma mulher com o emocional abalado que, obviamente, passou os últimos dois dias chorando sem parar.

Lembro a mim mesma que isso não é uma divisão de apartamento como outra qualquer. Leon e eu não precisamos nos dar bem — não vamos morar juntos, não para valer, só vamos ocupar o mesmo espaço em momentos diferentes. Ele não vai se incomodar se eu passar todo o meu tempo livre chorando, vai?

— Jaqueta — ordena Rachel, entregando-me a roupa.

Ainda não cheguei ao ponto de precisar que outra pessoa me vista, mas Rachel dormiu aqui em casa ontem e, já que está aqui, provavelmente vai se encarregar da situação. Mesmo que "a situação" seja fazer com que eu me vista de manhã.

Triste demais para protestar, visto a jaqueta. Adoro esta peça. Eu que fiz a partir de um enorme vestido de baile que comprei em um brechó. Simplesmente desmembrei a peça toda e usei o tecido para fazer algo do zero, mas deixei os bordados, por isso há lantejoulas e bordados roxos no ombro direito, nas costas e sob os seios. Parece uma jaqueta de apresentador de circo, mas cai superbem e, por mais estranho que pareça, o bordado sob os seios afina minha cintura.

— Eu não dei esta jaqueta para você? — pergunto, franzindo a testa. — Em algum momento do ano passado?

— Você, se separar desta jaqueta? — Rachel faz uma careta. — Eu sei que você me ama, mas tenho certeza de que não ama *ninguém* tanto assim.

Certo, claro. Estou tão triste que nem consigo pensar direito. Mas pelo menos estou me preocupando com o que vou usar hoje. Sei que estou mal quando ponho a primeira coisa que encontro na gaveta. E não é como se ninguém fosse notar: meu guarda-roupa é tão exótico que uma combinação mal planejada realmente chama atenção. A calça de veludo mostarda, a blusa creme de babados e o longo cardigã verde que usei na quinta-feira causaram certa comoção no trabalho. Hana, do marketing, teve um acesso de tosse incontrolável quando entrei na copa, ao engasgar com o café. Além disso, ninguém entende por que estou tão mal. Dá para ver que todos estão pensando: *Por que ela só está chorando* agora*? O Justin não foi embora há meses?*

Eles estão certos. Não sei por que essa etapa específica do novo relacionamento de Justin me incomoda tanto. Eu já havia decidido que sairia de vez da casa dele. E não queria me casar com ele nem nada. Só achei... que ele ia voltar. Era isso que sempre acontecia: Justin ia embora, batia as portas, me ignorava, não atendia minhas ligações, mas depois percebia o erro. E aí, quando eu achava que estava pronta para começar a esquecê-lo, lá estava ele de novo, estendendo a mão e me pedindo para acompanhá-lo em alguma aventura incrível.

Mas agora acabou, não é? Ele vai se casar. Isso é... Isso é...

Rachel me passa uma caixa de lenços de papel sem dizer nada.

— Vou ter que refazer minha maquiagem. De novo — digo, depois que o pior passa.

— Não dá tempo meeeesmo — responde Rachel, mostrando a tela do celular.

Merda. Oito e meia. Tenho que sair agora ou vou me atrasar, e isso vai pegar *muito* mal. Se vamos seguir regras rígidas de horário no apartamento, Leon vai querer que eu seja pontual.

— Óculos escuros? — pergunto.

— Óculos escuros.

Rachel me passa os óculos. Pego a bolsa e vou até a porta.

Enquanto o trem balança pelos túneis da Linha Norte, vejo meu reflexo na janela e me ajeito. Estou bonita. O vidro embaçado e arranhado ajuda, como se fosse um filtro do Instagram. Mas esta é uma das minhas roupas favoritas, acabei de pintar o cabelo de ruivo-acobreado e, apesar de eu ter chorado e precisado tirar todo o lápis de olho, o batom continua intacto.

Aqui estou eu. Eu consigo. Sei me virar muito bem sozinha.

Isso funciona mais ou menos até chegar à entrada da estação de Stockwell, quando um cara grita para mim do carro:

— Tira essa bunda daí!

O susto me faz voltar a ser a Tiffy pós-término, que não vê sentido na vida. Estou triste demais para pensar nos problemas anatômicos que teria se tentasse realizar o pedido dele.

Chego ao prédio em cerca de cinco minutos — fica bem perto da estação. Ao ver que essa realmente pode ser minha futura casa, seco as bochechas e dou uma boa olhada no lugar. É um daqueles prédios baixos de tijolinho e, na frente, há um pequeno pátio com um pouco da grama triste de Londres, mais conhecida como palha bem cortada. Há uma vaga de estacionamento para cada inquilino, e um deles parece usar o espaço para guardar um número inacreditável de caixotes de banana vazios.

Quando toco a campainha do apartamento 3, um movimento me chama atenção: é uma raposa saindo da área onde ficam as lixeiras. Ela me lança um olhar insolente, parando com uma das patas no ar. Nunca estive tão perto de uma raposa. Esta é muito mais sarnenta do que as dos livros infantis. Só que raposas são legais, não? São tão simpáticas que não podemos mais atirar nelas por diversão, mesmo se formos aristocratas a cavalo.

A porta zumbe, se abrindo. Entro no prédio. É bem... marrom. Carpete marrom, paredes com cor de biscoito maisena. Mas isso não importa muito — é o interior que conta.

Quando bato à porta do apartamento 3, percebo que estou realmente nervosa. Não, quase em pânico. Estou mesmo fazendo isso? Estou pensando em dormir na cama de um estranho? Em *realmente* sair do apartamento de Justin?

Meu Deus. Talvez Gerty esteja certa e isso seja um pouco demais. Por um momento vertiginoso, me imagino voltando para a casa de Justin, para o conforto do apartamento todo cromado e branco, para a possibilidade de tê-lo de novo. Mas a ideia não é tão boa quanto na minha imaginação. De algum modo — talvez às onze da noite da última quinta —, o apartamento começou a ficar um pouco diferente, e eu também.

Sei, lá no fundo, que isso é uma coisa boa. Já vim até aqui, não posso me permitir desistir agora.

Preciso gostar deste lugar. É minha única opção. Então, quando alguém atende a porta, claramente não o Leon, estou tão disposta a seguir com o roteiro que deixo rolar. Nem pareço surpresa.

— Oi!

— Olá — diz a mulher.

Ela é pequena, tem pele morena e aquele cabelo curtinho que faz a pessoa parecer francesa se tiver uma cabeça pequena o bastante. De repente, eu me sinto enorme.

Ela não faz nada para dissipar essa sensação. Quando entro no apartamento, percebo que ela está me olhando de cima a baixo. Tento observar a decoração — oba, papel de parede verde-escuro, parece ser dos anos 1970 —, mas, depois de um tempo, o olhar dela começa a me incomodar. Eu me viro e a encaro.

Ah. É a namorada. E a expressão dela não poderia ser mais óbvia. Ela diz: *Eu estava com medo de você ser bonita e tentar roubar meu namorado enquanto estivesse dormindo na cama dele, mas agora que conheço você sei que ele nunca vai se interessar, então, claro! Pode entrar!*

Ela se abre em sorrisos. Tudo bem, deixa para lá — se é necessário fazer isso para conseguir o apartamento, não tem problema. Ela não vai me humilhar a ponto de me fazer desistir. A namorada dele não faz ideia de como estou desesperada.

— Meu nome é Kay — diz ela, estendendo a mão. O aperto é firme. — A namorada do Leon.

— Imaginei. — Sorrio para tirar a ironia da frase. — É um prazer. O Leon está no...

Inclino a cabeça para dentro do quarto. Ou a sala, que tem uma cozinha no canto. O apartamento não tem muito mais do que isso.

— Banheiro? — sugiro, vendo o quarto vazio.

— Ele ficou preso no trabalho — explica Kay, me incentivando a ir para a sala de estar.

Tudo é muito minimalista e um pouco malcuidado, mas é limpo e adoro o papel de parede dos anos 1970. Aposto que alguém pagaria oitenta libras por rolo se alguma loja famosa começasse a vendê-lo. Há uma luminária baixa na cozinha que não parece combinar muito com a decoração, mas é maravilhosa; o sofá é de couro gasto, a TV não está ligada na tomada, mas parece relativamente razoável, e o carpete foi aspirado recentemente. Tudo muito promissor.

Talvez isso possa ser bom. Talvez possa ser *ótimo*. Imagino uma sequência rápida de cenas possíveis no apartamento: eu descansando no sofá ou preparando alguma coisa na cozinha. De repente, a ideia de ter todo aquele espaço para mim me faz querer dar pulinhos de alegria. Eu me controlo bem a tempo. Kay não me parece do tipo que dança espontaneamente.

— Então eu não vou... conhecer o Leon? — pergunto, me lembrando da primeira regra que Mo mencionou e sentindo um arrepio.

— Bom, imagino que isso vá acontecer em algum momento — diz Kay. — Mas é comigo que você vai tratar. Vou cuidar do aluguel do apartamento por ele. Vocês nunca vão estar aqui ao mesmo tempo. O apartamento vai ser seu de seis da noite até oito da manhã durante a semana e por todo o fim de semana. A princípio o contrato é de seis meses. Tudo bem para você?

— Tudo, é exatamente do que eu preciso. — Faço uma pausa. — E... o Leon nunca vai aparecer do nada? Fora de hora ou algo assim?

— Com certeza não — responde Kay, com um ar de quem pretende garantir que isso nunca aconteça. — Das seis da tarde até as oito da manhã, o apartamento é só seu.

— Ótimo.

Solto o ar devagar, acalmando o frio na barriga, e dou uma olhada no banheiro. Sempre dá para ver se um lugar é legal pelo banheiro. Todas as peças são limpas e muito brancas. O chuveiro tem uma cortina azul-escura, alguns frascos bem organizados de xampu e condicionador masculinos e um espelho arranhado mas utilizável. Ótimo.

— Vou ficar. Se vocês me aceitarem.

Tenho certeza de que ela vai me aceitar, caso seja realmente decisão dela. Percebi assim que ela me viu no corredor. Sejam quais forem os critérios de Leon para sua companheira de apartamento, Kay só tem um e já ficou claro que ela me incluiu na categoria "convenientemente pouco bonita".

— Maravilha — diz Kay. — Vou ligar para o Leon e avisar.

6

Leon

Kay: Ela é perfeita.

Estou piscando bem devagar no ônibus. Piscadas lentas e maravilhosas que, na verdade, são sonecas curtas.

Eu: Sério? Não é chata?

Kay, parecendo irritada: Que diferença faz? Ela é limpa, organizada e pode se mudar já. Caso esteja mesmo decidido a fazer isso, não tem como esperar coisa muito melhor.

Eu: Ela não ficou incomodada com o homem estranho do apartamento 5? Ou com a família de raposas?

Breve pausa.

Kay: Ela não considerou nada disso um problema.

Piscada maravilhosamente lenta. Muito longa. Preciso tomar cuidado — não posso acordar no ponto final do ônibus e ter que voltar tudo de novo. Sempre um perigo depois de uma semana longa.

Eu: E como ela é?

Kay: Ela é… diferente. Meio exagerada. Estava usando um daqueles óculos escuros grandes com armação de tartaruga, apesar de ainda ser inverno, e tinha flores pintadas nas botas. Mas o importante é que está dura e muito feliz por ter encontrado um quarto tão barato!

"Exagerada" é o termo de Kay para gorda. Queria que ela não dissesse coisas assim.

Kay: Olha, você já está vindo pra casa, não está? A gente pode conversar quando você chegar.

Meu plano era cumprimentar Kay com o beijo de sempre, tirar minha roupa do trabalho, beber água, cair na cama dela e dormir por uma eternidade.

Eu: Que tal hoje à noite? Depois que eu dormir?

Silêncio. Silêncio extremamente irritado (sou especialista nos silêncios de Kay).

Kay: Então você vai direto para a cama quando chegar.

Mordo a língua. Resisto à vontade de descrever minha semana em detalhes.

Eu: Posso ficar acordado se você quiser.

Kay: Não, não, você precisa dormir.

Óbvio que vou ficar acordado. É melhor aproveitar as piscadas-sonecas até o ônibus chegar a Islington.

Recepção fria de Kay. Cometo o erro de mencionar Richie, o que faz a temperatura despencar ainda mais. Minha culpa, provavelmente. Não posso falar sobre ele sem ouvir A Discussão, como se ela apertasse o play toda vez que escutasse o nome de Richie. Enquanto ela prepara o "cantar" (combinação de café da manhã e jantar, perfeita tanto para os habitantes do dia quanto da noite), repito para mim mesmo que deveria me lembrar de como A Discussão terminou. Que ela pediu desculpa.

Kay: E então, vai me perguntar sobre os fins de semana?

Eu a encaro, demoro a responder. Às vezes é difícil conversar depois de uma noite longa. Abrir a boca para formar ideias compreensíveis é como erguer algo muito pesado, ou como um daqueles sonhos em que a gente precisa correr, mas nossas pernas estão se arrastando por algo espesso.

Eu: Perguntar o quê?

Kay faz uma pausa, omeleteira na mão. Fica muito bonita à luz do sol de inverno que entra pela janela da cozinha.

Kay: Sobre os fins de semana. Onde você planeja ficar quando Tiffy estiver no seu apartamento?

Ah. Entendi.

Eu: Esperava poder ficar aqui. Já que fico aqui todo fim de semana em que não estou trabalhando.

Kay sorri. Fico satisfeito por ter dito a coisa certa, mas logo sinto uma pontada de ansiedade.

Kay: Eu sabia que você planejava ficar aqui, viu? Só queria ouvir da sua boca.

Ela vê minha expressão perplexa.

Kay: Normalmente, você só fica aqui nos fins de semana por *coincidência*, não porque tenha planejado. Não porque seja nosso projeto de vida.

A palavra "projeto" fica muito menos agradável com a expressão "de vida" logo depois. De repente, estou muito ocupado comendo omelete. Kay aperta meus ombros, deixa os dedos correrem para cima e para baixo na minha nuca e puxa meu cabelo de leve.

Kay: Obrigada.

Me sinto culpado, apesar de não ter enganado Kay de verdade — supus *mesmo* que ficaria aqui todo fim de semana, *contei* com isso ao planejar alugar o quarto. Só não... pensei nisso desse jeito. Como um "projeto de vida".

Duas da manhã. Quando entrei para a equipe noturna da casa de repouso, as noites em que não trabalhava pareciam inúteis. Ficava sentado, acordado, esperando a luz do sol. Agora esse é meu momento: o silêncio abafado, o restante de Londres dormindo ou se embebedando. Estou pegando todos os turnos da noite que a coordenadora de recursos humanos da casa de repouso me dá — são os mais bem pagos, a não ser pelos turnos da noite no fim de semana, que prometi a Kay que não pegaria. Além disso, esse é o único jeito de fazer a divisão do apartamento funcionar. Nem sei se vale a pena ficar acordado em outro horário nos fins de semana agora — vou trabalhar cinco dos sete dias da semana. Melhor continuar sendo noturno.

Normalmente uso esse momento às duas da manhã para escrever para Richie. Há limite para ligações, mas ele pode receber quantas cartas eu quiser mandar.

Na última terça, fez três meses que ele foi condenado. Difícil saber como marcar uma data assim. Brindando? Fazendo outra marca na parede? Richie está aceitando bem, levando tudo em consideração, mas, quando foi preso, Sal tinha dito que o tiraria de lá até fevereiro, então este aniversário foi muito ruim.

Sal. Ele está se esforçando, supostamente, mas Richie é inocente e está na cadeia, então não posso deixar de ter certo ressentimento pelo advogado. Sal não é *ruim*. Usa palavras grandes, carrega uma pasta, nunca duvida de si mesmo — as características clássicas de um advogado que passa confiança, não? Mas continua cometendo erros. Como vereditos inesperados de culpa.

Mas quais são nossas opções? Não há outro advogado interessado em pegar o caso de Richie por um preço menor. Nenhum outro advogado familiarizado com o caso, pronto para falar com Richie na prisão... Não há *tempo* para encontrar outra pessoa. A cada dia, Richie se afasta mais e mais.

Também sou eu que tenho que lidar com Sal o tempo todo, nunca minha mãe, o que gera muitos telefonemas exaustivos atrás dele. Mas minha mãe grita e aponta dedos. Sal é sensível, pode desistir fácil de trabalhar no caso de Richie e é absolutamente indispensável.

Isso não ajuda em nada. Duas da manhã é um horário horrível para pensar em questões legais. Pior hora de todas. Se meia-noite é a hora das bruxas, duas da manhã é a dos monstros da aflição.

Procurando uma distração, me pego pesquisando *Johnny White*. O amor perdido de rosto hollywoodiano do sr. Prior.

Existem muitos Johnny White. Um é uma figura importante da música dance do Canadá. Outro é jogador de futebol americano. Os dois com certeza não estavam vivos na época da Segunda Guerra Mundial, nem se apaixonaram por cavalheiros ingleses charmosos.

Bem, é para isso que serve a internet, não é?

Busco *Johnny White morto na guerra* e me odeio um pouco por isso. Parece que estou traindo o sr. Prior ao supor que Johnny esteja morto. Mas vale a pena tentar eliminar essas opções primeiro.

Encontro um site chamado *Encontre mortos na Guerra*. Fico um pouco horrorizado de início, mas percebo que, na verdade, é incrível — todos são lembrados ali. Como túmulos digitais pesquisáveis. Posso pesquisar por nome, regimento, guerra, data de nascimento... Digito *Johnny White* e especifico *Segunda Guerra Mundial*, pois não tenho nenhuma outra informação.

Setenta e oito Johnny White morreram no Exército durante a Segunda Guerra Mundial.

Eu me recosto na cadeira. Observo a lista. John K. White. James Dudley Jonathan White. John White. John George White. Jon R. L. White. Jonathan Reginald White. John...

Tudo bem. De repente tenho certeza absoluta de que o lindo Johnny White do sr. Prior está morto. Gostaria que houvesse um banco de dados parecido para aqueles que lutaram e não morreram na guerra. Seria legal. Uma lista de sobreviventes. Fico abalado, típico de alguém, às duas da manhã, com o horror da humanidade e sua disposição para terríveis atos de assassinato em massa.

Kay: Leon! Seu bipe está tocando! *No meu ouvido!*

Deixo o laptop no sofá depois de apertar "imprimir", abro a porta do quarto e vejo Kay deitada de lado, edredom cobrindo a cabeça, um braço erguido segurando meu bipe.

Pego bipe. Pego telefone. Não estou de plantão, claro, mas a equipe não me biparia se não fosse importante.

Socha, residente de primeiro ano: Leon, a Holly.

Estou calçando sapatos.

Eu: É muito ruim?

Chaves! Chaves! Cadê as chaves?

Socha: Ela está com uma infecção. Os exames não estão *nada* bons. Ela quer ver você. Não sei o que fazer, Leon, e a dra. Patel não está atendendo o bipe, o residente está esquiando e June não conseguiu achar ninguém para me cobrir, então não tenho mais quem chamar...

Chaves localizadas no fundo da cesta de roupa suja. Lugar criativo para guardá-las. Vou até a porta, Socha falando sobre contagem de leucócitos, cadarços batendo...

Kay: Leon! Você ainda está de pijama!

Droga. Bem que achei que tinha chegado até a porta mais rápido que o normal.

7

Tiffy

Certo, o apartamento novo está muito... cheio. Aconchegante.

— Entulhado — confirma Gerty, parada no único espaço não ocupado do quarto. — Está entulhado.

— Você sabe que meu estilo é eclético! — reclamo, ajeitando a linda colcha de batique que achei na feira de Brixton no último verão.

Estou me esforçando muito para manter uma atitude positiva. Fazer as malas e sair do apartamento de Justin foi horrível, a viagem de carro para cá levou quatro vezes mais tempo do que o Google disse que levaria, e carregar tudo escada acima foi uma tortura. Depois Kay quis ter uma longa conversa comigo enquanto me entregava as chaves, quando tudo o que eu queria era me sentar em algum lugar e ficar na minha até recuperar o fôlego. Não foi um dia divertido.

— Você explicou isso ao Leon? — pergunta Mo, equilibrando-se na ponta da cama. — Tipo, que você traria todas as suas coisas?

Franzo a testa. Claro que eu traria todas as minhas coisas! Eu precisava explicar isso? Estou me mudando para cá — isso significa que minhas coisas têm que morar aqui comigo. Onde mais iam ficar? Afinal, é minha casa também.

No entanto, só agora cai a ficha de que meu quarto vai ser compartilhado com outra pessoa e de que essa pessoa tinha coisas que, até esse fim de semana, ocupavam a maior parte do aposento. Está sendo meio difícil espremer tudo aqui dentro. Resolvi alguns problemas colocando coisas em outras partes da casa — muitos dos meus suportes para velas estão alocados na beira da banheira, por exemplo, e meu incrível abajur de lava está em um canto ótimo na sala —, mas, mesmo assim, seria bom se Leon fizesse uma limpeza. Ele provavelmente já deveria ter feito isso, na verdade. Seria o certo, já que eu ia me mudar.

Talvez eu devesse ter deixado *algumas* coisas na casa dos meus pais. Mas a maior parte ficava guardada na casa de Justin e me senti muito bem tirando tudo das caixas na noite anterior. Rachel disse que, quando encontrei o abajur, parecia o Andy encontrando o Woody em *Toy Story*, mas, para ser sincera, me emocionei de verdade, por incrível que pareça. Fiquei sentada por um tempo no corredor, olhando para a bagunça multicolorida formada pelos meus pertences favoritos, que estavam empilhados no armário sob a escada, e senti, por um instante estranho, que, se as almofadas podiam voltar a respirar, eu também conseguiria.

Meu telefone toca. É Katherin. Ela é a única escritora que atendo aos sábados, só porque deve estar me ligando para contar alguma coisa hilária que fez, como tuitar uma foto inapropriada de si mesma nos anos 1980 com um político muito conhecido hoje em dia, ou fazer mechas californianas no cabelo da mãe idosa.

— Como vai a minha editora favorita?

— Acabei de me mudar para a casa nova! — conto, pedindo com gestos que Mo ponha água para ferver.

Ele parece um pouco irritado, mas coloca a chaleira no fogo mesmo assim.

— Maravilha! Ótimo! O que você vai fazer na quarta-feira?

— Trabalhar — digo, analisando minha agenda mentalmente.

Na verdade, na quarta tenho uma reunião chata com a diretora de direitos autorais internacionais para falar sobre o novo livro que contratei ano passado, escrito por um ex-pedreiro que se tornou um designer famoso. O trabalho dela é vendê-lo para outros países. Quando comprei os direitos, falei *muito* (mas de forma vaga) sobre a presença internacional dele nas redes sociais, que na verdade era bem menor do que fiz parecer. Ela está sempre me mandando e-mails e pedindo "mais detalhes" e "informações específicas sobre o alcance por região". A situação chegou a um ponto em que não posso mais evitá-la, nem mesmo atrás da minha parede furtiva de vasos de plantas.

— Perfeito! — diz Katherin, estranhamente entusiasmada. — Tenho ótimas notícias.

— É sério?

Estou torcendo por uma entrega de manuscrito antecipada ou que ela tenha mudado de opinião sobre o capítulo sobre chapéus e cachecóis, que ela ameaçou tirar do livro. Isso seria um desastre, já que é a única parte que torna o livro vendável.

— O pessoal do cruzeiro remarcou a aula ao vivo de *Como fazer suas próprias roupas de crochê com habilidade* para quarta-feira. Então você vai poder me ajudar com o cruzeiro, no fim das contas.

Hum... Agora vai ser no horário de trabalho — e isso adiaria a conversa com a diretora de direitos autorais por pelo menos mais uma semana. O que será que prefiro: ser usada como modelo de coletes de crochê em um cruzeiro com Katherin ou levar uma bronca da diretora de direitos autorais em uma sala de reuniões sem janelas?

— Tudo bem. Estou dentro.

— Sério?

— Sério — respondo, aceitando o chá de Mo. — Mas não vou falar nada. E você não pode ficar me sacudindo como da outra vez. Os hematomas demoraram dias para sumir.

— São os problemas e as atribulações da vida de modelo, Tiffy — retruca Katherin.

Tenho uma leve impressão de que ela está rindo de mim.

Todos foram embora. Estou sozinha no apartamento.

É claro que fiquei muito animada o dia inteiro e não demonstrei em nenhum momento para Mo, Gerty e Kay que a mudança para o apartamento de Leon tenha sido estranha ou triste.

Mas é um pouco estranho. E estou com vontade de chorar outra vez.

• • •

Olho para meu lindo cobertor de batique dobrado ao pé da cama e só consigo pensar que não tem nada a ver com o edredom de Leon, uma peça basicamente listrada de preto e cinza, e não há nada que eu possa fazer porque esta cama é tão minha quanto dele, seja lá quem for esse tal de Leon, e que seu corpo seminu ou talvez nu dorme sob este edredom. Não tinha parado para pensar na logística da cama até este momento, e, agora que estou fazendo isso, a experiência não me agrada muito.

Meu telefone vibra. É Kay.

Espero que a mudança tenha corrido bem. Coma o que quiser da geladeira (até você se situar e conseguir fazer compras). Leon pediu para você dormir do lado esquerdo da cama. Bjos, Kay.

Pronto. Estou chorando. Isso é muito estranho. Quem é esse tal de Leon, afinal? Por que não me encontrei com ele ainda? Penso em ligar para ele — tenho o número por causa do anúncio —, mas já ficou claro que Kay quer ser a responsável por tudo relacionado ao aluguel.

Assoo o nariz, seco os olhos com força e vou até a geladeira. Está surpreendentemente cheia para a casa de alguém que trabalha tanto. Pego a geleia de framboesa e a margarina e acho o pão na prateleira acima da torradeira. Certo.

Oi, Kay. Já fiz toda a mudança, obrigada. O apartamento é muito aconchegante! Obrigada por confirmar o meu lado da cama.

Está meio formal demais para quem está discutindo quem dorme em qual lado da cama, mas sinto que Kay prefere que eu não tente ser amiguinha dela.

Digito algumas outras perguntas sobre o apartamento — onde é o interruptor do corredor do prédio, se posso ligar a TV na tomada, esse tipo de coisa. Então, com uma torrada com geleia na mão, volto para o quarto e me pergunto se seria muito passivo-agressivo refazer a cama com meus lençóis. Com certeza Leon deve ter colocado lençóis limpos. Mas... e se não pôs? Ai, caramba, agora que a ideia surgiu, vou ter que trocá-los. Arranco a roupa de cama dele com os olhos bem fechados, como se estivesse com medo de ver alguma coisa que não quero.

Tudo bem. Os lençóis provavelmente limpos estão na máquina de lavar, os meus lindos e sem dúvida limpos estão na cama, e eu estou um pouco sem fôlego com todo esse exercício. Olhando agora, o quarto com certeza parece mais meu do que quando cheguei. É, o edredom ainda não combina (achei que trocá-lo seria um exagero) e há livros estranhos nas prateleiras (*nenhum* é sobre fazer as próprias roupas! Vou ter que resolver isso), mas, com minhas coisas espalhadas por todos os cantos, meus vestidos no armário e... É, vou estender o cobertor pela cama toda para cobrir o edredom, só por enquanto. Muito melhor.

Enquanto estou arrumando o cobertor, noto um saco plástico preto debaixo da cama e algo de lã caído no chão. Devo ter me esquecido de guardar uma das minhas sacolas. Arrasto o saco para fora e confiro o conteúdo.

Está cheio de cachecóis. Lindos cachecóis de lã. Não são meus, mas a técnica é incrível — é preciso muito talento para tricotar e fazer crochê assim. Eles *deveriam* ser meus. Eu daria um dinheiro que não tenho por estes cachecóis.

Depois percebo que estou remexendo no que devem ser coisas de Leon — e algo que ele está guardando embaixo da cama, logo, que provavelmente não quer que as pessoas vejam. Eu me permito observar os pontos por mais um ou dois segundos antes de empurrar a sacola de volta para seu lugar, tomando cuidado para deixá-la do jeito que estava. Gostaria de saber o que todos esses cachecóis significam. Ninguém guarda tantos cachecóis feitos à mão à toa.

Acabo pensando que Leon pode ser um cara estranho. Guardar cachecóis não é estranho, mas isso poderia ser apenas a ponta do iceberg. Além do mais, são muitos cachecóis — pelo menos uns dez. Será que foram roubados? Droga. E se forem lembranças das mulheres que ele matou?

Talvez ele seja um *serial killer*. Um *serial killer* que só ataca no inverno, quando todos usam cachecóis.

Preciso ligar para alguém. Ficar sozinha com os cachecóis está me deixando muito assustada... e um pouco louca.

— O quê? — diz Rachel ao atender.

— Estou com medo de Leon ser um *serial killer*.

— Por quê? Ele tentou matar você ou algo assim?

Rachel parece um pouco distraída. Talvez não esteja levando isso a sério.

— Não, não, nem encontrei com ele ainda.

— Mas você conheceu a namorada dele, né?

— Conheci. Por quê?

— Bom, você acha que ela sabe?

— Sobre o quê?

— Sobre os assassinatos?

— Hum... Não? Acho que não.

Kay parece muito normal.

— Então ela é uma mulher muito pouco observadora. Você conseguiu observar os sinais em apenas uma noite sozinha na casa dele. Pense em quanto tempo ela deve passar aí, ver os mesmos sinais e não chegar à única conclusão lógica!

Faço uma pausa. O raciocínio de Rachel pode parecer simples, mas foi muito bem elaborado.

— Você é uma amiga incrível — digo, por fim.

— Eu sei. De nada. Mas agora tenho que ir. Estou em um encontro.

— Ai, meu Deus! Desculpa!

— Não, tudo bem. Ele não se importa, não é, Reggie? Ele disse que não se importa.

Ouço um ruído abafado do outro lado da linha. De repente não consigo deixar de imaginar que Reggie está amarrado em algum lugar no apartamento de Rachel.

— Vou desligar. Te amo.

— Também te amo. Não, você, não, Reggie. Pode ficar calmo.

8

Leon

Uma Holly magra e de olhos cansados me observa da cama. Parece menor. Em todas as dimensões: pulsos, cabelo crescendo em tufos... Tudo, a não ser os olhos.

Ela abre um sorriso fraco.

Holly: Você esteve aqui no fim de semana passado.

Eu: Dei um pulo aqui. Precisavam da minha ajuda. Estavam sem ninguém.

Holly: Foi porque eu chamei você?

Eu: De jeito nenhum. Você sabe que é a paciente de que menos gosto.

Sorriso maior.

Holly: Você estava passando um fim de semana legal com a sua namorada de cabelo curto?

Eu: Na verdade, estava.

Holly parece muito maliciosa. Não quero ter esperanças, mas ela está visivelmente melhor — esse sorriso nem apareceu no fim de semana passado.

Holly: E você teve que largar a coitada por minha causa!

Eu: Por causa da equipe reduzida, Holly. Tive que largar... Vim trabalhar porque estavam sem gente para ajudar.

Holly: Aposto que ela fica irritada porque você gosta mais de mim do que dela.

Socha, a residente de primeiro ano, põe a cabeça para dentro da cortina para chamar minha atenção.

Socha: Leon.

Eu, para Holly: Volto daqui a pouco, destruidora de lares.

Eu, para Socha: E aí?

Ela abre um grande sorriso cansado.

Socha: O exame de sangue chegou. Os antibióticos estão finalmente fazendo efeito. Acabei de ligar para o residente do Hospital Geral, e ele disse que, como ela está melhorando, não tem que voltar para a internação. A assistente social também concorda.

Eu: Os antibióticos estão funcionando?

Socha: Estão. A contagem de leucócitos e de proteína c-reativa está caindo, ela não tem mais febre e o ácido láctico está normal. Pressão estável.

Alívio imediato. Nada como a sensação de ver alguém melhorando.

O entusiasmo por causa do exame de sangue de Holly me acompanha até em casa. Adolescentes fumando maconha na esquina da rua parecem querubins. Um homem fedendo no ônibus e tirando meias para coçar os pés evoca apenas compaixão. Até o grande inimigo dos londrinos, o turista lento, só me faz abrir um sorriso indulgente.

Planejo um jantar excelente para as nove da manhã. Primeira coisa que noto é o cheiro. Tem um cheiro... feminino. Como o de incenso e de floricultura.

Logo depois percebo a enorme quantidade de coisas na sala. Pilhas gigantes de livros na bancada da cozinha. Almofada em formato de vaca no sofá. Um abajur de lava — um *abajur de lava*! — na mesinha de centro. O que é isso? Essa mulher de Essex quer montar um brechó no apartamento?

Meio atordoado, vou deixar as chaves no lugar de sempre (quando não opto pelo fundo da cesta de roupa suja) e vejo que está ocupado por um cofrinho em forma de cachorro. Inacreditável. Parece um episódio ruim de um programa de decoração. O apartamento foi redecorado e ficou absurdamente pior. Só posso concluir que ela fez isso de propósito — ninguém pode ter tanto mau gosto.

Tento lembrar o que Kay me falou sobre a mulher. Ela é... editora? Parece profissão de alguém sensato e de bom gosto. Tenho quase certeza de que

Kay não mencionou que a mulher de Essex coleciona objetos estranhos. Parece que não fez diferença.

Desabo em um pufe e relaxo por um momento. Penso nas trezentas e cinquenta libras que não teria conseguido dar a Sal neste mês. Concluo que não é tão ruim assim. O pufe é excelente, por exemplo: estampado e muito confortável. E o abajur de lava tem seu valor cômico. Quem tem um desses hoje em dia?

Noto meus lençóis pendurados no varal no canto da sala. Ela lavou. Meio irritante, já que me esforcei para lavá-los e me atrasei para o trabalho por causa disso. Mas devo lembrar que a irritante mulher de Essex não me conhece. Não saberia que eu obviamente lavaria os lençóis antes de convidar uma estranha para dormir neles.

Bom. Como o quarto vai estar?

Entro, intrépido. Solto um grito estrangulado. Parece que alguém vomitou arco-íris e estampas, cobrindo toda superfície com cores que nunca estariam juntas na natureza. Cobertor horrível e comido por traças em cima da cama. Uma enorme máquina de costura bege ocupa quase a escrivaninha toda. E roupas... roupas *em todos os cantos*.

Ela tem mais roupas do que uma loja de tamanho razoável estocaria. Claramente não conseguiu pôr tudo na metade do guarda-roupas que liberei para ela, por isso pendurou vestidos atrás da porta, em pregos que um dia seguraram quadros na parede — muito esperta, na verdade — e na cadeira sob a janela, agora quase invisível.

Penso em ligar para ela e bater o pé por aproximadamente três segundos, mas chego à inevitável conclusão de que isso seria estranho e de que, em alguns dias, não vou me importar mais. Na verdade, provavelmente vou parar de notar. Mas mesmo assim. Neste momento, minha opinião sobre a mulher de Essex chegou ao pior nível. Estou prestes a voltar para o pufe convidativo quando noto a sacola de cachecóis que o sr. Prior tricotou para mim saindo de debaixo da cama.

Eu me esqueci deles. A mulher de Essex pode achar estranho encontrar uma sacola com quatorze cachecóis tricotados à mão embaixo da cama. Já faz tempo que quero doar para a caridade, mas claro que a mulher de Essex não vai saber disso. Não encontrei com ela ainda, não quero que ela ache que sou, você sabe... Colecionador de cachecóis ou algo assim.

Pego papel e caneta, rabisco PARA A CARIDADE em um Post-it e grudo na sacola. Pronto. Só para lembrar, caso esqueça.

Agora é sentar no pufe para jantar e cama. Estou tão cansado que até o cobertor de batique horrível está começando a parecer atraente.

9

Tiffy

Certo, aqui estou. No cais congelante. Em "roupas neutras com as quais eu possa trabalhar", segundo Katherin, que está sorrindo com ironia para mim, o vento jogando seu cabelo louro-avermelhado no rosto enquanto esperamos o navio baixar a ponte, ou virar as três velas para o vento, ou o que quer que esses navios façam para que as pessoas subam a bordo.

— Você tem um corpo de proporções perfeitas para esse tipo de coisa — diz Katherin. — É minha modelo favorita, Tiffy. É sério. Vai ser um arraso.

Ergo uma das sobrancelhas e olho para o mar. Não vejo a grande seleção de outras modelos que Katherin tem para escolher. E, com o passar dos anos, já me cansei um pouco das pessoas falando das minhas "proporções". A questão é que sou o contrário do apartamento de Gerty e Mo: uns vinte por cento maior do que o normal, em todas as direções. Minha mãe gosta de dizer que tenho "ossos largos" porque meu pai era lenhador na juventude. (Era mesmo? Sei que ele está velho, mas desconfio que lenhadores só existam em contos de fadas.) Em todo cômodo que entro, sempre tem alguém para me informar que sou muito alta para uma mulher.

Às vezes isso incomoda as pessoas, como se eu estivesse ocupando mais espaço do que o permitido, e às vezes as intimida, sobretudo quando estão acostumadas a olhar para baixo para falar com uma mulher, mas em geral isso só faz com que elogiem muito minhas "proporções". Acho que o que elas estão dizendo mesmo é: "Nossa, você é grande, mas não é muito gorda!", ou "Parabéns por ser alta sem ser magrela!", ou "Você está confundindo minha noção de gênero por ter um corpo muito feminino, apesar de ter a altura e a largura de um homem médio!".

— Você é o tipo de mulher que os soviéticos apreciavam — continua Katherin, ignorando minha sobrancelha erguida. — Sabe, aquelas dos cartazes sobre mulheres que trabalhavam na terra enquanto os homens lutavam, esse tipo de coisa.

— E essas mulheres soviéticas usavam muito crochê? — pergunto, irritada.

Está chuviscando e o mar parece muito diferente estando em um cais agitado como este. É muito menos glamoroso do que quando estamos na praia. Na verdade, parece apenas uma grande banheira de água fria e salgada. Gostaria de saber se a diretora de direitos autorais está quentinha agora, na reunião sobre o alcance internacional dos lançamentos de primavera.

— Talvez, talvez — pondera Katherin. — Boa ideia, Tiffy! O que você acha de um capítulo com a história do crochê no próximo livro?

— Não — respondo, firme. — Isso não vai atrair mais leitores.

Com Katherin, é necessário matar as ideias no berço. E estou certa desta vez. Ninguém quer histórias — as pessoas só querem ideias para uma nova peça de crochê que possam dar para o neto babar.

— Mas...

— Só estou informando você sobre a brutalidade do mercado, Katherin. — É uma das minhas frases favoritas. O bom e velho mercado, sempre ali para servir de culpado. — As pessoas não querem histórias em livros de crochê. Querem fotos bonitas e instruções fáceis.

Depois que todos os documentos foram conferidos, subimos a bordo. Não dá para saber onde o cais acaba e o barco começa. É como entrar em um prédio e sentir um leve enjoo, como se o chão estivesse se movendo sob nossos pés. Achei que fôssemos ter uma recepção diferente, mais divertida, por sermos convidadas especiais, mas estamos apenas caminhando com todo mundo. E todos são pelo menos vinte vezes mais ricos do que eu, claro, e estão muito mais bem-vestidos.

É um navio pequeno para um cruzeiro — tipo, só do tamanho de Portsmouth, não de Londres. Somos empurradas com cuidado até um canto da "sala de entretenimento" para esperar o momento de começar. Vamos montar tudo depois que os passageiros tiverem almoçado.

Ninguém traz almoço para *nós*. Katherin, claro, levou os próprios sanduíches. São de sardinha. Ela me oferece metade, empolgada, o que é muita gentileza. Por fim, o ronco em meu estômago fica tão alto que aceito a derrota e pego um pedaço. Estou inquieta. A última vez em que fiz um cruzeiro foi para visitar as ilhas gregas com Justin, e eu estava com os olhos brilhando de tanto amor e hormônios pós-sexo. Agora, encolhida em um canto com três sacolas cheias de lã e agulhas de tricô e crochê, acompanhada por uma ex-hippie e um sanduíche de sardinha, não posso mais negar que minha vida está indo de mal a pior.

— Bom, quais são os planos? — pergunto a Katherin, mordiscando a casca do sanduíche. O sabor de peixe não é tão ruim na borda do pão. — O que eu tenho que fazer?

— Primeiro vou mostrar como tirar medidas — explica ela. — Depois vou dar dicas básicas para iniciantes e usar minhas peças já prontas para mostrar como criar uma roupa perfeita! E, claro, vou dar minhas cinco dicas principais para medir enquanto tricota.

"Meça enquanto tricota" é um dos slogans de Katherin. O bordão ainda não pegou.

Por fim, quando chega a hora de começarmos, conseguimos reunir uma boa quantidade de ouvintes. Katherin sabe fazer isso — ela provavelmente praticou muito em protestos e coisas assim, no passado. É um grupo formado por senhoras e seus maridos, mas há algumas mulheres mais novas, de vinte ou trinta anos, e até dois homens. Estou muito animada. Talvez Katherin tenha razão e o crochê esteja mesmo entrando na moda.

— Uma grande salva de palmas para minha assistente glamorosa! — diz Katherin, como se estivéssemos fazendo um show de mágica.

Inclusive, o mágico parece um pouco ofendido no outro canto da sala de entretenimento.

Todos aplaudem como esperado. Tento parecer alegre e pronta para o crochê, mas ainda estou com frio e me sinto feia com roupas neutras — calça jeans branca, camiseta cinza e um cardigã rosa lindo que achei que tinha vendido no ano passado mas redescobri no meu guarda-roupa hoje de manhã. É o único elemento colorido da roupa e sei que Katherin vai...

— Tire o cardigã — diz ela, já me despindo. Isso é muito humilhante. E me deixa com frio. — Estão prestando atenção? Guardem os celulares, por favor. A gente sobreviveu à Guerra Fria sem entrar no Facebook a cada cinco minutos, né? Hum? Isso mesmo, um pouco de perspectiva para todos! Guardem os telefones!

Tento não rir. Isso é típico da Katherin — ela sempre diz que lembrar a Guerra Fria assusta as pessoas.

Começa a me medir — pescoço, ombros, busto, cintura, quadril —, e eu percebo que minhas medidas estão sendo tiradas na frente de um grupo bem grande de pessoas, o que me dá ainda mais vontade de rir. Clássico, né? A gente não pode rir e, de repente, é o que mais quer fazer.

Katherin me lança um olhar severo enquanto mede minha cintura, falando sem parar sobre pregas para criar "espaço suficiente para a bunda" e, sem dúvida, sentindo que meu corpo está começando a tremer com as risadas contidas. Sei que preciso ser profissional. Sei que não posso cair na gargalhada — isso vai prejudicar Katherin. Mas... olhe só para mim. Aquela senhorinha ali acabou de anotar a medida da minha coxa no caderno. E aquele cara ali do fundo se parece...

Aquele cara do fundo... Aquele...

É Justin.

Ele vai embora quando percebe o meu olhar e se mistura à multidão. Mas, antes de desaparecer, me encara. O gesto faz uma onda de choque passar por mim, porque não é um olhar comum. É de um tipo muito específico. Do tipo que faz você ficar presa ao momento pouco antes de jogar vinte libras na mesa e sair correndo do bar para beijar a outra pessoa no táxi a caminho de casa, ou ao momento em que você pousa a taça de vinho e sobe a escada para ir para cama.

É um contato visual *sexy*. Os olhos dele estão dizendo: *Estou despindo você com os olhos.* O homem que me deixou meses atrás, que não atendeu nenhuma ligação minha desde então, cuja noiva provavelmente também está neste cruzeiro... está olhando para mim desse jeito. E, nesse momento, me sinto mais exposta que qualquer quantidade de senhorinhas com cadernos poderia me fazer sentir. Sinto-me totalmente nua.

10

Leon

Eu: Vocês poderiam ter se reencontrado. O amor sempre dá um jeito, sr. Prior! O amor sempre dá um jeito!

Ele está cético.

Sr. Prior: Não quero ofender, meu garoto, mas você não estava lá. Não era assim que funcionava. Claro, houve várias histórias ótimas, moças que achavam que os namorados estavam mortos, depois voltavam para casa e os viam subindo a rua de uniforme, tranquilos... Mas, para cada uma delas, houve centenas de histórias de amantes que nunca voltaram. Johnny provavelmente está morto, ou, se não estiver, deve ter se casado há muito tempo, com um homem ou uma mulher em algum lugar, e já me esqueceu.

Eu: Mas você disse que ele não estava na lista.

Estou sacudindo a lista de mortos na guerra que imprimi, sem entender por que insistir tanto. O sr. Prior não me pediu para encontrar Johnny. Ele só estava com saudade. Perdido em memórias.

Mas vejo muitos idosos aqui. Estou acostumado com memórias; com a saudade. Senti que isso era diferente. Senti que o sr. Prior tinha assuntos mal resolvidos.

Sr. Prior: Não, acho que não. Mas sou um homem velho e esquecido e o sistema do seu computador é bem recente, então um de nós pode estar errado, não?

Ele abre um sorriso gentil, como se eu estivesse fazendo isso por mim, não por ele. Olho para o sr. Prior mais de perto. Penso em todas as noites em que vim falar sobre visitantes de outros pacientes e vi o sr. Prior sentado em silêncio em um canto, mãos no colo, rosto inexpressivo, rugas retas, como se estivesse se esforçando para não parecer triste.

Eu: Colabore um pouco. Me conte os fatos. Qual regimento? Local de nascimento? Características específicas? Parentes?

Os olhos pequenos e redondos do sr. Prior me encaram. Ele dá de ombros. Sorri. Fecha o rosto seco e manchado pela idade, movimentando sardas do pescoço, parecidas com tintas, deixadas ali por décadas de colarinhos de camisa exatamente iguais.

Ele balança um pouco a cabeça, como se, mais tarde, fosse dizer a alguém que os enfermeiros modernos são muito excêntricos, mas começa a falar mesmo assim.

Quinta de manhã. Ligo para minha mãe para uma conversa curta e difícil no ônibus.

Mãe, cansada: Alguma novidade?

Leon: Sinto muito, mãe.

Mãe: Não é melhor eu ligar para o Sal?

Leon: Não, não. Estou cuidando disso.

Silêncio longo e triste. Chafurdamos nele.

Mãe, com esforço: Desculpa, querido. Como você está?

Volto para casa e tenho uma surpresa agradável: bolo de aveia caseiro na bancada da cozinha. Está cheio de frutas secas e sementes coloridas, como se a mulher de Essex não conseguisse deixar de misturar cores nem na comida. Mas isso parece menos condenável quando vejo um bilhete ao lado da bandeja.

Sirva-se! Espero que ~~seu dia~~ sua noite tenha sido ~~bom~~ boa. Bjos, Tiffy

Excelente progresso. Com certeza posso aturar altos níveis de entulho e luminárias diferentes por trezentas e cinquenta libras por mês *e* comida de graça. Pego um pedaço grande, me sento para escrever para Richie e conto as novidades sobre a saúde de Holly. Ela é a "garota ingênia" em minhas cartas para ele e um pouco uma caricatura de si mesma: mais inteligente, sarcástica e bonita. Pego outra fatia do bolo sem olhar, preenchendo a segunda página com descrições dos objetos mais estranhos da mulher de Essex, alguns tão ridículos que acho que Richie não vai acreditar. Um ferro de passar no formato do Homem de Ferro. Sapatos de palhaço de verdade, pendurados na parede como obras de arte. Botas de caubói com esporas, e, ao ver como estão gastas só me resta concluir que ela as usa com frequência.

Noto, um pouco alheio, enquanto mexo no selo, que comi quatro fatias. Torço para que realmente não tivesse problema. Já que a caneta está na mão, rabisco no verso do bilhete dela.

Obrigado. Tão delicioso que, sem querer, comi quase tudo.

Paro antes de terminar o bilhete. Sinto que preciso retribuir o favor de alguma maneira. Quase não há mais bolo de aveia na bandeja.

Obrigado. Tão delicioso que, sem querer, comi quase tudo. Tem estrogonofe com cogumelo na geladeira caso você queira jantar (já que não deixei quase nada do bolo). Leon.

Melhor começar a fazer o estrogonofe com cogumelo agora.

Não foi o único bilhete que encontrei. Tem outro no chão do banheiro.

Oi, Leon,

Você poderia baixar a tampa da privada, por favor?

Desculpe não ter conseguido escrever este bilhete de um jeito que não soasse passivo-agressivo — é sério, alguma coisa acontece quando escrevemos bilhetes. A gente pega uma caneta e um Post-it e imediatamente se torna um babaca. Então estou tentando deixar o texto mais estiloso. Talvez até coloque uns smiles só pra garantir. Bjos, Tiffy

Há smiles cobrindo toda a parte de baixo do bilhete.

Começo a rir. Um dos smiles tem corpo e está mijando no canto do Post-it. Eu não estava esperando isso. Não sei por quê — não conheço essa mulher —, mas não a havia imaginado com tanto senso de humor. Talvez porque todos os livros dela sejam do tipo "faça você mesmo".

11

Tiffy

— Isso é ridículo.

— Eu sei — digo.

— É *isso*?! — berra Rachel.

Eu me encolho. Ontem à noite, bebi uma garrafa de vinho branco, preparei um bolo de aveia em pânico e mal dormi. Estou frágil demais para gritos.

Estamos sentadas no "espaço criativo" do trabalho — que é igual às duas outras salas de reunião da Butterfingers Press, mas, só para me irritar, não tem uma porta normal (para dar a sensação de espaço aberto) e tem quadros brancos na parede. Alguém fez anotações neles uma vez, e agora os registros da "sessão criativa" dessa pessoa estão marcados para sempre em tinta de caneta seca, totalmente incompreensíveis. Rachel imprimiu os layouts que discutiríamos na reunião e espalhou pela mesa. É a droga do livro de receitas de bolos e dá para ver que eu estava de ressaca e com pressa quando editei isso.

— Você está me dizendo que viu Justin em um *cruzeiro*, que ele lançou um olhar de *Quero te comer* e você continuou fazendo o que estava fazendo e *não viu o cara de novo*?

— Pois é — repito, numa tristeza absoluta.

— Que ridículo! Por que você não foi atrás dele?

— Eu estava ocupada com a Katherin! Que, falando nisso, me machucou seriamente — conto, tirando o poncho para mostrar a marca avermelhada no lugar em que Katherin espetou meu braço no meio da demonstração.

Rachel dá uma olhada rápida na marca.

— Espero que você tenha diminuído o prazo de entrega do manuscrito dela por causa disso. Tem certeza de que era o Justin? Não era outro cara branco de cabelo castanho? Quer dizer, imagino que um cruzeiro seja...

— Rachel, eu conheço a cara do Justin.

— É, bom... — diz ela, abrindo bem os braços e deslizando os layouts pela mesa. — Não acredito nisso. É um anticlímax *enorme*. Achei mesmo que sua história ia acabar com sexo no beliche de uma cabine. Ou no deque! Ou, ou, ou no meio do mar, num bote!

Na verdade, o que aconteceu foi que passei o restante da aula em um suspense paralisado, em pânico, tentando desesperadamente fingir que estava ouvindo as instruções de Katherin — "Levante os braços, Tiffy!", "Cuidado com o cabelo, Tiffy!" — e, ao mesmo tempo, manter os olhos nos fundos da sala. Realmente achei que tinha imaginado aquilo. Qual era a probabilidade? Quer dizer, eu sei que o cara gosta de cruzeiros, mas é um país muito grande. Há muitos navios pela costa.

— Me conte de novo — pede Rachel — sobre o olhar.

— Ah, não sei explicar — respondo, pousando a testa nas folhas à minha frente. — É que eu... conheço aquele olhar da época em que a gente estava junto. — Meu estômago se revira. — Foi *muito* estranho. Quer dizer, meu Deus, a namorada dele, quer dizer, a noiva...

— Ele viu você na outra ponta de uma sala lotada, seminua, sendo a Tiffy que todos conhecemos, se divertindo com uma autora excêntrica de meia-idade... e se lembrou dos motivos que o fizeram gostar de você — conclui Rachel. — Foi isso que aconteceu.

— Não foi...

Mas o que havia acontecido ali? Alguma coisa, com certeza. Aquele olhar não foi à toa. Sinto uma onda de ansiedade nas costelas. Mesmo depois de uma noite pensando nisso, ainda não consigo entender como me sinto. Uma hora, o fato de Justin ter aparecido em um cruzeiro e olhado nos meus olhos me parece o momento mais romântico e decisivo possível e, na outra, percebo que estou tremendo, enjoada. Fiquei ansiosa durante toda a viagem de volta — fazia algum tempo que não saía de Londres sozinha, a não ser para visitar meus pais. Justin tinha medo porque eu sempre pegava o trem errado e era muito fofo e viajava comigo, para evitar que isso acontecesse. Por isso, enquanto esperava sozinha na estação de Southampton, na noite escura, tive certeza absoluta de que acabaria tomando o trem para o outro lado do país ou alguma coisa assim.

Pego o telefone para conferir as mensagens — esta "reunião" com Rachel só estava prevista para durar meia hora, e eu realmente preciso editar os três primeiros capítulos de Katherin.

Tenho uma mensagem.

Foi muito bom ver você ontem. Eu estava lá a trabalho e, quando vi "Katherin Rosen e sua assistente" na programação, logo pensei: "Deve ser a Tiffy."

Só você conseguiria rir enquanto alguém está tirando suas medidas. A maioria das mulheres odiaria isso. Mas acho que é isso que torna você especial. Bjos, J.

Com as mãos trêmulas, mostro o telefone para Rachel. Ela arqueja, levando as mãos à boca.

— Ele ama você! Esse cara ainda ama você!

— Calma, Rachel — peço, apesar de meu coração estar tentando fugir pela garganta.

Sinto que estou hiperventilando.

— Você pode responder dizendo que comentários desse tipo são o motivo para as mulheres se importarem tanto com as próprias medidas. E que, ao declarar que "a maioria das mulheres odiaria isso", ele está perpetuando o problema de imagem corporal feminino e jogando as mulheres umas contra as outras, um dos grandes problemas que o feminismo enfrenta hoje em dia.

Fecho os olhos para ela, que abre um sorriso enorme para mim.

— Ou você poderia só dizer: "Obrigada. Que tal vir até minha casa e me mostrar como sou especial?"

— Aff. Não sei por que perco o meu tempo conversando com você.

— Sou eu ou o Martin — lembra ela, reunindo os layouts. — Vou acrescentar estas mudanças. E você, conquiste seu homem de volta, está bem?

— Não — diz Gerty imediatamente. — *Não* responda isso para ele. Ele é um vagabundo que tratava você feito lixo, tentava isolar você dos seus amigos e tenho quase certeza de que traiu você. Ele não merece uma mensagem tão legal.

Fica um silêncio.

— O que fez você querer responder com uma mensagem dessas, Tiffy? — pergunta Mo, como se estivesse traduzindo a fala de Gerty.

— Eu só... queria conversar com ele.

Minha voz sai baixinha. O cansaço está começando a me afetar. Estou encolhida no pufe, com uma caneca de chocolate quente na mão, e Mo e Gerty estão me encarando do sofá, o rosto deles é o retrato da preocupação (na verdade, o de Gerty, não. Ela só parece irritada mesmo).

Gerty lê em voz alta meu rascunho outra vez.

— *Oi, Justin. É muito bom ter notícias suas. Foi uma pena a gente não ter se falado direito, apesar de estarmos no mesmo cruzeiro!* E, por fim, "beijos".

— Ele mandou beijos — respondo, um pouco na defensiva.

— Os beijos são a última coisa na minha lista do que eu mudaria nesta mensagem — afirma Gerty.

— Tem certeza de que quer voltar a manter contato com Justin, Tiffy? Você parece muito mais à vontade consigo mesma desde que saiu da casa dele — diz Mo. — Gostaria de saber se isso foi realmente coincidência. — Eu não respondo, e ele solta um suspiro. — Sei que é difícil pensar coisas ruins dele, Tiffy, mas, seja qual for a desculpa que queira arranjar para todo o resto, nem você pode ignorar que ele deixou você para ficar com outra mulher.

Eu me encolho.

— Desculpa. Mas foi o que aconteceu e, mesmo que ele tenha terminado com a Patricia, o que não sabemos ainda, mesmo assim quis ficar com ela.

Você não pode passar por cima disso ou se convencer de que imaginou essa situação, afinal você conheceu a Patricia. Olhe de novo aquela mensagem no Facebook. Tente se lembrar de como se sentiu quando ele apareceu com ela em casa.

Que saco. Por que as pessoas não param de dizer coisas que não quero ouvir? Estou sentindo falta da Rachel.

— O que você acha que ele está fazendo, Tiffy? — pergunta Mo.

Ele começou a me pressionar do nada. Isso me deixa inquieta.

— Sendo simpático. Tentando manter contato comigo de novo.

— Ele não pediu para encontrar você — lembra Mo.

— E o olhar que ele lançou foi mais do que simpático, pelo que você contou — completa Gerty.

— Eu...

É verdade. Não foi um olhar de *Ei, senti muito sua falta. Queria que a gente voltasse a conversar*. Foi... alguma coisa. Claro que não posso ignorar a noiva dele, mas também não posso ignorar aquele olhar. O que significou? E se ele quiser... E se ele quiser voltar...

— Você voltaria? — pergunta Gerty.

— Voltaria para onde? — pergunto, ganhando tempo.

Ela não responde. Sabe o que estou fazendo.

Penso em como fiquei triste nesses últimos meses, em como foi desesperador me despedir do apartamento dele. Em quantas vezes entrei no Facebook da Patricia e chorei em cima do teclado do laptop até ficar preocupada com a possibilidade de levar um choque.

Eu tinha tanta sorte por tê-lo comigo. Justin era sempre tão... divertido. Tudo era um furacão. Viajávamos de país em país, experimentando tudo, ficávamos acordados até quatro da manhã e subíamos no telhado para ver o nascer do sol. É, brigávamos muito também, e cometi muitos erros durante o relacionamento, mas na maior parte do tempo me sentia muito sortuda por estar com ele. Sem ele, eu me sinto... perdida.

— Não sei — respondo. — Mas uma grande parte de mim quer.

— Não se preocupe — diz Gerty, ficando de pé com elegância e me dando vários tapinhas na cabeça. — A gente não vai deixar.

12

Leon

Oi, Leon,

Certo, a verdade é a seguinte: entrei em pânico e fui cozinhar. Quando fico triste ou quando as coisas estão difíceis, eu cozinho. Transformo a negatividade em coisas deliciosas e cheias de calorias. Contanto que você não sinta os vestígios da minha tristeza nas receitas que preparei, não acho que deva questionar o motivo para eu ter feito bolos todos os dias dessa semana.

Bom, foi porque meu ex-namorado apareceu no meu cruzeiro, me lançou um olhar e depois foi embora. Então agora estou toda confusa. Ele me mandou uma mensagem fofa dizendo que eu sou especial, mas não respondi. Meus amigos me impediram. Eles são irritantes e costumam estar certos.Mas, bom, foi por isso que você andou comendo tanto bolo.

Bjos,

Tiffy

P.S.: Não é meu cruzeiro. Sem querer ofender, mas eu não estaria dividindo um quarto se tivesse um navio de cruzeiro. Estaria morando em um castelo escocês com torres coloridas.

Sinto muito por saber do seu ex. Imagino, pela reação dos seus amigos, que eles não achem que ele seja bom para você. É isso que você acha?

Vou defender o ex se isso me trouxer bolos.

Leon

Oi, Leon,

Não sei. Na verdade, nunca pensei nisso por esse ângulo. Minha reação inicial é: "Sim, ele é bom para mim." Mas não sei. A gente brigava muito, um daqueles casais sobre quem todo mundo gosta de fofocar (a gente já se separou e voltou algumas vezes). É fácil lembrar os momentos felizes — e a gente teve uma porção e foram incríveis —, mas acho que, desde que a gente se separou, só consigo me lembrar disso. Então sei que estar com ele era divertido. Mas será que era bom para mim? Argh. Não sei.

Por isso o pão de ló com geleia caseira.

Bjos,

Tiffy

Em uma grande cópia espiralada de um livro intitulado *Construindo o futuro: Minha incrível jornada de pedreiro a designer de interiores:*

Sendo sincero. Peguei isto na mesa de centro porque achei que seria engraçado. Não consegui parar de ler. Só fui dormir ao meio-dia. Esse cara é seu ex? Se não for, posso me casar com ele?

Leon

Oi, Leon,

Fico muito feliz por você ter gostado do livro! O lindo pedreiro que se tornou designer de interiores, na verdade, não é meu ex. E, sim, a probabilidade de ele querer se casar com você é maior do que comigo. Mas imagino que Kay tenha alguma coisa a dizer sobre esse assunto.

Bjos,

Tiffy

Kay disse que não posso me casar com o lindo pedreiro que se tornou designer de interiores. Pena. Ela mandou um oi.

Foi ótimo vê-la ontem! Ela disse que estou engordando você com todos os bolos. Me fez prometer que vou canalizar meus problemas emocionais para opções mais saudáveis a partir de agora, então fiz brownies de alfarroba e damasco. Desculpa, ficaram nojentos.

Vou passar este Post-it para O morro dos ventos uivantes *porque tenho que levar* Construindo o futuro *de volta para o escritório! Bjos.*

No armário acima da lixeira da cozinha:

Que dia o lixeiro passa mesmo?

Leon

Você está brincando? Estou aqui há cinco semanas! Você mora aqui há anos! Como não sabe que dia o lixeiro passa?

... Pois bem, foi ontem, e a gente esqueceu. Bjos.

Ah, foi o que pensei... Nunca consigo lembrar se é terça ou quinta. Confundo os dois. Difícil.

Alguma notícia do seu ex? Parou de fazer bolos. Tudo bem, o estoque no freezer vai me manter por um tempo, mas estou louco para você ter outra crise, tipo, no meio de maio.

Leon

Oi,

Silêncio absoluto. Ele não está atualizando Twitter nem Facebook, então não tenho como bisbilhotar. Ele ainda deve estar com a noiva (quer dizer, por que não estaria? Tudo que fez foi me olhar de um jeito estranho). Devo ter entendido errado aquele momento no cruzeiro e ele deve ser um ser humano horrível como minha amiga Gerty diz. Seja como for, paguei a ele tudo que devia. Agora devo uma quantia assustadora ao banco.

Obrigada pelo risoto, estava delicioso. Você é um ótimo cozinheiro para alguém que só come nas horas erradas!

Bjos,

Tiffy

Ao lado da assadeira:

Meu Deus. Não sabia sobre a noiva. Nem sobre o dinheiro.

Os biscoitos de caramelo significam que você teve alguma notícia?

Ao lado da assadeira, agora cheia de migalhas:

Nada. Ele nem mandou uma mensagem para dizer que recebeu o pagamento. É um absurdo, mas ontem me peguei desejando ter pagado tudo parcelado. Assim, de certa forma, a gente manteria contato. E eu não estaria tão endividada.

Resumindo: ele não disse uma palavra desde a mensagem sobre o cruzeiro. Sou oficialmente uma idiota. Bjos.

Bom. O amor transforma todos nós em idiotas. Quando conheci Kay, disse que tocava jazz (saxofone). Achei que ela fosse gostar.

Tem chili no fogão.

Bjos,

Leon

ABRIL

13

Tiffy

— Acho que estou tendo palpitações.

— Ninguém tem palpitações desde o começo do século — responde Rachel, tomando um gole inaceitavelmente grande do café com leite que o diretor editorial comprou para mim (de tempos em tempos, ele se sente culpado pela Butterfingers não me pagar o suficiente e gasta três libras em um café para apaziguar a própria consciência).

— Este. Livro. Está. Me. Matando — digo.

— A gordura saturada do seu almoço está te matando. — Rachel cutuca o pão de banana que estou comendo aos poucos. — Essa história de cozinhar está piorando. E, com isso, quero dizer melhorando, claro. Por que você não está engordando?

— Estou, mas sou maior que você, então não dá para notar tanto a diferença. Acumulo os quilos a mais em lugares que você não vê. Tipo o bíceps, por exemplo. Ou a bochecha. Estou ficando com as bochechas mais redondas, você não acha?

— Trabalhe, mulher! — exige Rachel, dando um tapa nos layouts espalhados entre nós.

A reunião semanal sobre o livro de Katherin se tornou diária no decorrer de março. Agora, diante da terrível noção de que é *abril* e o livro vai para a gráfica em apenas dois meses, tornaram-se reuniões e almoços diários.

— E quando vai conseguir as fotos dos chapéus e cachecóis? — acrescenta Rachel.

Ai, meu Deus. Os chapéus e os cachecóis. Acordei no meio da noite pensando em chapéus e cachecóis. Não há nenhuma agência disponível para fazê-los em tão pouco tempo e Katherin não tem tempo *nenhum*. Por contrato, ela não tem que fazer todas as amostras — um erro que nunca mais vou cometer na época da negociação —, então não tenho munição para obrigá-la. Tentei até implorar, mas ela disse, com carinho, que eu estava passando vergonha.

Olho triste para o pão de banana.

— Não tem solução — digo. — O fim está próximo. O livro vai para a gráfica sem fotos no capítulo de chapéus e cachecóis.

— De jeito nenhum — responde Rachel. — Para começar, você não tem palavras suficientes para preencher o espaço. Trabalhe! E depois pense em alguma coisa! E rápido!

Que saco. Por que gosto dela mesmo?

Ponho a chaleira no fogo assim que chego em casa. A noite merece uma xícara de chá. Há um bilhete antigo de Leon preso na parte de baixo da chaleira. Esses Post-its grudam em tudo.

A caneca dele ainda está ao lado da pia, com café com leite pela metade. Ele sempre bebe café desse jeito, na mesma caneca branca lascada com um desenho de coelho. Toda noite a caneca está em um dos lados da pia, ou pela metade — o que acho que significa que ele estava com pressa — ou secando no escorredor — o que quer dizer (eu acho) que ele conseguiu acordar quando o alarme tocou e deu tempo de lavar.

O apartamento agora está muito aconchegante. Tive que deixar Leon recuperar parte do espaço da sala — em algum momento do mês passado, ele tirou metade das minhas almofadas do sofá e as empilhou no corredor com um bilhete: *Elas precisam ir embora (desculpa)* —, mas talvez ele estivesse certo ao dizer que havia almofadas demais. Estava difícil sentar no sofá.

A cama ainda é a parte mais estranha dessa história de dividir o apartamento. Durante o primeiro mês, eu colocava meus lençóis à noite e os tirava toda manhã e me deitava no limite do lado esquerdo, o travesseiro afastado do dele. Mas agora não me preocupo em trocar os lençóis — só deito do meu lado. Na verdade, tudo é bem normal. Claro, ainda não conheci de verdade meu colega de apartamento, e sei que isso é tecnicamente muito estranho, mas começamos a deixar bilhetes com mais frequência e às vezes até esqueço que não tivemos essas conversas ao vivo.

Jogo a bolsa no chão e desabo no pufe enquanto o chá fica pronto. Se for sincera comigo mesma, estou esperando. Já faz meses que estou esperando, desde que vi Justin.

Ele com certeza vai entrar em contato comigo. Bom, não respondi à mensagem — e odeio Gerty e Mo às vezes por não me deixarem fazer isso —, mas ele me lançou aquele olhar no cruzeiro. Claro que agora já faz tanto tempo que quase esqueci o olhar em si. Ele se tornou apenas uma compilação de várias expressões que me lembro de ver no rosto de Justin (ou, sendo mais realista, das fotos dele no Facebook)... mas isso não importa. Na hora, foi tão... Bom, ainda não sei o que foi. Tão *alguma coisa*.

À medida que mais tempo passa, eu me pego pensando em como foi *estranho* ver Justin naquele navio no único dia em que Katherin e eu íamos dar a aula de "Como fazer suas próprias roupas de crochê com habilidade". Por mais que a ideia seja atraente, ele não pode ter ido só para me ver — mudamos o dia no último minuto, então ele não tinha como saber que eu estaria lá. Além disso, ele disse na mensagem que estava lá a trabalho, o que é perfeitamente plausível: ele trabalha para uma empresa de entretenimento que organiza atividades em atrações como cruzeiros e passeios turísticos em Londres (eu nunca entendi os detalhes, para ser sincera. Tudo parecia muito estressante e cheio de confusões logísticas).

Então, se ele não foi de propósito, não parece um pouco uma jogada do destino?

Pego o chá e vou até o quarto, distraída. Nem *quero* voltar com Justin, quero? Essa está sendo nossa separação mais longa e parece mesmo diferente das outras. Talvez porque ele tenha me trocado por outra mulher e pedido a mão dela em casamento. É, provavelmente foi isso.

Na verdade, eu não deveria nem ficar me perguntando se ele vai entrar em contato comigo. O que isso diz sobre mim: ficar esperando uma ligação de um homem que com certeza me traiu?

— Isso diz que você é leal e confia nas pessoas — diz Mo, quando ligo para ele e faço essa mesma pergunta. — As mesmas características que provavelmente vão fazer o Justin tentar entrar em contato de novo.

— Você também acha que ele vai tentar?

Percebo que estou agitada, irritada, louca para que ele me deixe mais calma, o que me incomoda ainda mais. Começo a arrumar meus DVDs de *Gilmore Girls* na ordem certa, inquieta demais para ficar parada. Há outro bilhete preso entre a primeira e a segunda temporadas. Eu pego e leio rápido. Tenho tentado convencer Leon a usar nossa TV e ofereci minha coleção de DVDs de grande qualidade como ponto de partida. Ele não se convenceu.

— Tenho quase certeza — diz Mo. — Esse parece o estilo do Justin. Mas... você quer mesmo que ele tente?

— Eu gostaria que ele conversasse comigo. Ou pelo menos lembrasse que eu existo. Não sei o que está pensando. Ele pareceu muito irritado comigo por causa do apartamento, mas a mensagem depois que o vi no cruzeiro foi muito fofa, então... não sei. Quero que ele ligue. *Droga.* — Fecho os olhos com força. — *Por quê?*

— Talvez você tenha passado muito tempo ouvindo que não conseguiria se virar sem ele — responde Mo, com carinho. — Isso explicaria por que o quer de volta, mesmo sabendo que *não* quer.

Procuro um tema para mudar de assunto. O último episódio de *Sherlock*? A nova assistente da empresa? Mas percebo que não tenho energia para tentar disfarçar.

Mo espera em silêncio.

— Isso é verdade, não é? — pergunta ele. — Quer dizer, você já pensou em sair com outra pessoa?

— Eu poderia muito bem sair com outra pessoa — protesto.

— Hum... — Ele suspira. — Como você se sentiu ao notar o olhar dele no cruzeiro, Tiffy?

— Não sei. Já faz muito tempo. Acho que... me senti meio... sexy? E bem por me sentir desejada?

— Você não ficou com medo?

— O quê?

— Você não teve medo? Aquele olhar não fez você se sentir menor?

Franzo a testa.

— Mo, para. Foi só um olhar. Ele definitivamente não estava tentando me *assustar*. Além disso, liguei para falar sobre a possibilidade de ele me telefonar um dia, e, obrigada, você fez com que eu me sentisse um pouco melhor. Então vamos parar por aqui.

Há um longo silêncio do outro lado da linha. Estou um pouco abalada apesar de tudo.

— Esse relacionamento te fez mal, Tiffy — diz Mo, com cuidado. — Ele deixava você muito triste.

Balanço a cabeça. Tipo, sei que eu e Justin brigávamos, mas sempre fazíamos as pazes e as coisas ficavam mais românticas depois da briga, então eu não me importava de verdade. Não eram como as brigas de outros casais — simplesmente faziam parte da montanha-russa linda e louca que era nosso relacionamento.

— Um dia você vai entender, Tiff — afirma Mo. — E, quando isso acontecer, ligue para mim, está bem?

Assinto, sem saber com o que estou concordando. Acabei de encontrar a distração perfeita: a sacola de cachecóis embaixo da cama de Leon. A que encontrei em minha primeira noite aqui, a que me convenceu de que Leon era um *serial killer*. Achei um bilhete que, com toda a certeza, não estava ali quando a vi pela primeira vez: *PARA A CARIDADE*.

— Obrigada, Mo. Vejo você domingo no café.

Desligo, já procurando uma caneta.

Oi,

Bom, desculpe por vasculhar embaixo da sua (nossa) cama. Sei que isso é absolutamente inaceitável. Mas esses cachecóis são INCRÍVEIS. Tipo, parece o trabalho de um estilista. E eu sei que nunca conversamos sobre isso nem nada, mas imagino que você esteja deixando uma estranha qualquer (eu) dormir na sua cama porque está sem dinheiro, não porque é um cara muito legal que se sente mal por saber como é difícil conseguir um apartamento barato em Londres.

Então, apesar de APOIAR MUITO quem doa roupas antigas para a caridade (afinal, compro a maior parte das minhas em brechós — pessoas como eu precisam de pessoas como você), acho que você deveria vender esses cachecóis. Conseguiria umas duzentas libras por cada um, fácil.

E, caso queira dar noventa por cento de desconto para sua incrível colega de apartamento, não vou achar ruim.

Bjos,

Tiffy

P.S.: E, desculpe perguntar, mas onde você conseguiu todos esses cachecóis?

14

Leon

Braços bem abertos, pernas afastadas. Uma agente penitenciária de rosto sério me revista com *bastante* entusiasmo. Desconfio que me encaixe no perfil dela de pessoa que pode trazer drogas ou armas para a sala de visitas. Imagino a mulher repassando seu checklist mental. Gênero: Masculino. Raça: Indeterminada, mas ligeiramente mais moreno do que seria preferível. Idade: Jovem o bastante para fazer besteira. Aparência: Desleixado.

Tento sorrir de maneira não ameaçadora, como um cidadão de bem. Se parar para pensar, provavelmente pareço arrogante. Começo a me sentir um pouco enjoado. A realidade daqui penetra em mim apesar do esforço que fiz para ignorar rolos de arame farpado sobre grades grossas de aço, prédios sem janelas, placas agressivas sobre consequências de traficar drogas para prisões. Ainda não consigo evitar o mal-estar, apesar de fazer isso pelo menos uma vez por mês desde novembro.

O caminho da revista até a sala de visitas talvez seja a pior parte. É composto por um labirinto de concreto e arame farpado e, durante todo o percurso, somos guiados por guardas diferentes que estão sempre tirando chaveiros do cinto para abrir portões e portas que precisam ser trancados antes que a gente dê um passo em direção aos seguintes. É um lindo dia de primavera. O céu, com seu azul provocador, mal pode ser visto acima das cercas.

A sala de visitas é melhor. Crianças correm entre mesas ou são erguidas, aos gritos, por pais musculosos. Prisioneiros usam macacões de cores vivas que os diferenciam do resto de nós. Homens usando o laranja vibrante se aproximam mais das namoradas do que permitem as regras rígidas, dedos entrelaçados com força. Há mais emoção aqui do que em um saguão de aeroporto. *Simplesmente amor* perdeu uma boa oportunidade.

Eu me sento na mesa designada. Espero. Quando trazem Richie, meu estômago se revira de forma estranha, como se quisesse ficar do avesso. Ele parece cansado e sujo, rosto encovado, cabeça raspada às pressas. Está usando a única calça jeans que tem — não quer que eu o veja com o moletom da prisão —, mas ela está folgada demais na cintura. Odeio isso, odeio isso, odeio isso.

Levanto e sorrio, abrindo os braços para abraçá-lo. Espero que ele venha até mim; não posso deixar a área designada. Guardas estão perfilados diante das paredes, observando de perto, rostos inexpressivos.

Richie, me dando um tapa nas costas: E aí, mano, você está ótimo!

Eu: Você também.

Richie: Mentiroso. Estou uma merda. A água foi cortada depois de uma briga na Ala E. Não tenho a menor ideia de quando vão abrir de novo, mas até lá não recomendo que use o banheiro.

Eu: Beleza. Como você está?

Richie: Ótimo. Teve notícias do Sal?

Achei que pudesse evitar o assunto por pelo menos um minuto.

Eu: Tive. Ele pediu desculpa pelos documentos que estão atrasando a audiência de apelação, Richie. Ele está correndo atrás disso.

O rosto de Richie se fecha.

Richie: Não posso ficar esperando para sempre, Lee.

Eu: Se quiser posso tentar achar outro advogado.

Silêncio triste. Richie sabe tão bem quanto eu que isso provavelmente só vai atrasar ainda mais o processo.

Richie: Ele conseguiu a gravação do circuito interno do mercado?

Será que ele *pediu* essa gravação? Estou começando a duvidar, apesar de ele ter dito que pediu. Esfrego a nuca, olho para baixo, desejo cada vez mais que Richie e eu estivéssemos em qualquer outro lugar.

Eu: Ainda não.

Richie: Essa é a solução, cara, estou dizendo. A câmera do mercado vai mostrar a eles. Eles vão ver que não sou eu.

Queria que fosse verdade. Mas será que as imagens são de alta resolução? Qual é a probabilidade de serem nítidas o bastante para contrapor a identificação das testemunhas?

Falamos sobre o pedido de apelação por quase uma hora. Não consigo tirar o assunto da cabeça dele. Análises, provas ignoradas, sempre a história da gravação do mercado. Esperança, esperança, esperança.

Vou embora com as pernas tremendo, pego um táxi até a estação. Preciso de açúcar. Trouxe na mochila o tiffin que Tiffy fez; como umas três mil calorias enquanto o trem corre pelo interior, um campo plano após outro, me levando para longe do meu irmão e de volta para o lugar onde todos já se esqueceram dele.

Encontro o saco de cachecóis no meio do quarto quando chego em casa. Tem um bilhete de Tiffy preso à lateral.

O sr. Prior faz cachecóis que valem duzentas libras? E ele nem demora tanto assim! Caramba. Penso em todas as vezes que recusei novos cachecóis, chapéus, luvas ou capas para chaleiras. A essa altura já seria bilionário.

Na porta do quarto:

Oi, Tiffy,

OBRIGADO por me avisar sobre os cachecóis. É, preciso mesmo do dinheiro. Vou vender tudo. Você pode me dizer onde/como?

Um senhor do trabalho tricota. Ele basicamente dá para qualquer pessoa que quiser levar (senão me sentiria mal por ficar com o dinheiro...)

Leon

Oi,

Ah, com certeza. Você deveria vender pelo Etsy ou pelo Preloved. Esses sites têm milhares de clientes que vão amar esses cachecóis.

Hum… É uma pergunta estranha, mas será que esse senhor do seu trabalho estaria interessado em tricotar por encomenda?

Bjos,

Tiffy

Não faço ideia do que isso significa. Falando nisso, pegue seu cachecol favorito. Vou pôr o resto na internet hoje à noite.

Leon

Caído no chão do quarto (muito difícil de achar):

Bom dia,

É que estou trabalhando em um livro chamado Crochê para a vida *(eu sei, é um dos meus melhores títulos) e precisamos que alguém faça quatro cachecóis e oito chapéus muito, muito rápido para fotografarmos e incluirmos no livro. Ele teria que seguir as instruções da autora (em relação às cores, aos pontos etc.). Posso pagar, só não vai ser um valor muito alto. Você me passaria o contato dele? Estou desesperada, e ele é obviamente muito talentoso.*

Ai, meu Deus, vou usar este cachecol o tempo todo (não dou a mínima se já está fazendo calor). Adorei. Obrigada!

Bjos,

Tiffy

De novo na porta do quarto:

Bom. Não sei por que essa ideia não daria certo, mas tenho que consultar a diretora. Escreva uma carta para eu levar para ela e depois para o tricotador, se ela concordar.

Já que você vai usar o cachecol o tempo todo, será que poderia se livrar dos outros quinhentos que estão ocupando seu lado do armário?

Outra novidade: o primeiro cachecol acabou de ser vendido por duzentas e trinta e cinco libras! Que loucura. Nem é bonito!

Leon

No balcão da cozinha, ao lado de um envelope fechado:

Oi,

"Seu lado" é a parte essencial da sua frase, Leon. O lado é meu e eu quero enchê-lo de cachecóis.

A carta está aqui. Me avise se precisar que eu mude algo. Falando nisso, em algum momento vamos ter que jogar fora alguns desses bilhetes. O apartamento está começando a parecer o cenário de Uma mente brilhante.

Bjos,

Tiffy

Entrego a carta de Tiffy para a diretora. Ela permite que o sr. Prior tricote para o livro dela. Ou faça crochê. A diferença é pouco clara para mim. Sem dúvida Tiffy vai escrever um bilhete comprido em algum momento com a explicação detalhada, sem que eu peça. Ela adora explicações detalhadas. Por que usar uma frase se pode usar cinco? Mulher estranha, ridícula, divertida.

Na noite seguinte, o sr. Prior já fez dois chapéus. Eles têm forma de chapéu e são de lã, então suponho que tenham saído como o planejado.

O único problema do acordo é que agora o sr. Prior está fascinado por Tiffy.

Sr. Prior: Então ela é editora.

Eu: É.

Sr. Prior: Que profissão interessante.

Uma pausa.

Sr. Prior: E ela mora com você?

Eu: Aham.

Sr. Prior: Que interessante.

Olho para ele de esguelha enquanto preencho seu prontuário. Ele pisca para mim, olhos redondos e inocentes.

Sr. Prior: Eu não imaginei que você fosse gostar de morar com outra pessoa. Você gosta muito da sua independência. É por isso até que não quer morar com a Kay, né?

Tenho que parar de falar de vida pessoal com pacientes.

Eu: É diferente. Não tenho que ver a Tiffy. A gente só deixa bilhetes um para o outro, na verdade.

Sr. Prior assente, pensativo.

Sr. Prior: A arte de escrever cartas. Uma carta é uma coisa... profundamente *íntima*, não é?

Encaro, desconfiado. Não sei o que ele quer dizer.

Eu: São Post-its na geladeira, sr. Prior, não cartas entregues em mãos, em papéis perfumados.

Sr. Prior: Ah, claro, você está certo. Obviamente. Post-its. Não há arte nisso, claro.

Na noite seguinte, até Holly já está sabendo de Tiffy. Incrível como notícias pouco interessantes viajam rápido entre alas em que a maioria das pessoas está de cama.

Holly: Ela é bonita?

Eu: Não sei, Holly. Que diferença faz?

Holly faz uma pausa. Pensativa.

Holly: Ela é legal?

Eu, depois de pensar um pouco: É, ela é legal. Um pouco intrometida e esquisita, mas legal.

Holly: O que significa ela ser sua "colega de apartamento"?

Eu: Colega de apartamento significa que ela divide o apartamento comigo. A gente mora junto.

Holly, olhos arregalados: Tipo namorados?

Eu: Não, não. Ela não é minha namorada. É uma amiga.

Holly: Então vocês dormem em quartos separados?

Sou bipado antes de precisar responder. Ainda bem.

MAIO

15

Tiffy

Enquanto tiro os Post-its e os pedaços de papel presos com fita de armários, mesas, paredes e (em uma ocasião) da tampa da lixeira, eu me pego sorrindo. Foi uma maneira estranha de conhecer Leon, escrever todos esses bilhetes nos últimos meses, e meio que aconteceu sem que eu percebesse — em um minuto, estava rabiscando um recado rápido para ele sobre comida, no outro, era uma correspondência completa e diária.

No entanto, enquanto sigo a trilha de conversas até o encosto do sofá, não posso deixar de notar que costumo escrever pelo menos cinco vezes mais do que Leon. E que meus Post-its são muito mais pessoais e reveladores do que os dele. É estranho reler tudo — dá para ver como minha memória é ruim, por exemplo. Tipo, em um dos bilhetes, mencionei como foi estranho ter me esquecido de convidar Justin para a festa de aniversário da Rachel no ano passado, mas agora eu lembro: *sei* que o convidei. Acabamos tendo uma briga horrível porque eu queria ir. Justin sempre dizia que minha memória era péssima. É muito irritante encontrar provas escritas de que ele está certo.

Agora são cinco e meia. Saí do trabalho cedo porque todo mundo foi a uma festa de despedida para a qual não tenho dinheiro, então tomei a decisão de ir para casa sem falar com ninguém. Assim não seria obrigada a ir. Tenho certeza de que alguém lá adoraria me obrigar.

Achei que fosse encontrar Leon hoje, já que voltei perto das cinco da tarde. Foi um pouco estranho. Na verdade, segundo os termos do nosso acordo, não posso voltar para casa cedo e esbarrar com ele. Sei que concordei que não ficaríamos no apartamento ao mesmo tempo — por isso a ideia era tão boa. Mas não passou pela minha cabeça que não fôssemos nos encontrar *literalmente* nunca. Tipo, nunca mesmo, por quatro meses.

Cogitei passar essa hora de folga no café da esquina, mas depois parei para pensar... Estou começando a achar esquisito o fato de sermos amigos sem nunca termos nos encontrado. E é exatamente o que sinto: que somos amigos. Não acho que poderia ser diferente, já que estamos sempre ocupando o espaço um do outro. Sei exatamente como ele gosta de comer ovos fritos, apesar de nunca tê-lo visto comer (sempre tem muita gema mole no prato na pia). Poderia descrever o estilo dele com precisão, apesar de nunca tê-lo visto *usando* nenhuma das roupas que secam no varal da sala. E o mais estranho: eu conheço o cheiro dele.

Não sei por que não poderíamos nos encontrar — isso não mudaria os termos do acordo. Só significaria que eu reconheceria meu colega de apartamento se o visse andando na rua.

O telefone toca, o que é estranho, porque eu nem sabia que tínhamos telefone fixo. Primeiro vou até meu celular, mas meu toque é uma música animada do fim da lista de toques disponíveis da Samsung, não o *ring ring* retrô que está tocando em algum lugar da sala.

No fim, acho o telefone fixo no balcão da cozinha, embaixo de um dos cachecóis do sr. Prior e uma série de bilhetes sobre Leon talvez ter usado toda a manteiga (usou mesmo).

Um telefone fixo! Quem diria! Achei que telefones fixos eram relíquias pelas quais pagávamos para ter internet banda larga.

— Alô? — atendo, hesitante.

— Ah, oi — diz o cara do outro lado da linha.

Ele parece surpreso (imagino que seja porque sou mais mulher do que ele esperava) e tem um sotaque estranho — meio irlandês, meio londrino.

— Aqui é a Tiffy — explico. — A colega de apartamento do Leon.

— Ah! Oi! — Ele parece ter ficado muito animado com isso. — Você não quer dizer colega de quarto?

— Prefiro colega de apartamento — respondo, encolhendo-me.

— Entendo — afirma ele e, de alguma maneira, posso ouvir que está sorrindo. — Bom, é um prazer conhecer você, Tiffy. Sou Richie, irmão do Leon.

— É um prazer, Richie.

Eu não sabia que Leon tinha irmão. Mas imagino que não saiba milhares de coisas sobre o meu colega, apesar de saber o que ele está lendo antes de dormir (*A redoma de vidro*, bem devagar).

— Acho que o Leon acabou de sair. Cheguei faz meia hora e ele já não estava em casa.

— Ele trabalha demais — diz Richie. — Não percebi que já eram cinco e meia. A que horas vocês costumam passar o bastão?

— Normalmente às seis, mas saí do trabalho mais cedo. Você não quer ligar para o celular dele?

— Não posso fazer isso.

Franzo a testa.

— Você não pode ligar para o celular dele?

— Para ser sincero, é uma história meio comprida. — Richie faz uma pausa. — Resumindo: estou em uma prisão de segurança máxima e o único número para o qual posso ligar é o telefone fixo do Leon. Além disso, a ligação para um celular custa o dobro e eu ganho catorze libras por semana no meu emprego de faxineiro de ala, pelo qual, aliás, tive que pagar para conseguir... então isso me deixa meio sem opções.

Fico um pouco chocada.

— Que merda! — exclamo. — Isso é horrível. Você está bem?

A frase simplesmente sai. Tenho quase certeza de que não é o certo a se dizer nessas circunstâncias, mas é o que digo. É o que estou pensando e é o que sai da minha boca.

Para minha surpresa (e talvez para a dele também), Richie começa a rir.

— Estou bem — responde, depois de alguns segundos. — Mas obrigado. Já faz sete meses. Acho que estou... Como é que o Leon diz? *Me aclimatando*. Aprendendo a viver e a deixar o tempo passar.

Assinto.

— Bom, isso já é alguma coisa. Então, como é estar aí? Em uma escala entre, sei lá, Alcatraz e o Hilton?

Ele ri outra vez.

— Com certeza está em algum lugar dessa escala. O ponto exato depende de como estou me sentindo a cada dia. Mas vou te dizer que tenho muita sorte se comparado a várias outras pessoas. Tenho uma cela só para mim agora e posso receber visitas duas vezes por mês.

Não sei se ele tem tanta sorte assim.

— Não quero prender você no telefone se tiver que pagar por isso. Tem algum recado para o Leon?

Fica um silêncio perturbador do outro lado da linha, composto apenas pelo eco do ruído de fundo.

— Você não vai me perguntar por que fui preso, Tiffy?

— Não — respondo, chocada. — Você quer me contar?

— Mais ou menos. Mas em geral as pessoas perguntam.

Dou de ombros.

— Não é da minha conta. Você é irmão do Leon e ligou para falar com ele. E, seja como for, estamos falando de como uma prisão é horrível e isso é verdade, independentemente do que você tenha feito. Todo mundo sabe que as prisões não funcionam. Não é?

— É. Quer dizer, será que funcionam?

— Ah, com certeza.

Mais silêncio.

— Fui preso por assalto à mão armada. Mas não fui eu.

— Meu Deus. Sinto muito. Que merda de situação.

— É, pois é — diz Richie. Ele espera. Então pergunta: — Você acredita em mim?

— Nem conheço você. Por que isso seria importante?

— Não sei. Só… é.

— Bom, preciso de alguns fatos para responder se acredito ou não em você. Minha resposta não significaria muita coisa sem essas informações, não é?

— Então este é meu recado para o Leon. Diga a ele que eu gostaria que ele contasse os fatos para você, para você me dizer se acredita em mim.

— Espere. — Pego um bloquinho de Post-its e uma caneta. — *Oi, Leon* — digo, lendo enquanto escrevo. — *Tenho um recado do Richie. Ele disse...*

— Que gostaria que a Tiffy soubesse o que aconteceu. Quero que ela acredite que não fui eu. Ela parece uma moça muito legal e aposto que é linda de morrer. Dá para saber, cara, ela tem uma voz grave e sexy. Você sabe qual...

Estou rindo.

— Não vou escrever isso!

— Onde você parou?

— Em "sexy" — admito.

Richie ri.

— Tudo bem. Você pode assinar o recado agora. Mas deixe essa última parte, se não se incomodar. Vai fazer o Leon rir.

Balanço a cabeça, mas também estou sorrindo.

— Tudo bem. Vou deixar. Foi bom conhecer você, Richie.

— Você também, Tiffy. Tome conta do meu irmão por mim, está bem?

Paro, surpresa com o pedido. Para começar, parece que é Richie que precisa de cuidados. Além disso, não sou a melhor pessoa para cuidar de alguém da família Twomey, já que não conheci nenhum deles. Mas, quando abro a boca para responder, Richie já desligou e não ouço mais nada.

16

Leon

Não posso deixar de rir. Isso é típico do Richie. Ele está tentando jogar charme e ganhar a afeição da minha colega de apartamento até da prisão.

Kay se apoia no meu ombro, lendo o bilhete.

Kay: Estou vendo que o Richie continua o mesmo.

Fico tenso. Ela sente e fica tensa também, mas não nega o que disse nem pede desculpas.

Eu: Ele está tentando deixar as coisas mais leves. Fazer as pessoas rirem. É o jeito dele.

Kay: Bom, e a Tiffy está disponível?

Eu: Ela é uma pessoa, não uma sala, Kay.

Kay: Você é tão *cheio de princípios*, Leon! É uma expressão, "disponível". Você sabe que não estou tentando empurrar a coitada para o Richie.

Há algo de errado com essa frase, mas estou cansado demais para saber o quê.

Eu: Ela está solteira, mas ainda apaixonada pelo ex.

Kay, interessada: É mesmo?

Não consigo entender por que ela se importa agora — sempre que menciono Tiffy, ela me ignora ou fica irritada. Na verdade, esta é a primeira vez que viemos ao meu apartamento nos últimos meses. Kay tinha a manhã de folga, então veio me ver na hora do "cantar", antes de eu dormir. Ficou irritada com os bilhetes pendurados em todos os cantos, por algum motivo.

Eu: O ex parece normal. Muito pior do que o pedreiro que virou...

Kay revira os olhos.

Kay: Pode parar de falar da droga do livro do pedreiro?

Ela não me julgaria tanto se tivesse lido.

Algumas semanas depois e temos aquele típico dia ensolarado que só costuma acontecer no exterior. A Inglaterra não está acostumada com tanto calor, especialmente quando chega de forma tão repentina. Ainda é junho, o verão não chegou. Os passageiros dos trens correm pelas esquinas, a cabeça baixa, como se chovesse, camisas azul-claras manchadas de suor. Adolescentes tiram as camisetas até haver braços e troncos brancos e cotovelos ossudos em todos os cantos. Mal posso me mexer sem ser confrontado por uma pele queimada de sol e/ou calor corporal incômodo vindo de um homem de terno.

Estou voltando da visita à sala de pesquisa do Museu Imperial da Guerra, depois de seguir a última pista na minha busca por Johnny White. Na mochila, tenho uma lista com oito nomes. Encontrei os endereços deles depois de vasculhar sem parar o registro, entrar em contato com parentes e procurar na internet, então nada é garantido, mas são um começo — ou, melhor, oito começos. No fim das contas, o sr. Prior me deu muitas informações para embasar a pesquisa. Basta fazer o homem falar para que se lembre de muito mais do que diz lembrar.

Todos os homens da lista se chamam Johnny White. Não sei por onde começar. Escolho o Johnny favorito? O que mora mais perto?

Pego telefone e mando mensagem para Tiffy. Contei a ela sobre a busca pelo Johnny White do sr. Prior mês passado. Fiz isso depois de receber uma carta comprida sobre as vantagens e desvantagens de um livro sobre crochê. Eu obviamente estava com vontade de contar coisas. É estranho. Como se o jeito compulsivo de Tiffy compartilhar tudo fosse contagioso. Sempre fico meio envergonhado quando chego à casa de repouso e lembro o que acabei revelando no bilhete daquela noite, escrito enquanto tomava café antes de sair de casa.

Oi. Tenho oito Johnnies (sing. Johnny). Como escolher por qual começar? Leon

A resposta chega cinco minutos depois. Ela está trabalhando sem parar no tal livro da autora maluca do crochê e parece ter péssima concentração. Nenhuma surpresa. Crochê é uma coisa estranha e chata. Até tentei ler parte do manuscrito quando ela deixou na mesa de centro, para ver se não era como o livro do pedreiro, mas não. É só um livro com instruções detalhadas para a criação de peças de crochê, com resultados que parecem muito difíceis de alcançar.

É fácil. Uni duni TV, o escolhido foi você... Bjos.

E então, dois segundos depois:

Uni duni TÊ. Culpa do corretor automático. Acho que você não ganharia muito se procurasse na TV. Bjos.

Que mulher peculiar. Seja como for, paro sob a sombra do ponto de ônibus para pegar a lista de nomes e fazer uni duni tê. Paro em um Johnny White (obviamente). É um dos que moram perto de Birmingham.

Boa escolha. Posso ir atrás desse quando visitar o Richie. Ele está perto de Birmingham. Obrigado. Leon

Alguns minutos de silêncio. Ando por uma Londres agitada e suada que se deleita ao sol, com os óculos escuros voltados para o céu. Estou exausto. Devia estar na cama há horas. Mas tenho passado pouco tempo do dia ao ar livre ultimamente e sinto falta do calor do sol na pele. Me pergunto, distraído, se estou com deficiência de vitamina D, então os pensamentos mudam e me pergunto quanto tempo de sol Richie teve essa semana. De acordo com o governo, ele deveria ficar ao ar livre trinta minutos por dia. Isso quase nunca acontece. Geralmente são poucos guardas; o tempo solto é ainda mais limitado que de costume.

Falando nisso, você viu meu bilhete sobre o Richie? E sobre me contar o que aconteceu com ele? Não quero forçar a barra, mas já faz um mês e só quero que você saiba que gostaria de ouvir a história, caso queira contar. Bjos

Encaro a mensagem. O sol clareia minha tela até as palavras ficarem quase invisíveis. Eu a protejo com uma das mãos e releio. É estranho ver como ela apareceu assim que pensei em Richie.

Não soube o que fazer sobre o pedido dele para contar para Tiffy. Assim que vi que tinham conversado, me peguei pensando se Tiffy acha que ele é inocente, mesmo sem conhecê-lo e sem saber nada sobre o caso. Ridículo. Mesmo se ela soubesse tudo, não deveria me importar com o fato de ela acreditar ou não. Nunca encontrei com ela. Mas é sempre assim — um incômodo constante que sinto com todos, não importa quem seja. Estou conversando normalmente e, então, um segundo depois, penso: *Será que você acredita que meu irmão é inocente?*

Mas não posso perguntar às pessoas. É uma conversa horrível de se ter e uma coisa horrível de se perguntar de repente, como Kay pode atestar.

Respondo com um bilhete quando chego em casa. Não mando muitas mensagens para Tiffy; parece meio estranho. Como mandar e-mails para minha mãe. Bilhetes são… nosso jeito de conversar.

No armário (última sequência de bilhetes para aqui):

Vou pedir para o Richie te escrever, se você topar. Ele conta melhor.

Aliás, uma ideia: será que sua autora do crochê poderia ir à St. Marks (onde eu trabalho) um dia? A gente está procurando diversificar as atividades para os pacientes. Acho que o crochê, apesar de chato, pode ser interessante para idosos doentes. Bjos

Oi, Leon,

Claro. Quando o Richie quiser.

E sim! Por favor! Nosso relações-públicas está sempre procurando oportunidades assim. Mas devo dizer que você fez essa pergunta na hora certa, porque a Katherin acabou de se tornar UMA CELEBRIDADE. Dê uma olhada neste tuíte.

Imagem impressa do Twitter embaixo do bilhete:

Katherin Rosen @KatherinDoCrochê
Um dos cachecóis fantásticos que você pode aprender a fazer lendo meu próximo livro, "Crochê para a vida". Tire um tempinho para pensar e crie algo lindo!
117 respostas, 8k retweets, 23k curtidas.

Novo Post-it abaixo disso:

É. OITO MIL RETWEETS. (E o post mostrava um dos cachecóis do sr. Prior. Não se esquece de falar para ele!)

Novo Post-it:

Imagino que você não saiba muito sobre o Twitter porque não tira seu laptop do lugar há meses, nem o coloca para carregar, mas isso são muitos compartilhamentos, Leon. MUITOS. E tudo aconteceu porque uma Youtuber incrível, Tasha Chai-Latte, o retuitou e disse o seguinte:

Imagem impressa do Twitter (já em uma altura tão baixa do armário que tenho que me agachar para ler):

Tasha Chai-Latte @ChaiLatteDIY
O crochê é definitivamente o novo livro de colorir! Estou impressionada com @KatherinDoCrochê por causa dos seus designs incríveis. #crocheparaavida
69 respostas, 32k retweets, 67k curtidas

Outros dois Post-its abaixo:

Ela tem quinze milhões de seguidores. As equipes de marketing e relações públicas estão pulando de alegria. Infelizmente, isso significa que tive que expli-

car para Katherin o que é o YouTube e ela consegue ser pior do que você em tecnologia (ela tem um daqueles Nokias velhos que só traficantes usam), e o chato do Martin, um dos RPs, agora faz lives de todos os eventos da Katherin, mas não importa. Isso é muito legal! Minha linda maluquete Katherin pode ter a chance de entrar na lista de mais vendidos! Não a lista geral de mais vendidos, claro, mas uma daquelas específicas da Amazon. Tipo, sabe, a mais vendida de artesanato e origami, ou alguma coisa assim. Bjos.

Hum… Acho que vou dormir antes de tentar responder este.

JULHO

17

Tiffy

Ainda está claro quando chego em casa. Eu *adoro* o verão. Os tênis de Leon sumiram, então imagino que ele tenha ido a pé para o trabalho hoje — tenho muita inveja disso. O metrô fica ainda mais nojento quando está calor.

Procuro novos bilhetes por todo o apartamento. Nem sempre são fáceis de encontrar, já que agora há Post-its em quase todos os cantos, a não ser que um de nós resolva fazer uma limpeza.

Por fim, encontro o novo recado no balcão da cozinha: um envelope com o nome de Richie, um número de prisioneiro de um lado e nosso endereço do outro. Há um bilhete curto com a letra de Leon ao lado do endereço.

A carta do Richie chegou.

E dentro:

Cara Tiffy,

Era uma noite escura e chuvosa…

Tá bom, não era. Era uma noite escura numa boate de quinta categoria chamada Daffie's, em Clapham. Eu já cheguei lá bêbado — a gente tinha vindo de um esquenta na casa de um amigo.

Dancei com algumas meninas. Daqui a pouco chego ao motivo para estar dizendo isso. O público era bem diverso, muitos jovens saídos da faculdade e muitos daqueles caras nojentos que esperam na beira da pista de dança as meninas ficarem bêbadas. Mas nos fundos, em uma das mesas, havia uns caras que não pareciam se encaixar ali.

É difícil explicar. Eles pareciam estar ali por um motivo diferente de todas as outras pessoas. Não queriam pegar ninguém, não queriam ficar bêbados, não queriam dançar.

Agora eu sei que estavam ali para fazer negócios. Eles são conhecidos como Bloods. Só descobri isso muito depois, quando já estava preso e contei minha história para os caras, então imagino que você também nunca tenha ouvido falar deles. Se for uma pessoa de classe média normal que mora em Londres e vai para o trabalho e tal, nunca vai saber que existem gangues como essa.

Mas elas são importantes. Acho que percebi isso naquele dia também, ao olhar para eles. Mas eu estava muito bêbado.

Um dos caras levou a namorada. Só havia duas mulheres no grupo deles, e uma delas estava muito entediada, dava para ver. Ela me notou no bar e começou a parecer muito mais interessada.

Eu sorri para ela. Se a garota estava cansada do namorado, isso era problema dele, não meu. Não vou perder a chance de paquerar uma mulher bonita só porque o cara parado ao lado dela parece mais durão que o público normal do Daffie's.

Ele me encontrou depois no banheiro. Me empurrou na parede.

— Fique longe dela, entendeu?

Sabe como é. Ficou berrando na minha cara, uma veia pulsando na testa.

— Não tenho ideia do que você está falando — respondi, muito tranquilo.

Ele gritou mais um pouco. Me empurrou. Fiquei firme, mas não o empurrei de volta nem bati nele. Ele disse que tinha me visto dançando com ela, o que não era verdade. Sei que ela não era uma das meninas com quem eu havia dançado mais cedo. Teria me lembrado dela.

Mesmo assim, ele me irritou, e, quando ela apareceu mais tarde, pouco antes de a boate fechar, eu estava bem mais disposto a conversar com a garota, só para irritar o cara.

A gente flertou. Comprei um drinque para ela. Os Bloods, nos fundos, estavam tratando de negócios e não pareceram notar. Dei um beijo nela. Ela me beijou. Lembro que estava tão bêbado que ficava tonto quando fechava os olhos, então a beijei de olhos abertos.

E foi isso. Ela simplesmente se misturou ao resto da boate — não lembro direito, estava muito bêbado. Não sei dizer exatamente quando ela foi embora, ou eu fui, ou sei lá.

A partir desse momento, não posso garantir nada. Se pudesse, obviamente não estaria escrevendo para você da prisão. Eu estaria deitado no seu famoso pufe, com uma xícara do café com leite do Leon e esta seria apenas uma história engraçada que eu contaria no bar.

Mas, bom. Foi isso que acho que aconteceu.

Os Bloods foram atrás de mim e dos meus amigos quando saímos da boate. Meus colegas pegaram o ônibus, mas eu não morava longe, então fui a pé. Entrei no mercadinho da rua Clapham que fica aberto a noite toda e comprei cigarro e um engradado com seis cervejas. Eu nem queria aquilo — com certeza não precisava de nada. Eram quase quatro da manhã, e eu provavelmente nem estava andando em linha reta. Mas entrei, paguei em dinheiro e fui para casa. Não vi ninguém, mas eles não podiam estar muito longe quando saí de lá, porque, segundo a câmera da loja, "eu voltei" dois minutos depois com o capuz puxado para cima e um gorro.

Quando a gente assiste à fita, dá para ver que o cara se parece mesmo comigo. Mas, como argumentei no tribunal, quem quer que fosse estava bem mais sóbrio do que eu. Eu estava bêbado demais para desviar das prateleiras de promoções e, ao mesmo tempo, sacar a faca da parte de trás da calça.

Não tinha a menor ideia de que isso tinha acontecido até dois dias depois, quando fui preso no trabalho.

Eles fizeram a garota do caixa abrir o cofre. Havia quatro mil e quinhentas libras lá dentro. Foram espertos, ou talvez tivessem experiência — não falaram mais do que o necessário, então, quando testemunhou, a garota quase não tinha nada para contar. A não ser sobre a faca apontada para a cara dela, obviamente.

Eu estava na fita da câmera de vigilância da loja. Tinha ficha na polícia. Fui preso.

Como eu já tinha sido fichado, não me deram direito à fiança. Meu advogado pegou o caso porque estava interessado e confiava na única testemunha, a garota do caixa, mas eles acabaram indo atrás dela também. Estávamos esperando que ela se levantasse e dissesse que o segundo cara que entrou na loja não se parecia nada comigo. Que ela já tinha me visto no mercadinho antes e eu havia sido muito simpático e não tentado roubar nada.

Mas ela apontou o dedo na minha cara no tribunal. Disse que tinha sido eu com certeza. Foi um pesadelo. Eu não podia fazer nada, só ver aquilo acontecendo e observar enquanto a expressão dos jurados se fechava. Tentei me defender, mas o juiz só gritou comigo — a gente não pode falar fora de hora. Mas minha hora nunca parecia chegar. Quando pegaram meu depoimento, a opinião de todos já estava formada.

Sal me fez perguntas estúpidas e não tive a chance de dizer nada de bom. Estava muito confuso; eu simplesmente não havia pensado que a situação chegaria àquele ponto. O promotor usou minha ficha criminal de alguns anos antes — eu tinha arranjado algumas brigas em boates aos dezenove anos, quando estava na pior época da minha vida (isso é outra história e juro que não é tão ruim quanto parece). Fizeram parecer que eu era uma pessoa violenta. Até acharam um cara que trabalhou em uma cafeteria comigo e me odiava — a gente tinha brigado por causa de uma menina de quem ele gostava na faculdade, mas que acabei levando a uma festa ou algo assim. Foi inacreditável ver os caras construindo aquilo tudo. Entendo por que o júri achou que eu era culpado. Aqueles advogados foram ótimos e fizeram tudo aquilo parecer verdade.

Fui sentenciado a oito anos por assalto à mão armada.

Então aqui estou eu. Nem sei o que dizer. Toda vez que escrevo isso ou conto a alguém, acho que nem acredito mais na minha história, se é que isso faz sentido. Só fico com mais raiva.

Não era um caso complicado. Todos nós achamos que Sal resolveria (é o advogado, aliás). Mas ele ainda não conseguiu nem a porra da audiência. Fui sentenciado em novembro e a gente ainda nem tem previsão de uma data para a apelação. Sei que Leon está tentando resolver isso e amo esse cara por isso, mas a verdade é que ninguém se importa que eu esteja aqui, a não ser ele. E minha mãe, acho.

Vou ser sincero, Tiffy. Estou tremendo agora. Quero gritar. Esses são os piores momentos — não tenho para onde ir. Flexões são legais, mas às vezes a gente precisa correr e só pode dar três passos entre a cama e a privada.

Bom, esta carta já está muito comprida e sei que levei muito tempo para escrever — talvez você já tenha esquecido toda a conversa que a gente teve. Você não precisa responder, mas, se quiser, Leon pode me mandar sua carta junto com a dele. Se decidir escrever, por favor, me mande selos e envelopes também.

Estou torcendo para que você acredite em mim, mais do que tudo. Talvez seja porque você é importante para meu irmão, e meu irmão é a única pessoa realmente importante para mim.

Com carinho,

Richie

Na manhã seguinte, releio a carta na cama, aninhada no edredom. Sinto um frio na barriga e estou toda arrepiada. Esse homem me deixou com vontade de chorar. Não sei por que isso está me afetando tanto, mas, seja qual for o motivo, a carta me fez acordar às cinco e meia de um sábado. Isso é o tanto que está me afetando. É muito *injusto.*

Pego o telefone antes de refletir sobre o que estou fazendo.

— Gerty, sabe o seu trabalho?

— É, estou bem familiarizada com ele. Especialmente porque é o motivo para eu acordar às seis da manhã quase todos os dias, exceto aos sábados.

Olho para o relógio. Seis da manhã.

— Desculpa. Mas... Que tipo de advogada você é mesmo?

— Criminal, Tiffy. Sou advogada criminal.

— Entendi, entendi. Mas o que isso *significa*?

— Vou lhe dar o benefício da dúvida e imaginar que isso seja urgente. — Dá para ouvir que Gerty está rangendo os dentes. — Lidamos com crimes contra pessoas e suas propriedades.

— Tipo assalto à mão armada?

— É. É um bom exemplo, parabéns.

— Você me odeia, não é? Estou no topo da lista de pessoas que você odeia.

— É o único dia em que durmo até mais tarde e você estragou, então, sim, você superou o Donald Trump e aquele motorista de Uber que às vezes eu pego e que fica cantarolando a viagem toda.

Merda. As coisas não estão indo bem.

— Sabe aqueles casos especiais que você pega de graça, ou por menos dinheiro, ou alguma coisa assim?

Gerty faz uma pausa.

— De onde você tirou isso, Tiffy?

— Escute. Se eu der a você uma carta de um cara condenado por assalto à mão armada, você pode dar uma olhada? Não precisa fazer nada. Não precisa pegar o caso, óbvio. Sei que você tem vários casos mais importantes. Mas poderia dar uma lida e talvez elaborar uma lista de perguntas?

— Onde você conseguiu essa carta?

— É uma longa história e isso não importa agora. Só quero que você saiba que eu não pediria se não fosse importante.

Um longo silêncio sonolento se faz do outro lado da linha.

— Claro que posso ler. Venha aqui almoçar e traga a carta.

— Eu te amo.

— Eu te odeio.

— Eu sei. Mas vou levar um café com leite do Moll's. O Donald Trump nunca levaria um café com leite do Moll's para você.

— Está bem. Vou mudar minha decisão sobre sua posição na minha lista de pessoas que eu odeio se o café estiver quente. Não ligue de novo antes das dez.

Ela desliga.

O apartamento de Gerty e Mo foi totalmente Gertyficado. Quase não dá para dizer que Mo mora ali. O quarto dele na última casa era uma grande montanha de roupas lavadas e sujas (todas juntas) e de documentos que deveriam ser confidenciais, mas, nesse apartamento, cada coisa tem sua função. O apartamento é minúsculo, mas isso não me incomoda tanto quanto da primeira vez em que visitei o lugar — de algum modo, Gerty tirou a atenção do pé-direito baixo e a voltou para as enormes janelas, que dão vida à cozinha/sala de jantar com a luz suave da manhã. E é tudo tão *limpo*. Sinto ainda mais respeito por Gerty e pelo que ela consegue fazer apenas com força de vontade, ou um pouco de *bullying*.

Entrego o café a ela. Gerty toma um gole e assente, satisfeita. Fecho o punho e soco o ar por ter me tornado oficialmente um ser humano menos odioso do que o homem que quer construir um muro entre o México e os Estados Unidos.

— Carta — diz ela, estendendo a mão.

Gerty sempre vai direto ao ponto. Vasculho a bolsa, entrego a carta e ela imediatamente se afasta para ler, pegando os óculos da mesa de canto próxima à porta, onde, por incrível que pareça, nunca deixa de colocá-los.

Estou inquieta. Ando de um lado para outro na sala. Bagunço a ordem dos livros empilhados na ponta da mesa de jantar, só pela emoção.

— Saia daqui — pede ela, sem erguer a voz. — Você está me distraindo. O Mo está na cafeteria da esquina, aquela do café ruim. Ele vai entreter você.

— Beleza. Está bem. Então... Você já está lendo a carta? O que achou?

Ela não responde. Reviro os olhos e saio correndo, caso ela tenha notado.

Ainda nem cheguei à cafeteria quando meu telefone toca. É Gerty.

— É melhor voltar — diz.

— Ah, é?

— Vou levar quarenta e oito horas para conseguir a transcrição do julgamento mesmo com o serviço expresso. Não posso dizer nada de útil até ter lido isso.

Estou sorrindo.

— Você vai pedir a transcrição do julgamento?

— Esses caras costumam ter histórias muito convincentes sobre a própria inocência, Tiffy, e eu sempre recomendo que as pessoas não acreditem nos resumos dos casos que eles dão. Obviamente, são muito parciais e, em geral, eles não entendem muito bem as idiossincrasias da lei.

Ainda estou sorrindo.

— Mas você vai pedir a transcrição do julgamento...

— Não dê esperança a ninguém — pede Gerty. — Estou falando sério, Tiffy. Eu só vou ler. Não diga nada a esse homem, por favor. Seria cruel dar a ele uma esperança infundada.

— Eu sei — respondo, o sorriso sumindo. — Não vou dar. E obrigada.

— De nada. O café estava excelente. Agora volte. Já que tive que acordar muito cedo, quero que você me distraia, pelo menos.

18

Leon

A caminho da casa de Johnny White I. Está bem cedo — são quatro horas de viagem até lá, depois três ônibus da casa de Johnny White I até a Prisão de Groundsworth, onde vou visitar Richie, às três da tarde. Pernas duras por causa do pouco espaço no banco do trem; costas suadas por causa dos vagões sem ar-condicionado. Enquanto dobro ainda mais minhas mangas, encontro um Post-it velho de Tiffy preso na roupa. É do mês passado sobre o que o homem esquisito do apartamento 5 faz às sete da manhã. Hum. Que vergonha. Preciso conferir roupas e ver se há bilhetes antes de sair de casa.

Greeton, lar de Johnny White, é uma cidadezinha surpreendentemente bonita. Fica perto dos campos verdes das Midlands. Ando da estação de ônibus até o endereço de JW. Troquei alguns e-mails com ele, mas não sei o que esperar.

Quando chego, Johnny White, muito grande e assustador, praticamente berra para que eu entre. Me pego obedecendo e o seguindo até uma sala com poucos móveis. Única característica especial é o piano no canto. Está descoberto e parece bem cuidado.

Eu: Você toca?

JW I: Fui pianista na juventude. Já não toco tanto quanto antes, mas guardo minha menina aqui. Minha casa não é a mesma sem ela.

Estou encantado. É perfeito. Pianista! Profissão mais legal do mundo! E não vejo fotos de mulher e filhos. Maravilha.

JW I me oferece chá. O que ele serve é uma caneca grossa e lascada com uma infusão bem forte. Lembra o chá da minha mãe. Passo por um estranho momento de saudade — preciso visitá-la mais vezes.

JW I e eu nos sentamos no sofá e na poltrona, um de frente para o outro. De repente, percebo que o assunto é difícil de se abordar. Você teve um caso de amor com um homem na Segunda Guerra Mundial? Talvez não seja algo que este homem queira falar com um estranho de Londres.

JW I: Afinal, o que você queria?

Eu: Eu queria saber. Hum...

Pigarreio.

Eu: Você serviu no Exército durante a Segunda Guerra Mundial, não foi?

JW I: Dois anos, com um pequeno intervalo para que tirassem uma bala da minha barriga.

Me pego encarando a barriga dele. JW I abre um sorriso surpreendentemente carismático para mim.

JW I: Você está pensando que deve ter dado um trabalhão para encontrar, não é?

Eu: Não! Estou pensando que existem muitos órgãos vitais nessa região.

JW I, rindo: Os idiotas alemães não acertaram nenhum, para minha sorte. Bom, eu estava mais preocupado com as mãos do que com a barriga. Dá para tocar piano sem um pedaço do intestino, mas não se o frio tiver necrosado suas mãos.

Olho, maravilhado e horrorizado, para JW I. Ele ri outra vez.

JW I: Ah, você não quer ouvir minhas histórias de terror da guerra. Disse que está investigando o passado da sua família, não foi isso?

Eu: Não a minha. A de um amigo. Robert Prior. Ele serviu no mesmo regimento que você, mas não sei se na mesma época. Você se lembra dele?

JW I se esforça para lembrar. Franze o nariz. Inclina a cabeça.

JW I: Não. Não lembro. Desculpe.

Bom, eu tentei. Um a menos, ainda faltam sete.

Eu: Obrigado, Sr. White. Não vou mais tomar seu tempo. Só uma pergunta: o senhor é ou foi casado?

JW I, ainda mais brusco: Não. Minha esposa, Sally, morreu em um ataque aéreo em 1941 e o mundo acabou para mim. Nunca mais achei ninguém igual a ela.

Quase choro com isso. Richie morreria de rir da minha cara — sempre me chama de romântico incurável. Ou de coisas mais grosseiras.

Kay, do outro lado da linha: Sério, Leon. Eu acho que, se dependesse de você, todos os seus amigos teriam mais de oitenta anos.

Eu: Ele era um homem interessante, só isso. Gostei da conversa. E era pianista! É a profissão mais legal do mundo, você não acha?

Silêncio irônico de Kay.

Eu: Mas ainda faltam sete.

Kay: Sete o quê?

Eu: Sete Johnny White.

Kay: Ah, é.

Ela faz uma pausa.

Kay: Você vai passar todos os seus fins de semana atravessando o Reino Unido para encontrar o namorado de um velho, Leon?

Agora a pausa é minha. É, eu meio que tinha planejado isso. Quando mais vou encontrar o Johnny do sr. Prior? Não posso fazer isso nos dias úteis.

Eu, hesitando: ... Não?

Kay: Ótimo. Porque eu mal te vejo, com todas as visitas e os turnos. Você sabe disso, não é?

Eu: Sei. Desculpa. Eu...

Kay: É, é, eu sei, você se importa com seu trabalho e o Richie precisa de você. Eu sei de tudo isso. Não estou tentando dificultar as coisas, Leon. Só acho que... isso deveria incomodar mais você. Tanto quanto me incomoda. O fato de a gente não se ver.

Eu: Claro que me incomoda! Mas vi você hoje de manhã...

Kay: Por meia hora, em um café da manhã apressado.

Onda de irritação. Cedi meia hora da minha soneca de três horas para um café da manhã com Kay. Respiro fundo. Olho pela janela.

Eu: Tenho que ir. Estou chegando na prisão.

Kay: Tudo bem. A gente se fala mais tarde. Você pode me avisar que trem vai pegar?

Não gosto disso — a cobrança, as mensagens sobre trens, sempre saber aonde estou indo. Mas… estou sendo bobo. Não posso reclamar. Kay já acha que tenho medo de compromisso. É sua expressão favorita no momento.

Eu: Vou avisar.

Mas, no fim, não aviso. Não foi de propósito. É a pior briga que temos nos últimos tempos.

19

Tiffy

— É o lugar perfeito para você, Katherin — diz Martin, animado, espalhando as fotos pela mesa.

Abro um sorriso encorajador. Apesar de, inicialmente, ter achado ridícula a história do salão enorme, estou começando a comprar a ideia. Vinte vídeos do YouTube foram postados por diversas celebridades da internet usando roupas que elas afirmam ter tricotado a partir das instruções de Katherin. Depois de uma reunião tensa e inesperada com o diretor-geral da editora, na qual o chefe do setor de relações públicas conseguiu fingir que sabia do que o livro se tratava e ainda alocar orçamento para ele, o escritório inteiro da Butterfingers passou a saber tudo do lançamento e está animado. Todos parecem ter esquecido que, semana passada, não davam a mínima para crochê. Ontem até ouvi a diretora comercial declarar que "sempre havia desconfiado que esse livro seria um sucesso".

Katherin está perplexa com tudo isso, especialmente com a história de Tasha Chai-Latte. De início, ela reagiu como todo mundo reage quando vê uma pessoa qualquer ganhando muito dinheiro no YouTube. ("Eu poderia fazer isso!", anunciou ela. Sugeri que começasse investindo em um smartphone. Um passo de cada vez.) Agora ela está irritada por Martin ter roubado a conta de Twitter dela. ("Não podemos deixar isso na mão dela! Temos que *manter o controle*!", gritava Martin para Ruby hoje de manhã.)

— Afinal, *o que é* um lançamento de livro? — pergunta Katherin. — Tipo, normalmente fico bebendo vinho e conversando com as senhorinhas que se dão o trabalho de aparecer. Mas como vou fazer isso com todas essas pessoas?

Ela aponta para a foto do enorme salão em Islington.

— Bom, Katherin — começa Martin. — Que bom que você perguntou. Tiffy e eu vamos levar você a um dos nossos grandes lançamentos daqui a duas semanas. Só para você ver como essas coisas funcionam.

— Tem bebida de graça? — pergunta Katherin, se animando.

— Ah, claro, muita bebida de graça — responde Martin, apesar de ter me dito que não vai ter bebida.

Olho para o relógio enquanto Martin volta a tentar convencer Katherin sobre o salão enorme. Ela está muito preocupada, achando que as pessoas no fundo não vão conseguir ver nada. Eu, por outro lado, estou muito preocupada com a possibilidade de não chegar à casa de repouso de Leon na hora combinada.

É a noite da nossa visita. Leon vai estar lá, o que significa que hoje, depois de cinco meses e meio morando juntos, vamos finalmente nos encontrar.

Estou estranhamente nervosa. Troquei de roupa três vezes hoje de manhã, o que é atípico — em geral, não consigo imaginar o dia de outra maneira depois que monto meu look. Mas agora não tenho certeza de que fiz a melhor escolha. Disfarcei o vestido amarelo-limão plissado com uma jaqueta jeans, leggings e minhas botas de lírios, mas ainda estou vestindo algo que uma menina de dezesseis anos usaria no baile de formatura. Não sei por quê, mas tule sempre faz a gente parecer que está se esforçando demais.

— Vocês não acham que a gente deveria estar indo para lá? — pergunto, interrompendo as baboseiras de Martin.

Quero chegar à casa de repouso na hora para encontrar Leon e agradecer a ele antes de começarmos. Preferiria não repetir o que aconteceu com Justin, e Leon aparecer quando Katherin estiver enfiando alfinetes em mim.

Martin olha para mim de cara feia, virando a cabeça para que Katherin não veja como o olhar que ele está me lançando é horrível. Ela, claro, percebe na hora, fica feliz com a situação e esconde o sorriso ao levar a xícara de café à boca. Katherin ficou irritada comigo quando cheguei porque eu havia (claramente) ignorado seu pedido para usar "roupas neutras". Minha desculpa de que usar bege suga minha energia vital não foi levada a sério.

— Todos temos que fazer sacrifícios pela nossa arte, Tiffy! — disse ela, balançando o indicador.

Lembrei que, na verdade, aquela não era a *minha* arte, era a dela, mas Katherin pareceu tão magoada que cedi e tirei a anágua do vestido.

É bom ver que nossa antipatia mútua por Martin voltou a nos unir.

Não sei por que achei que sabia como era uma casa de repouso — nunca estive em uma. Mesmo assim, esta tem algumas das coisas que eu imaginava: piso de linóleo nos corredores, equipamento médico cheio de fios e tubos, quadros de pouca qualidade em molduras tortas nas paredes. Mas o clima é mais amistoso do que eu esperava. Todos parecem se conhecer: médicos fazem comentários sarcásticos quando se cruzam no corredor, pacientes riem, sem fôlego, com seus colegas de ala e, em dado momento, ouço uma enfermeira discutindo animada com um senhor de Yorkshire sobre qual é o melhor tipo de arroz doce do cardápio do jantar.

A recepcionista nos leva por um labirinto assustador de corredores até uma sala de estar. O aposento contém uma mesa de plástico bamba, onde vamos nos instalar, muitas cadeiras que parecem desconfortáveis e uma TV parecida com a da casa dos meus pais — é pesada e enorme na parte traseira, como se guardasse todos os canais extras de vendas ali.

Largamos as sacolas de lã e as agulhas de crochê na mesa. Alguns pacientes com mais mobilidade entram na sala. Fica claro que a notícia da nossa aula se espalhou, provavelmente pelos médicos e enfermeiras, que parecem correr em direções aleatórias o tempo todo, como bolinhas de pinball. No entanto, faltam quinze minutos para o início da aula — tempo suficiente para encontrar Leon e cumprimentá-lo.

— Com licença — digo a uma enfermeira que passou rapidamente pela sala. — O Leon está?

— Leon? — pergunta ela, olhando para mim, distraída. — Está. Ele está. Você precisa falar com ele?

— Ah, não, não se preocupe — respondo. — Não é, bem, um assunto médico. Eu só ia dizer oi e agradecer por ele nos deixar dar essa aula.

Aponto para Martin e Katherin, que estão desenrolando a lã com diferentes graus de entusiasmo.

A enfermeira arregala os olhos e começa a prestar atenção de verdade.

— Você é a Tiffy?

— Hum… Sou?

— Ah. Oi. Uau, olá. Se você quiser falar com o Leon, ele deve estar na Ala Dorsal. É só seguir as placas.

— Muito obrigada — digo, e ela volta a correr.

Ala Dorsal. Certo. Confiro a placa presa à parede: pelo visto, devo seguir à esquerda. Depois à direita. Depois esquerda, esquerda, direita, esquerda, direita, direita — pelo amor de Deus! Esse lugar não acaba.

— Com licença — interrompo um homem de uniforme que passa por mim. — Este é o caminho para a Ala Dorsal?

— É, sim — responde ele, sem parar de andar.

Hum. Não sei se ele prestou muita ou pouca atenção à pergunta. Acho que as pessoas que trabalham aqui devem ficar cansadas de visitantes pedindo orientações. Olho para a placa seguinte: a Ala Dorsal desapareceu totalmente.

O cara de uniforme parou do meu lado, depois de ter voltado pelo corredor. Levo um susto.

— Oi, você é a Tiffy? — pergunta ele.

— Sou. Oi?

— Sério? Caramba! — Ele me olha de cima a baixo de maneira descarada, depois percebe o que está fazendo e faz uma careta. — Nossa, desculpa, é que ninguém aqui acreditou. Leon deve estar na Ala Alga. Entre na próxima esquerda.

— Acreditou no quê? — grito, mas o homem já foi embora, deixando uma porta dupla balançando atrás dele.

Isso é... estranho.

Quando me viro, vejo um enfermeiro de pele parda e cabelo escuro, cujo uniforme azul-marinho parece gasto mesmo a distância — já notei como o uniforme do Leon está gasto porque o vi secando no varal. Nós nos encaramos por um segundo, mas ele desvia o olhar, confere o bipe no quadril e sai correndo para o corredor oposto. Era bem alto. Será que era ele? Estava longe demais para saber com certeza. Ando mais rápido, tentando segui-lo, mas fico um pouco sem fôlego, depois sinto que o estou perseguindo e desacelero. Droga. Acho que perdi a entrada para a Ala Alga.

Analiso a situação no meio do corredor. Sem a saia de tule, meu vestido está murcho, grudado nas leggings. Estou com o rosto vermelho, morrendo de calor e, sejamos sinceros, totalmente perdida.

A placa seguinte me manda virar à esquerda para a Sala de Lazer, o lugar de onde saí. Suspiro, conferindo o relógio. Faltam cinco minutos para a aula começar — está na hora de voltar. Vou tentar procurar Leon depois... Com sorte sem encontrar outros estranhos que sabem meu nome.

Quando volto para a sala de estar, um grupo bem grande já se reuniu. Katherin fica aliviada ao me ver e começa a aula no mesmo instante. Sigo as instruções dela à risca e, enquanto Katherin exalta com entusiasmo as virtudes do ponto fechado, analiso a sala. Os pacientes são um grupo de idosos e idosas, sendo que mais da metade estão em cadeiras de rodas, além de algumas senhoras de meia-idade que embora pareçam mal de saúde estão muito mais interessadas no que Katherin diz do que os outros. Há três crianças também. Uma delas é uma menininha com o cabelo crescendo de novo após a quimioterapia, eu imagino. Seus olhos são enormes. Eu noto isso porque ela não está olhando para Katherin como as outras pessoas — está me observando e sorrindo.

Aceno para ela. Katherin dá um tapa na minha mão.

— Você está sendo uma péssima modelo hoje.

Sou transportada de volta ao cruzeiro que fizemos em fevereiro, a última vez em que Katherin me forçou a ficar em várias posições desconfortáveis em nome do crochê. Por um instante, eu me lembro da expressão exata de Justin quando nossos olhares se encontraram — não de como ela aparece em minhas lembranças, difusa e alterada pelo tempo, mas como realmente foi. Eu me arrepio toda.

Katherin me lança um olhar curioso, e eu me esforço para voltar ao presente, antes de abrir um sorriso tranquilizador. Quando olho para a frente, vejo um homem alto de cabelo escuro vestindo uniforme abrir a porta para uma das alas, e meu coração dispara. Mas não é Leon. Fico quase feliz. Estou abalada, incomodada: por algum motivo, não quero encontrá-lo agora.

— Levante os braços, Tiffy! — berra Katherin no meu ouvido e, assentindo, volto a fazer o que ela manda.

20

Leon

A carta está amassada no bolso da calça. Tiffy me pediu para ler antes de mandar para Richie. Ainda não li. É doloroso. De repente, tenho certeza de que ela não vai entender. Vai dizer que ele é um criminoso frio e calculista, como o juiz declarou. Que as desculpas dele não fazem sentido, que por causa de sua personalidade e seu passado, ele é exatamente o que todos nós deveríamos esperar.

Estou estressado, ombros tensos. Mal a vi, mas não consigo deixar de pensar que a ruiva no fim do corredor da Ala Dorsal era ela. Se era, espero que não ache que fugi. Fugi, óbvio. Mas preferiria que ela não soubesse.

Só... não quero enfrentá-la antes de ler a carta.

Então. Tenho que ler a carta. Enquanto isso, posso me esconder na Ala Alga para evitar encontros nos corredores.

Passo pela recepção e sou atacado por June, a recepcionista.

June: Sua *amiga* chegou!

Só contei para algumas pessoas que a aula de crochê estava sendo organizada pela minha colega de apartamento. Isso acabou virando uma fofoca interessante. Todos parecem grosseiramente surpresos por eu dividir apartamento. Pelo jeito, tenho cara de homem que mora sozinho.

Eu: Obrigado, June.

June: Ela está na Sala de Lazer!

Eu: Obrigado, June.

June: Ela é muito bonita.

Pisco. Nunca penso muito na aparência de Tiffy, a não ser quando me pergunto se ela usa cinco vestidos ao mesmo tempo (explicaria a quantidade de roupa pendurada no armário). Fico tentado a perguntar se é ruiva, mas penso melhor.

June: Uma moça ótima. Ótima mesmo. Fico *tão* feliz por você ter achado uma moça tão boa para morar com você…

Encaro June desconfiado. Ela sorri para mim. Me pergunto com quem ela andou falando. Holly? Aquela menina está obcecada pela Tiffy.

Faço uma tarefa ou outra na Ala Alga. Tiro um intervalo sem precedentes. Não posso adiar mais. Não há nenhum paciente muito mal para me manter ocupado — não tenho nada para fazer, exceto ler a carta.

Desdobro o papel. Desvio o olhar, coração disparado. Isso é ridículo? Por que faz tanta diferença para mim?

Certo. Olho para a carta. Confronto a carta como um adulto confrontando a opinião de outro adulto, alguém cuja opinião não deveria importar.

Só que importa. Preciso ser sincero: gosto de encontrar bilhetes de Tiffy quando chego em casa e vou ficar triste se tiver que me afastar se ela for cruel com Richie. Não que ela vá ser. Mas… aconteceu outras vezes. Nunca sabemos como as pessoas vão reagir.

Caro Richie,

Muito obrigada pela sua carta. Ela me fez chorar, o que pôs você na mesma categoria do cara do Como eu era antes de você, *do meu ex-namorado e das cebolas. Isso é muito impressionante. (O que quero dizer é que não sou chorona – é preciso um abalo emocional sério ou enzimas vegetais estranhas para me levar às lágrimas.)*

Não consigo acreditar no tamanho da merda em que você se meteu. Quer dizer, sei que esse tipo de coisa acontece, mas acho difícil entendê-las até ouvir toda a história da boca/caneta de alguém. Você não me disse nada sobre como se sentiu naquele tribunal nem como é a vida na prisão… Então imagino que as partes que deixou de fora teriam me feito chorar ainda mais.

Mas não adianta dizer como isso é uma merda (você já sabe) e como eu sinto muito (você provavelmente ouve isso de muita gente). Estava pensando nisso antes de escrever esta carta e me sentindo impotente. Não posso só dizer "sinto muito por isso ser uma merda para você", pensei. Então liguei para minha melhor amiga, a Gerty.

A Gerty é um ser humano incrível da maneira menos óbvia possível. Ela é má com quase todo mundo, absolutamente obsessiva no trabalho e deleta qualquer um que a magoe. Mas tem princípios, à sua maneira, é muito boa para os amigos e valoriza a sinceridade acima de tudo.

Acontece que ela também é advogada. E, se levarmos em conta o sucesso absurdo da carreira dela, é uma advogada muito boa.

Vou ser sincera: ela deu uma olhada na sua carta porque eu pedi. Mas depois leu a transcrição do seu julgamento por interesse próprio e (eu acho) por sua causa. Ela não disse que vai pegar seu caso (você vai ver pela carta dela que está em anexo), mas tem algumas perguntas a que gostaria que você respondesse. Sinta-se à vontade para ignorá-las — você provavelmente tem um advogado ótimo que já analisou essas coisas. Quer dizer, talvez eu tenha falado com a Gerty mais por mim do que por você, porque queria sentir que estava ajudando de alguma forma. Então fique à vontade para mandar eu não meter o nariz onde não sou chamada.

Mas, caso queira escrever para a Gerty, mande um recado na sua próxima carta para o Leon e vamos enviá-lo para ela. E talvez... seja melhor não mencionar isso para seu advogado. Não sei como os advogados se sentem quando seus clientes conversam com outros advogados. Será que isso seria uma espécie de adultério?

Coloquei vários selos no envelope (mais uma iniciativa provocada pelo impulso de "querer ajudar" que estou sentindo).

Com carinho,

Tiffy

Caro Sr. Twomey,

Meu nome é Gertrude Constantine. Imagino que a Tiffany tenha feito alguma apresentação grandiosa na carta dela, então vou pular as formalidades.

Preciso ser clara: isto não é uma oferta de representação. É uma carta informal, não uma consulta legal. Se decidir dar algum conselho ao senhor, será como amiga da Tiffany.

- *Notei, pela transcrição do julgamento, que os amigos que foram com o senhor à Daffie's, a boate em Clapham, não foram chamados para testemunhar nem pela acusação nem pela defesa. Por favor, confirme.*
- *Os "Bloods" não foram mencionados por você nem por nenhuma outra pessoa na transcrição do julgamento. Suponho, pela carta, que o senhor só veio a conhecer o nome da gangue na prisão. Pode explicar que informação o levou a acreditar que o grupo que viu na boate e o homem que o agrediu no banheiro sejam membros dessa gangue?*
- *O senhor deu queixa da agressão no banheiro da boate?*
- *Os seguranças da boate deram a entender que a gangue (vamos nos referir a eles assim) deixou a boate logo depois do senhor. Eles não foram mais questionados. De onde eles estavam, será que poderiam ter indicado se o senhor e a gangue seguiram na mesma direção ou em uma parecida?*
- *Parece que o júri tomou a decisão com base em apenas um trecho da gravação da câmera de segurança, filmada de dentro do mercado. Seu representante legal pediu as imagens da rua Clapham, do estacionamento do estabelecimento e da lavanderia adjacente?*

Atenciosamente,
Gertrude Constantine

21

Tiffy

Quando começamos a distribuir as agulhas de crochê e a lã para o público, vou na direção da menininha que estava me encarando mais cedo. Ela sorri quando me aproximo, toda insolência e dentes incisivos enormes.

— Oi — diz ela. — Você que é a Tiffy?

Eu a encaro. Então me abaixo para ficar na altura da cadeira de rodas; olhar para ela do alto é estranho.

— Sou! As pessoas não param de me perguntar isso. Como você adivinhou?

— Você é muito linda! — responde ela, alegre. — Você é legal também?

— Bom, na verdade, sou horrível. Por que achou que eu era a Tiffy? E — pensando depois — linda?

— Disseram seu nome no início da aula.

Ah, claro. Apesar de isso não explicar os enfermeiros estranhos.

— Você não é horrível de verdade — continua a menina. — Eu gostei de você. Foi legal você deixar aquela moça medir suas pernas.

— Foi, não foi? Na verdade, acho que esse gesto legal não foi muito apreciado até agora, então obrigada. Você quer aprender a fazer crochê?

— Não — responde ela.

Dou uma risadinha. Pelo menos ela é sincera, ao contrário do homem atrás, corajosamente tentando fazer um ponto correntinha sob a supervisão de Katherin.

— Então o que você quer fazer?

— Quero conversar com você sobre o Leon.

— Ah! Você conhece o Leon!

— Sou a paciente favorita dele.

Sorrio.

— Aposto que é mesmo. Ele falou de mim?

— Não muito — diz ela.

— Ah. Entendi. Bom…

— Mas eu disse que ia descobrir se você era bonita.

— É mesmo? Ele pediu para você fazer isso?

Ela pensa um pouco.

— Não. Mas acho que ele queria saber.

— Acho que ele não queria…

Percebo que não sei o nome dela.

— Holly — responde ela.

— Bom, Holly, Leon e eu somos só amigos. Amigos não precisam saber se suas amigas são bonitas.

De repente Martin está bem ao meu lado.

— Você poderia posar para uma foto com ela? — murmura ele em meu ouvido.

Nossa, esse cara sabe como aparecer de repente. Ele devia usar um guizo, como gatos que comem passarinhos.

— Posar? Com a Holly?

— É, a menina com leucemia. Para o release.

— Eu estou ouvindo, sabia? — declara Holly, alto.

Martin tem a decência de parecer envergonhado.

— Olá — cumprimenta ele, um pouco sem jeito. — Sou o Martin.

Holly dá de ombros.

— Tudo bem, *Martin*. Minha mãe não deu permissão para você tirar uma foto minha. Não quero que tirem fotos minhas. As pessoas sempre sentem pena de mim porque não tenho muito cabelo e pareço doente.

Vejo que Martin está pensando que essa era exatamente a ideia. Sou tomada por uma vontade repentina, mas não inédita, de dar um soco na cara dele, ou pelo menos chutar sua canela. Talvez eu possa tropeçar na cadeira de Holly e fingir que foi um acidente.

— Tudo bem — murmura ele, já seguindo na direção de Katherin, sem dúvida torcendo para que ela esteja perto de algum outro paciente fofinho mas com menos escrúpulos e que aceite ser exibido por toda a internet para promover a carreira de Martin.

— *Ele* é horrível — diz Holly, direta.

— É — respondo, sem pestanejar. — Ele é mesmo, não é?

Olho o relógio. Vamos terminar em dez minutos.

— Você quer procurar o Leon? — pergunta Holly, olhando para mim com olhos astutos.

Eu me viro para Katherin e Martin. Bom, meu trabalho como modelo já terminou e eu nem sou boa em crochê, muito menos em ensinar outras pessoas a fazer. Vai levar um tempão para guardar toda a lã e vai ser bom não estar aqui nesse momento.

Digito uma mensagem rápida para Katherin. *Vou procurar meu colega de apartamento para agradecer pela organização do evento. Volto para ajudar você a arrumar tudo. Beijos* (com certeza não vou voltar).

— Por aqui — diz Holly.

Então, quando empaco com a cadeira de rodas, ela ri e aponta para o freio.

— *Todo mundo* sabe que tem que soltar o freio.

— Só achei que você fosse muito pesada — afirmo.

Holly ri.

— Leon vai estar na Ala Coral. Não siga as placas. Elas levam você pelo caminho mais comprido. Vire à esquerda!

Faço o que ela manda.

— Você sabe mesmo se virar neste lugar, não é? — comento, depois de passar por uns dez corredores e, em determinado ponto, até por um armário.

— Estou aqui há sete meses — explica Holly. — E sou amiga do sr. Robbie Prior. Ele está na Ala Coral e foi muito importante em uma das guerras.

— Sr. Prior! Ele tricota?

— O tempo *todo* — diz Holly.

Maravilha! Estou indo conhecer o tricotador que salvou minha vida *e* meu colega de apartamento que gosta de escrever bilhetes. Me pergunto se Leon fala como escreve, só com frases curtas.

— Oi, dra. Patel! — grita Holly para uma médica no corredor. — Esta é a Tiffy!

A dra. Patel para, baixa os óculos até a ponta do nariz e abre um sorriso para mim.

— Nunca imaginei... — É tudo que diz antes de entrar no quarto mais próximo.

— Certo, srta. Holly — digo, girando a cadeira para ficarmos frente a frente. — O que está havendo? Por que todo mundo aqui me conhece? E por que todo mundo parece surpreso em me ver?

Holly abre um sorriso travesso.

— Ninguém acreditava que você existia — conta ela. — *Eu falei* para todo mundo que o Leon mora com uma moça, escreve bilhetes para ela e que ela faz o Leon rir, mas *ninguém* acreditou em mim. Todo mundo disse que o Leon não... — Ela franze o nariz — *toleraria* uma colega de apartamento. Acho que isso significa que ele não ia querer ninguém por perto porque é muito quieto. Mas eles não sabem que, *na verdade*, ele guarda toda a conversa para as pessoas certas, tipo eu e você.

— É mesmo?

Balanço a cabeça, sorrindo, e volto a seguir o corredor. É engraçado saber de Leon por outra pessoa. Até hoje, minha única referência era Kay, que eu mal vejo hoje em dia.

Com as instruções de Holly, finalmente chegamos à Ala Coral. Ela olha em volta, se erguendo nos braços da cadeira para enxergar melhor.

— Cadê o sr. Prior? — pergunta.

Um idoso em uma cadeira próxima à janela se vira e sorri para Holly, seu rosto uma massa de rugas profundas.

— Oi, Holly.

— Sr. Prior! Esta é a Tiffy. Ela é bonita, não é?

— Ah, srta. Moore — diz o sr. Prior, tentando se levantar e estender a mão. — É um prazer conhecê-la.

Corro até ele, desesperada para que ele volte a se sentar. Acho que não seria bom se ele tentasse se levantar assim.

— É uma honra conhecê-lo, sr. Prior! Devo dizer que *adoro* seu trabalho. E não tenho palavras para agradecer por todos aqueles cachecóis e chapéus que o senhor tricotou para o livro da Katherin.

— Ah, mas gostei muito de fazer aquilo. Eu teria ido à aula, mas... — Ele bate no peito, distraído. — Não estava me sentindo muito bem.

— Ah, não tem problema — respondo. — Não é como se o senhor precisasse de aulas. — Faço uma pausa. — Imagino que não tenha visto o...

O sr. Prior sorri.

— O Leon?

— Bom, é. Eu só queria dar um oi.

— Aham — diz o sr. Prior. — Você vai ver que nosso Leon é um pouco difícil de encontrar. Na verdade, ele acabou de sair. Acho que alguém avisou a ele que você estava chegando.

— Ah...

Olho para baixo, envergonhada. Eu não queria persegui-lo pelo hospital. Justin sempre dizia que não sei a hora de parar.

— Se ele não quer me ver, então é melhor...

O sr. Prior balança uma das mãos.

— Você não está entendendo, minha querida. Não é nada disso. Eu diria que o Leon está nervoso.

— Por que ele estaria nervoso? — pergunto, como se não tivesse passado o dia inteiro nervosa.

— Não sei dizer direito — explica o sr. Prior —, mas o Leon não gosta quando as coisas... mudam. Eu diria que ele gosta muito de morar com você, srta. Moore, e me pergunto se ele não tem medo de estragar tudo. — Ele faz uma pausa. — Sugiro que, caso a senhorita queira fazer alguma mudança na rotina do Leon, é melhor fazer bem rápido, de repente, para ele não ter como evitar.

— Tipo uma surpresa — diz Holly, solene.

— Entendi — respondo. — Bom. Seja como for, foi ótimo conhecê-lo, sr. Prior.

— Mais uma coisa, srta. Moore — continua o sr. Prior. — O Leon estava um pouco emocionado. E segurava uma carta. Imagino que você não saiba nada sobre isso...

— Ai, meu Deus, espero não ter dito nada errado — comento, tentando desesperadamente lembrar o que escrevi na carta para Richie.

— Não, não, ele não estava chateado. Só meio abalado. — O sr. Prior tira os óculos e os esfrega na camisa com dedos trêmulos e retorcidos. — Eu diria, se fosse tentar adivinhar, que ele estava... — Ele volta a colocar os óculos — ... surpreso.

22

Leon

É demais. Estou tremendo. Faz meses que não sinto tanta esperança e esqueci como lidar com essa emoção — estômago revirado, pele fria e quente ao mesmo tempo. Frequência cardíaca disparada há uma hora. Não diminui.

Deveria agradecê-la pessoalmente. Ela está tentando me achar e não paro de me esconder, o que é infantil e ridículo. Estou me sentindo muito estranho em relação a isso. Como se, caso a gente se encontre, tudo vá ser diferente e não volte a ser como era. E eu gosto de como era. É.

Eu: June, cadê a Tiffy?

June: Sua colega bonita de apartamento?

Eu, com paciência: É. A Tiffy.

June: Leon, é quase uma da manhã. Ela foi embora depois da aula.

Eu: Ah. Ela… deixou um bilhete? Ou alguma coisa?

June: Desculpa, querido. Mas ela estava tentando te encontrar, se serve de consolo.

Não serve. E ela não deixou bilhete nenhum. Me sinto um idiota. Perdi a chance de agradecer; provavelmente a chateei também. Não gosto da ideia. Mas… ainda estou agitado com a carta, e ela fica na minha cabeça o resto da noite. Termino o turno apenas com lembranças perturbadoras de acelerar pelos corredores para evitar interações sociais (falta de sociabilidade extrema, até para mim. Estremeço ao pensar no que Richie vai dizer).

No fim do expediente, saio correndo e vou para o ponto de ônibus. Ligo para Kay assim que saio. Mal posso esperar para contar sobre a carta, sobre a amiga advogada criminal, sobre a lista de perguntas.

Kay fica estranhamente silenciosa.

Eu: Incrível, né?

Kay: Essa advogada não fez nada ainda, Leon. Ela não disse que vai pegar o caso. Nem que acha que o Richie é inocente, na verdade.

Quase tropeço, como se alguém tivesse posto o pé na minha frente.

Eu: Mas já é *alguma coisa*. A gente não consegue nada há muito tempo.

Kay: E achei que você nunca fosse encontrar a Tiffy. Essa foi a primeira regra que a gente estabeleceu quando concordei com a divisão do apartamento.

Eu: O quê... Nunca? Não posso encontrar a Tiffy *nunca*? Ela é minha colega de apartamento.

Kay: Não faça parecer que estou exagerando.

Eu: Não achei que você quisesse dizer... Bom, isso é bobagem. Não encontrei com ela, de qualquer maneira. Liguei para dar a notícia do Richie.

Outro longo silêncio. Franzo a testa, andando mais devagar agora.

Kay: Seria melhor se você aceitasse essa situação do Richie, Leon. Tudo isso está sugando muito sua energia. Você mudou nos últimos meses. Para ser sincera, acho que a coisa mais saudável a fazer é aceitar a situação. E tenho certeza de que você vai acabar aceitando, mas é que... já faz muito tempo. E isso está causando problemas para você. Para a gente.

Não entendo. Ela não ouviu? Não é como se estivesse dizendo as mesmas coisas, me agarrando às mesmas velhas esperanças. Estou dizendo que há uma nova esperança. Tenho novidades.

Eu: O que está sugerindo? Que a gente desista? Podemos conseguir novas provas agora que sabemos o que procurar!

Kay: Você não é advogado, Leon. Sal é advogado, você mesmo disse que ele fez o que pôde e acho que não é certo essa mulher interferir e dar esperança a você e ao Richie agora que o caso já foi encerrado. O júri todo o declarou culpado, Leon.

Frio no estômago. Coração disparado de novo, agora pelo motivo errado. Estou ficando irritado. Aquela sensação de novo, a raiva represada ao ouvir alguém que você tenta muito amar dizer as piores coisas.

Eu: O que deu em você, Kay? Não sei o que você quer de mim.

Kay: Quero você de volta.

Eu: O quê?

Kay: Quero você *de volta*, Leon. Presente. Na sua vida. Comigo. Parece que... eu fiquei invisível. Você está sempre de um lado para outro e passa o tempo que sobra aqui, mas não fica comigo de verdade. Está sempre com o Richie. Parece que você se importa mais com o Richie do que comigo.

Eu: É claro que eu me importo mais com o Richie.

A pausa é como o silêncio após um tiro. Tapo a boca com a mão. Não queria dizer isso; não sei de onde tirei isso.

Eu: Não foi isso que eu quis dizer. Não quis dizer isso. É só que... o Richie precisa mais dos meus... cuidados agora. Ele não tem ninguém.

Kay: E sobra algum *cuidado* para alguma outra pessoa? Para você?

Ela quer dizer *para mim*?

Kay: Por favor. Pense nisso. Pense em nós dois.

Ela está chorando agora. Me sinto péssimo, mas a sensação quente/fria no estômago continua.

Eu: Você continua achando que ele é culpado, não é?

Kay: Droga, Leon, estou tentando falar da gente, não do seu irmão.

Eu: Preciso saber.

Kay: Você não está me ouvindo! Estou dizendo que esse é o único jeito de você ficar bem. Você pode continuar acreditando que ele é inocente, se quiser, mas tem que aceitar que ele está na cadeia e vai ficar lá por alguns anos. Não dá para ficar *lutando* para sempre. Isso está destruindo sua vida. Tudo que você faz é trabalhar, escrever para o Richie e ficar obcecado pelas coisas, seja pelo namorado de um velho ou pelos últimos detalhes da apelação do Richie. Você costumava *fazer* outras coisas. Sair. Ficar comigo.

Eu: Nunca tive muito tempo de folga, Kay. O que tenho sempre foi para você.

Kay: Agora você vai ver seu irmão de quinze em quinze dias.

Ela está mesmo irritada comigo por eu visitar meu irmão na prisão?

Kay: Eu sei que não posso ficar irritada com você por isso. Mas é só que… O que eu quero dizer é que você tem pouquíssimo tempo e agora estou sentindo que sobrou ainda menos para mim…

Eu: Você ainda acha que o Richie é culpado?

Outro silêncio. Acho que agora também estou chorando; há um calor úmido em minhas bochechas quando outro ônibus passa e não consigo subir nele.

Kay: Por que a gente sempre volta a esse assunto? Por que isso faz diferença? Nosso relacionamento não deveria ter tanta participação do seu irmão.

Eu: O Richie é parte de mim. Ele é minha família.

Kay: Bom, e nós somos namorados. Isso não significa nada?

Eu: Você sabe que eu amo você.

Kay: Engraçado... Não tenho tanta certeza assim.

O silêncio se estende. O trânsito passa rápido por mim. Esfrego os pés no chão, olhando para o asfalto queimado pelo sol, achando tudo surreal.

Eu: Fala logo.

Ela espera. Eu espero. Outro ônibus espera, depois vai embora.

Kay: Acho que o Richie é culpado, Leon. Foi o que o júri decidiu, e eles tinham todas as informações. É algo que ele faria.

Fecho os olhos devagar. Não me sinto como esperava — estranho, mas é quase um alívio. Vinha ouvindo Kay dizer isso em silêncio havia meses, desde A Discussão. É o fim do eterno estômago embrulhado, da infinita espera à beira das conversas, do infinito saber mas tentar não saber.

Kay está soluçando. Escuto, olhos ainda fechados, e é como se eu flutuasse.

Kay: Acabou, não é?

De repente fica óbvio. Acabou. Não posso mais continuar com isso. Não posso ter isso corroendo meu amor por Richie, não posso estar com uma pessoa que não o ama também.

Eu: É. Acabou.

23

Tiffy

Um dia depois de minha visita à casa de repouso, chego em casa e encontro o maior e mais incoerente bilhete que já recebi de Leon, no balcão da cozinha ao lado de um prato intocado de espaguete.

Oi, Tiffy,

Estou um pouco atordoado, mas muito obrigado pela carta para Richie. Não tenho palavras para agradecer. Precisamos mesmo de toda a ajuda que conseguirmos. Ele vai ficar muito feliz.

Desculpe não ter encontrado você no trabalho. Foi culpa minha – deixei para procurá-la muito tarde, queria ler sua carta para o Richie antes, como você tinha pedido, mas levei um tempão, então fiz besteira e você já tinha ido embora, sempre demoro para processar as coisas. Desculpa, vou dormir, se você não se importar, vejo você mais tarde. Bjos

Encaro o recado por um tempo. Bom, pelo menos ele não tentou me evitar a noite toda porque não queria me ver. Mas... ele não jantou? Todas essas frases compridas? O que isso significa?

Ponho um Post-it ao lado do bilhete dele, prendendo-o com cuidado no balcão.

Oi, Leon,

Está tudo bem? Vou preparar um tiffin, só por via das dúvidas.

Bjos,

Tiffy

A eloquência da carta de Leon é um fenômeno inédito. Nas duas semanas seguintes, os bilhetes dele são ainda mais monossilábicos e com ainda menos pronomes do que de costume. Não quero forçar a barra, mas algo claramente o chateou. Será que ele e Kay brigaram? Ela não tem aparecido e ele não a menciona há semanas. Mas não posso ajudar se ele não me contar, então faço muitos bolos e não reclamo quando ele não limpa o apartamento direito. Ontem a xícara de café não estava no lado esquerdo *nem* no direito da pia — ficou no armário e ele deve ter ido para o trabalho sem cafeína.

Em um surto de inspiração, deixo para Leon o manuscrito seguinte do meu pedreiro que se tornou designer, o que escreveu *Construindo o futuro.* A continuação — *A criação de arranha-céus* — talvez seja ainda melhor e espero que isso o anime.

Volto para casa e acho o seguinte bilhete sobre o manuscrito encadernado:

Esse cara… é incrível!

Obrigado, Tiffy. Desculpa pela bagunça no apartamento. Vou limpar logo, prometo.

Bjos,

Leon

Vou considerar esse ponto de exclamação um grande sinal de melhora.

É o dia do teste para o lançamento do livro, o evento a que vamos levar Katherin para que a equipe de relações públicas possa convencê-la de que um grande lançamento é o que ela sempre quis.

— Sem meia-calça — diz Rachel, decidida. — É verão, pelo amor de Deus.

Estamos nos arrumando juntas no banheiro do escritório. De tempos em tempos, alguém entra para fazer xixi e solta um gritinho ao ver que o lugar foi transformado em um camarim. Nossas bolsinhas de maquiagem foram esvaziadas em cima da pia e o ar está saturado de perfume e spray para cabelo. Cada uma tem três opções de roupa penduradas nos espelhos, além das que estamos usando agora (nossas escolhas: Rachel está com um vestido transpassado de seda verde-limão, e eu estou com um vestido com estampas enormes de *Alice no País das Maravilhas* e botões na frente — descobri o tecido em um brechó em Stockwell e subornei uma das minhas freelancers mais prestativas para transformá-lo em vestido para mim).

Tiro a meia-calça. Rachel assente.

— Bem melhor. Você precisa mostrar as pernas.

— Você me faria sair de biquíni se pudesse.

Ela abre um sorriso atrevido para o espelho enquanto passa batom.

— Bom, hoje você vai conhecer um belo espécime nórdico — diz ela.

Hoje é o lançamento de *Silvicultura para o homem comum*, a mais nova aquisição do nosso editor de marcenaria. O autor é um eremita norueguês. É impressionante que ele tenha saído de sua casa na árvore por tempo suficiente para vir até Londres. Rachel e eu estamos torcendo para que ele tenha um surto e se vire contra Martin, que está organizando o evento e devia ter encarado o estilo de vida ermitão do autor como um sinal de que o cara provavelmente não quer fazer um discurso para um salão repleto de gente apaixonada por marcenaria.

— Não sei se estou pronta para um belo espécime nórdico. Não sei. — Eu me pego pensando no que Mo me falou sobre Justin alguns meses atrás, quando liguei, perturbada, para perguntar se ele achava que Justin voltaria a falar comigo. — Estou tendo dificuldade para... voltar a namorar. Apesar de Justin ter ido embora há *milênios*.

Rachel para de passar batom para me encarar, preocupada.

— Você está bem?

— Acho que sim. É, acho que estou bem.

— Então é por causa do Justin?

— Não, não, não quis dizer isso. Talvez eu só não precise disso na minha vida agora.

Sei que não é verdade, mas digo mesmo assim porque Rachel está olhando para mim como se eu estivesse doente.

— Precisa, sim — afirma Rachel. — Você não transa há muito tempo. Esqueceu como é maravilhoso.

— Acho que não esqueci o que é sexo, Rachel. Não é tipo… andar de bicicleta?

— É parecido, mas você não transa com um cara desde o Justin, que terminou com você quando? Em novembro do ano passado? Isso significa que faz mais de… — Ela conta nos dedos. — Nove meses.

— *Nove meses?*

Uau. É muito tempo. Dá para gerar um bebê nesse tempo. Não que eu esteja grávida, claro, porque senão este vestido não caberia de jeito *nenhum*.

Abalada, aplico blush com um pouco de vigor excessivo e acabo ficando com o rosto todo vermelho, como se tivesse pegado sol demais. Blerg. Vou ter que começar de novo.

Martin pode ser um chato de galochas, mas sabe organizar uma festa com o tema marcenaria. Estamos em um bar em Shoreditch com vigas expostas pairando sobre nós; há arranjos formados por pilhas de toras no centro de cada mesa e o bar está decorado com galhos de pinheiro.

Olho em volta, supostamente tentando encontrar Katherin, mas, na verdade, tentando achar o autor norueguês que não vê um ser humano há seis meses. Confiro os cantos, onde desconfio que ele esteja escondido.

Rachel me arrasta para o bar para descobrir, de uma vez por todas, se as bebidas são de graça. Pelo visto, são durante a primeira hora — nós nos xingamos por termos chegado vinte minutos atrasadas e pedimos gins-tônicas. Rachel faz amizade com o barman puxando papo sobre futebol, o que costuma funcionar em uma quantidade surpreendente de vezes, apesar de ser o assunto mais banal possível para usarmos com um homem.

Claro que bebemos muito rápido, o que é a única reação razoável à janela de uma hora de bebidas gratuitas, então, quando Katherin chega, dou um abraço muito efusivo nela, que fica feliz.

— É uma bela festa — diz ela. — O livro deste homem vai pagar isso tudo?

Ela sem dúvida está pensando nos últimos cheques de direitos autorais.

— Ah, não — responde Rachel, distraída, pedindo para o novo melhor amigo e agora companheiro de torcida (Rachel disse que torce para o Arsenal, mas na verdade gosta do West Ham) completar seu copo. — Provavelmente não. Mas a gente tem que fazer esse tipo de coisa de vez em quando, senão todo mundo vai começar a se autopublicar.

— Shhh — sibilo.

Não quero que Katherin comece a ter ideias.

Várias gins-tônicas depois, Rachel e o barman estão mais que amigos e outras pessoas estão tendo dificuldade de serem servidas. Para minha surpresa, Katherin está bem entrosada. Agora está rindo de alguma coisa que o diretor de RP disse, mas sei que são risadas forçadas porque o diretor de RP nunca é engraçado.

Esses eventos são perfeitos para observar as pessoas. Viro o corpo de um lado para outro, sentada em um banco, para ter uma visão melhor da sala. Realmente há vários belos espécimes nórdicos aqui. Considero a possibilidade de circular pelo salão até alguém me apresentar a um deles, mas não consigo me forçar a fazer isso.

— É como observar formigas, não é? — diz alguém ao meu lado.

Eu me viro; um homem de negócios bem-vestido está apoiado no bar à minha esquerda. Ele abre um sorriso pesaroso para mim. Seu cabelo castanho-claro está cortado rente, na mesma altura da barba rala, e seus olhos são de um tom azul-acinzentado bonito, com rugas nas laterais.

— Isso soou muito pior em voz alta do que na minha cabeça.

Olho de volta para a multidão.

— Eu sei o que quer dizer. Todo mundo parece tão... ocupado. E tão cheio de propósito.

— Menos ele — diz o desconhecido, indicando com a cabeça um homem no canto oposto da sala, que acabou de ser abandonado pela jovem com quem conversava.

— Ele é uma formiga perdida — concordo. — O que você acha? Ele é nosso norueguês eremita?

— Ah, não sei — responde, analisando o outro. — Acho que não é bonito o bastante.

— Por quê? Você viu a foto do autor?

— Vi. Cara bonito. Alguns até diriam lindo.

Cerro os olhos para ele.

— É você, não é? Você é o autor.

Ele sorri e as rugas nos cantos dos olhos se transformam em pequenos pés de galinha.

— Fui descoberto.

— Você está muito bem-vestido para um eremita — digo, um pouco acusativa.

Eu me sinto enganada. Ele nem tem sotaque norueguês, caramba.

— Se você tivesse lido isto — responde ele, balançando um dos livretos que estavam disponíveis na entrada —, saberia que, antes de decidir morar sozinho em Nordmarka, eu trabalhava em um banco de investimentos em Oslo. Usei este terno no dia em que pedi demissão.

— É mesmo? E o que levou você a fazer isso?

Ele abre o livreto e começa a ler:

— *Cansado do trabalho corporativo, Ken teve uma revelação depois de passar um fim de semana fazendo trilhas com um amigo de infância que trabalhava com marcenaria. Ken sempre adorara trabalhar com as mãos* — e o olhar que ele me lança *sem dúvida* é sedutor — *e, quando voltou à oficina do amigo, sentiu-se em casa. Logo ficou claro que era um marceneiro extremamente talentoso.*

— Ah, se a gente sempre tivesse uma biografia pré-preparada para quando conhecesse pessoas novas — digo, erguendo uma das sobrancelhas. — É tão mais fácil se gabar...

— Então me diga a sua — pede ele, fechando o livreto com um sorriso.

— Minha biografia. Hum... Deixa eu pensar. *Tiffy Moore escapou do vilarejo em que passou toda a infância para embarcar na aventura que é Londres. Na cidade, ela encontrou a vida que sempre desejou: cafés caros demais, apartamentos imundos e uma extraordinária falta de empregos para graduados que não mexessem com planilhas.*

Ken ri.

— Você é boa. Também trabalha com relações públicas?

— No editorial — explico. — Se trabalhasse no setor de relações públicas, eu teria que estar lá com as formigas.

— Bom, fico feliz por não estar. Prefiro ficar longe da multidão, mas não acho que poderia deixar de cumprimentar a mulher linda com o vestido de Lewis Carroll.

Ele me lança um olhar. Um olhar muito intenso. Sinto um arrepio na espinha. Mas... posso fazer isso. Por que não?

— Quer ir lá fora tomar um ar? — pergunto, quase sem querer.

Ken assente. Pego meu casaco da cadeira e sigo para a entrada do jardim do bar.

É uma noite perfeita de verão. O calor continua no ar, apesar de o sol ter se posto há horas. O bar pendurou pequenos pisca-piscas entre as árvores e eles lançam um brilho amarelado por todo o jardim. Há poucas pessoas aqui fora, a maioria fumante, com aquela postura meio curvada que os fumantes costumam ter, como se o mundo estivesse contra eles. Ken e eu nos sentamos em um banco comprido.

— Então quando você disse "eremita"... — começo.

— Eu não disse isso — lembra Ken.

— É verdade. Mas o que isso quer dizer exatamente?

— Morar sozinho em um lugar reservado. Com pouquíssimas pessoas.

— Pouquíssimas?

— Um ou outro amigo, a mulher que entrega as compras... — Ele dá de ombros. — Não é tão solitário quanto pensam.

— A mulher que entrega as compras, é? — Desta vez, lanço um olhar para ele.

Ele ri.

— Vou ter que admitir. Essa é uma desvantagem da solidão.

— Ah, por favor. Não é preciso morar sozinho em uma casa na árvore para não transar.

Aperto os lábios. Não sei direito de onde veio isso — provavelmente da última gim-tônica —, mas Ken apenas sorri, um sorriso lento e muito sexy, e se inclina para me beijar.

Enquanto fecho os olhos e me aproximo dele, sinto-me zonza com a possibilidade. Não há nada que me impeça de ir para a cama com este homem. É um daqueles momentos em que o sol surge entre as nuvens — como se algo se dissipasse. Posso fazer o que quiser agora. Estou livre.

Então, quando o beijo fica mais intenso, uma lembrança surge com uma rapidez desorientadora.

Justin. Estou chorando. Acabamos de ter uma briga e foi tudo culpa minha. Justin está com raiva, de costas para mim em nossa enorme cama branca, cheia de travesseiros chiques de algodão penteado.

Estou absurdamente triste. Como nunca antes, que eu me lembre, e, ainda assim, essa não me parece uma sensação desconhecida. Justin se vira para mim e, de repente, suas mãos estão em meu corpo e estamos nos beijando. Estou confusa, perdida. Muito agradecida por ele não estar mais irritado comigo. Ele sabe exatamente onde me tocar. A tristeza não foi embora, ainda está aqui, mas agora ele me quer e o alívio faz todo o resto parecer insignificante.

De volta ao presente, no jardim de Shoreditch, Ken interrompe o beijo. Está sorrindo. Acho que não percebeu que minha pele ficou suada, e meu coração, disparado pelo motivo errado.

Merda. *Merda*. Que porra foi essa?

AGOSTO

24

Leon

Richie: Como você está, cara?

Como estou? Sem chão. Como se algo tivesse se deslocado em meu peito e meu corpo não funcionasse mais. Como se estivesse sozinho.

Eu: Triste.

Richie: Há meses você não está mais apaixonado pela Kay. É sério. Estou muito feliz por você ter saído daquele relacionamento, cara. Era só costume, não amor.

Eu me pergunto por que o fato de Richie estar certo não diminui a dor. Sinto falta de Kay quase o tempo todo. É como uma dor insistente. Piora toda vez que pego o telefone para ligar para ela e não tenho ninguém para quem ligar.

Eu: Enfim. Alguma notícia da amiga advogada da Tiffy?

Richie: Ainda não. Não consigo parar de pensar nisso. Tudo naquela carta me fez pensar: "Ah, que merda, como a gente não pensou nisso?"

Eu: Pois é.

Richie: Você mandou minha resposta? Tem certeza de que ela recebeu?

Eu: A Tiffy deu para ela.

Richie: Tem certeza?

Eu: Tenho.

Richie: Tudo bem. Certo. Desculpe. Eu só...

Eu: Eu sei. Eu também.

Nos últimos dois fins de semana, me hospedei em Airbnbs pelo Reino Unido em busca do namorado do sr. Prior. Foi uma ótima distração. Conheci dois Johnny White bem diferentes: um amargo, furioso e assustadoramente de direita; e outro que mora em um trailer e fumou maconha na janela enquanto conversávamos sobre a vida dele desde a guerra. Pelo menos estou fazendo Tiffy rir — bilhetes sobre os Johnny White sempre recebem boas respostas. Recebi este depois de descrever a viagem para encontrar Johnny White III:

Se não tomar cuidado, vou contratar você para escrever um livro sobre isso. Obviamente, para que se encaixe na minha linha editorial, eu teria que introduzir algum elemento de "Faça você mesmo". Será que você não poderia aprender uma técnica com cada Johnny ou coisa assim? Tipo, Johnny White I poderia espontaneamente ensinar você a fazer uma estante. Depois você iria ver Johnny White II e ele estaria fazendo glacê, e você acabaria ajudando... Ai, meu Deus, será que é a melhor ideia que já tive? Ou talvez a pior. Realmente não sei dizer. Bjos

Costumo pensar que deve ser muito cansativo ser Tiffy. Até nos bilhetes ela parece gastar muita energia. Mas é divertido encontrá-los quando volto para casa.

No fim de semana, a visita a Richie é cancelada — não há guardas suficientes no presídio. Cinco semanas vão passar entre as visitas. É tempo demais para ele, e para mim também, já percebi. Sem Kay e com as ligações limitadas de Richie — poucos guardas significam mais tempo de cela e menos acesso a telefones —, percebo que até eu posso ficar triste por não estar falando o bastante. Não é como se não tivesse amigos para quem pudesse ligar. Mas eles não são... pessoas com que possa conversar.

Tinha reservado um Airbnb perto de Birmingham para visitar Richie, mas cancelei. Agora fui forçado a aceitar que, no próximo fim de semana, vou precisar de um lugar para ficar. Claramente fui complacente demais com o estado do meu namoro quando planejei a divisão do apartamento. Estou sem-teto nos fins de semana.

Reviro os pensamentos em busca de opções. Nada. Vou para o trabalho; olho a hora no telefone. É basicamente a única oportunidade que tenho para ligar para minha mãe. Salto do ônibus um ponto antes e ligo para ela enquanto caminho.

Mãe, ao atender: Você não me liga nunca, Lee.

Fecho olhos. Respiro fundo.

Eu: Oi, mãe.

Mãe: O Richie liga mais que você. Da *cadeia*.

Eu: Desculpa, mãe.

Mãe: Você sabe como isso é difícil para mim? O fato de meus filhos nunca falarem comigo?

Eu: Estou falando agora, mãe. Tenho alguns minutos antes do trabalho. Queria falar sobre uma coisa.

Mãe, alerta de repente: É sobre a apelação? Sal ligou para você?

Não contei a ela sobre a amiga advogada da Tiffy. Não quero dar falsas esperanças.

Eu: Não. Sobre mim.

Mãe, desconfiada: Sobre você?

Eu: Eu e Kay terminamos.

Minha mãe baixa a guarda. De repente, é toda empatia. É disso que ela precisa: um filho que ligue para ela e peça ajuda com algo que ela consiga resolver. Minha mãe é boa em lidar com corações partidos. Tem muita prática.

Mãe: Ah, querido. Por que ela terminou com você?

Ligeiramente ofendido.

Eu: Eu que terminei com ela.

Mãe: Ah! Foi você? Por quê?

Eu: Eu...

Ah. Por incrível que pareça, é difícil, até com minha mãe.

Eu: Ela não conseguia lidar com meus horários. Não gostava de como eu era... queria que fosse mais sociável. E... não achava que o Richie era inocente.

Mãe: Ela *o quê*?

Espero. Silêncio. Entranhas revirando. Me sinto horrível por dedurar Kay, mesmo agora.

Mãe: Aquela vaca. Ela sempre teve nariz empinado mesmo.

Eu: Mãe!

Mãe: Bom, não estou triste. Já vai tarde!

De certa forma, é como falar mal dos mortos. Estou desesperado para mudar de assunto.

Eu: Posso ficar aí no fim de semana?

Mãe: Ficar aqui? Na minha casa?

Eu: É. Eu ficava na casa da Kay nos fins de semana. Faz parte do… acordo do apartamento. Com a Tiffy.

Mãe: Você quer vir para casa?

Eu: É. Só neste…

Mordo a língua. Não é só neste fim de semana. É até eu achar uma solução. Mas é automático pôr um prazo final nessas coisas; é o único jeito de sentir que sou capaz de fugir. Quando for para casa, minha mãe vai me segurar e não vai soltar nunca mais.

Mãe: Você pode ficar o tempo que quiser e sempre que precisar, está bem?

Eu: Obrigado.

Silêncio. Dá para ouvir a felicidade dela; estômago revirado outra vez. Eu deveria fazer mais visitas.

Eu: Queria saber… Você… Tem mais alguém? Morando aí?

Mãe, incomodada: Não tem mais ninguém, meu amor. Estou sozinha há alguns meses.

Isso é bom. Estranho e bom. Ela sempre tem namorado, que sempre parece morar com ela, seja quem for. Quase sempre é alguém que Richie despreza e que prefiro não ter que ver. Minha mãe tem muito mau gosto. Foi levada para o mau caminho por homens ruins, centenas de vezes.

Eu: Vejo você no sábado à noite.

Mãe: Mal posso esperar. Vou pedir comida chinesa para a gente, está bem?

Silêncio. Era isso que a gente fazia quando Richie ia para casa: comida chinesa no sábado à noite do Happy Duck, que fica no fim da rua.

Mãe: Ou a gente pode pedir comida indiana. Eu queria dar uma mudada, e você?

25

Tiffy

— Está tudo bem? — pergunta Ken.

Estou imobilizada. Meu coração está disparado.

— Estou. Desculpa. Estou ótima.

Tento sorrir.

— Quer sair daqui? — pergunta ele, hesitante. — Quer dizer, o lançamento está quase acabando…

Será que quero? Eu queria um minuto atrás. Agora, mesmo com a energia do beijo ainda quente em meus lábios, quero é sair correndo. Não consigo pensar direito — meu cérebro só está produzindo um ruído inútil, um *piiiiiiiii* alto e longo que vai de uma orelha para outra.

Alguém chama meu nome. Reconheço a voz, mas não ligo os pontos até me virar e ver Justin.

Ele está parado à porta, entre o jardim e o bar, com o colarinho da camisa aberto e a velha bolsa carteiro de couro pendurada no ombro. É dolorosamente familiar, mas as coisas também estão diferentes: seu cabelo está mais comprido do que quando estávamos juntos e ele está usando sapatos sociais novos. Sinto que o conjurei só de pensar nele — de que outra maneira ele poderia estar aqui?

O olhar de Justin vai para Ken por um instante e depois volta para mim. Ele atravessa a extensão de grama que nos separa. Estou imobilizada, os ombros tensos, encolhida no banco, com Ken ao meu lado.

— Você está linda.

Por incrível que pareça, isso é a primeira coisa que ele diz.

— Justin...

É tudo que consigo dizer. Olho de novo para Ken, e, sem dúvida, meu rosto é a imagem da tristeza.

— Já sei — afirma Ken, tranquilo. — Namorado?

— Ex — respondo. — Ex! Eu nunca... Eu...

Ken abre um sorriso fácil e sexy para mim e depois lança outro tão amável quanto o primeiro para Justin.

— Oi — diz, estendendo a mão para cumprimentá-lo. — Sou o Ken.

Justin mal olha para ele. Só aperta a mão de Ken por cerca de meio segundo antes de voltar a atenção para mim.

— Posso falar com você?

Olho para os dois. Não acredito que estava pensando em ir para a cama com o norueguês. Não posso fazer isso.

— Desculpa. Eu queria muito...

— Ei, não se preocupe — diz Ken, levantando-se. — Você tem meu número caso queira conversar enquanto eu ainda estiver em Londres. — Ele balança o livreto, que ainda está em suas mãos. — Foi um prazer — diz, extremamente educado, para Justin.

— É — responde Justin, seco.

Quando Ken se afasta, o *piiiiiiiii* diminui. Sinto que estou aos poucos acordando, saindo de um transe. Fico de pé, os joelhos trêmulos, e encaro Justin.

— Que. Merda. Você está fazendo aqui?

Justin não reage ao veneno em minha voz. Em vez disso, põe a mão em minhas costas e começa a me levar para o portão lateral. Eu o sigo mecanicamente, sem pensar, depois me desvencilho com violência quando percebo o que está acontecendo.

— Ei, calma. — Ele olha para mim quando paramos no portão. O ar noturno está quente, quase sufocante. — Você está bem? Desculpe ter surpreendido você.

— E estragado a minha noite.

Justin sorri.

— Fala sério, Tiffy. Você estava precisando que alguém viesse te salvar. Você nunca transaria com um cara daqueles.

Abro a boca para responder, mas volto a fechá-la. Ia dizer que ele não me conhece mais, só que, por algum motivo, não consigo falar.

— O que você está fazendo aqui? — pergunto.

— Só vim beber alguma coisa. Venho sempre aqui.

Cara, isso é ridículo. Não dá para acreditar. O cruzeiro pode ter sido uma coincidência — bem estranha, mas até plausível —, mas isto?

— Você não acha estranho?

Ele está confuso. Inclina a cabeça, como se pensasse *oi?*. Meu estômago se revira. Eu adorava essa inclinada de cabeça.

— É a segunda vez que a gente se encontra em seis meses. Na última vez foi *em um cruzeiro.*

Preciso de uma explicação que não seja "Justin aparece quando você pensa coisas ruins a respeito dele", mas, neste momento, meu cérebro semiparalisado só consegue acreditar nisso. Estou um pouco assustada.

Ele sorri, indulgente.

— Tiffy. Por favor. O que você está sugerindo? Que peguei aquele cruzeiro para ver você? Que apareci aqui hoje só para ver você? Se quisesse fazer isso, por que não ligaria simplesmente? Ou apareceria no seu escritório?

Ah. Acho... Acho que faz sentido. Fico vermelha. Sinto uma vergonha repentina.

Ele aperta meu ombro.

— Mas é ótimo ver você. E, sim, é uma coincidência muito louca. Talvez seja o destino. Eu não estava entendendo por que de repente quis tomar uma cerveja, justo hoje.

Ele faz uma cara de mistério exagerada, e eu não posso deixar de sorrir. Tinha me esquecido de como ele fica fofo quando faz palhaçadas.

Não. Nada de sorrisos. Nada de fofo. Penso no que Gerty e Mo diriam e reúno minhas forças.

— Sobre o que você queria falar comigo?

— Estou feliz por ter te encontrado — diz ele. — Eu queria... Andei pensando em ligar. Mas é difícil saber por onde começar.

— É fácil. É só apertar o ícone do telefone e depois meu nome nos seus contatos.

Minha voz treme um pouco, e eu torço para que ele não perceba.

Ele ri.

— Tinha me esquecido de como você fica engraçada quando está irritada. Não, quis dizer que não queria falar sobre isso por telefone.

— Falar o quê? Vou adivinhar: terminou com a mulher pela qual você me trocou?

Eu o surpreendi. Sinto certa empolgação quando vejo seu sorriso confiante e perfeito sumir, e então sou tomada por uma nova onda: de ansiedade. Não quero deixá-lo irritado. Respiro fundo.

— Eu *não* quero te ver, Justin. Isso não muda nada. Você ainda me deixou para ficar com ela, você ainda... Você ainda...

— Nunca te traí — diz ele, na mesma hora.

Começamos a andar, não sei bem para onde. Ele me interrompe de novo, põe as mãos nos meus ombros e me vira para que eu olhe para o rosto dele.

— Eu nunca faria isso, Tiffy. Você sabe que sou louco por você.

— Era.

— O quê?

— Você *era* louco por mim. Foi isso que quis dizer.

Já estou arrependida de ter perdido a chance de lhe dizer que nunca mais quero vê-lo por um motivo que não tem nada a ver com Patricia. Apesar de eu não saber o motivo *de verdade*. Tem a ver com... todas as outras coisas, sejam lá quais forem. Fico confusa de repente. A presença de Justin sempre faz isso comigo — me deixa toda confusa até eu não conseguir mais pensar direito. Acho que isso fazia parte do romance, mas agora não é nada bom.

— Não me diga o que eu quis ou não dizer. — Ele desvia o olhar por um instante. — Olhe, estou aqui agora. Será que não dá para a gente tomar um drinque e conversar sobre isso? Vamos lá. A gente pode ir naquela champanheria da esquina que serve as bebidas em latas de tinta. Ou ao último andar do Shard. Lembra que levei você lá uma vez? O que você acha?

Eu o encaro. Seus grandes olhos castanhos, sempre tão vivos, sempre brilhando com a animação maluca que me empolgava em todas as ocasiões. O queixo perfeito. O sorriso confiante. Esforço-me para não pensar na lembrança horrível que surgiu quando beijei Ken, mas ela parece estar no meu corpo, pior do nunca, agora que Justin está aqui. Ela se arrasta pela minha pele.

— Por que não me ligou?

— Eu já falei — responde ele, impaciente agora. — Eu não sabia como dizer isso para você.

— E por que está aqui?

— Tiffy — diz ele, grosseiro. — Entre e venha beber alguma coisa comigo.

Eu me encolho e respiro fundo outra vez.

— Se quiser falar comigo, ligue antes e marque um horário. Agora não.

— Então quando? — pergunta ele, franzindo a testa, as mãos ainda pesadas em meus ombros.

— É só… Eu preciso de tempo. — Minha cabeça parece enevoada. — Não quero falar com você agora.

— Precisa de tempo? Tipo umas duas horas?

— Tipo uns meses — respondo, sem pensar.

Acabo mordendo o lábio, porque agora lhe dei um prazo.

— Quero ver você *agora*.

De repente as mãos que estão nos meus ombros se moveram para meu cabelo, para meu braço.

A lembrança surge como uma visão. Dou um passo para trás, me desvencilhando.

— Experimente ansiar por algo, Justin. É a única coisa que vai conseguir, e tenho a sensação de que vai ser bom para você.

E, com isso, eu me viro antes que possa mudar de ideia e cambaleio de volta para o bar.

26

Leon

O cabelo de Holly já cresceu bastante. Ela parece uma versão feminina do Harry Potter — fios espetados para todos os lados, não importa o quanto a mãe dela tente pentear.

O rosto dela também mudou, ficou mais cheio, mais vivo. Os olhos parecem mais proporcionais em relação ao restante agora.

Ela sorri para mim.

Holly: Veio se despedir?

Eu: Vim colher seu sangue.

Holly: Pela última vez?

Eu: Depende do resultado do exame.

Holly: Você está irritado. Não quer que eu vá embora.

Eu: Claro que quero. Quero que você fique bem.

Holly: Não quer, não. Você não gosta quando as coisas mudam. Quer que eu fique aqui.

Não digo nada. É irritante ser tão bem compreendido por alguém tão pequeno.

Holly: Também vou sentir sua falta. Você vai me visitar em casa?

Olho para a mãe dela, que está abrindo um sorriso cansado, mas muito feliz.

Eu: Você vai estar ocupada demais com as aulas e com todas as atividades depois da escola. Não vai querer visitas.

Holly: Vou, sim.

Mãe da Holly: Seria ótimo receber você para jantar. De verdade. E a Holly também acha. Só para agradecer.

A euforia cerca a mãe da Holly como uma lufada de perfume.

Eu: Bom, pode ser. Obrigado.

Os olhos da mãe de Holly ficam marejados. Nunca lido bem com essas situações. Começo a me sentir meio em pânico; sigo para a porta.

Ela me abraça antes que eu consiga escapar. Me sinto zonzo de repente. Não sei se quero chorar por causa de Holly ou de Kay, mas este abraço está fazendo alguma coisa com minhas glândulas lacrimais.

Seco os olhos e espero que Holly não note. Bagunço o cabelo castanho espetado dela.

Eu: Comporte-se.

Holly sorri. Fico com a impressão de que ela tem outros planos.

Chego do trabalho a tempo de ver os últimos vestígios de um nascer do sol realmente glorioso por trás dos arranha-céus londrinos, refletido no cinza do Tâmisa, tornando a água azul-rosada. Pareço ter muito tempo agora que Kay se foi. Me faz pensar se eu realmente lhe dava tão pouco tempo quanto ela sempre dizia — se é verdade, de onde vieram todas essas horas?

Decido parar em algum lugar para tomar chá e depois ir caminhando para casa — só leva uma hora e meia e é o tipo de manhã em que a gente quer ficar na rua. Pessoas correm em todas as direções, a caminho do trabalho com seus cafés. Deixo todas passarem por mim. Ando por ruas paralelas sempre que possível; elas estão mais calmas que as principais.

Quando dou por mim, estou na rua Clapham. Fico gelado quando vejo o mercadinho. Mas me obrigo a parar. Parece respeitoso, como tirar o chapéu quando um carro funerário passa.

Não posso deixar de notar que as câmeras de segurança desse mercado apontam mesmo para todas as direções possíveis, inclusive para a minha. Um desejo toma conta de mim. Lembro por que Kay e eu terminamos. Tenho estado triste demais para lembrar que há esperança para Richie.

Talvez Gerty já tenha respondido. Continuo andando, agora mais rápido, ansioso para chegar em casa. Ele pode tentar ligar, esperando que eu volte na hora de sempre. Deve ter tentado, com certeza; estou furioso comigo mesmo por ter perdido a ligação.

Respiro fundo. Demoro a pôr a chave na porta, mas estranhamente as duas trancas não foram fechadas — Tiffy nunca se esquece de fazer isso. Dou uma olhada obrigatória na sala quando entro para garantir que não fomos roubados, mas a TV e o laptop ainda estão ali, então sigo direto para o telefone e confiro se há ligações perdidas ou recados.

Nada. Respiro fundo. Estou suado por caminhar rápido sob o sol da manhã. Jogo as chaves no lugar de sempre (elas agora moram embaixo do cofrinho em forma de cachorro) e arranco a camiseta enquanto sigo para o banheiro. Empurro uma fileira de velas coloridas da beirada da banheira para poder tomar banho. Então ligo a água quente e fico parado, deixando outra semana passar por mim.

27

Tiffy

Ai, meu Deus.

Acho que nunca me senti tão mal. É pior que a ressaca que tive depois dos vinte e cinco anos da Rachel. É pior que aquela vez na faculdade em que bebi duas garrafas de vinho e vomitei na porta da sala dos funcionários. É pior que gripe suína.

Ainda estou usando o vestido da Alice. Dormi por cima do edredom, embaixo apenas da colcha da feira de Brixton. Pelo menos tive a prudência de tirar os sapatos e deixá-los perto da porta.

Ai, meu Deus.

Meus olhos encontraram o despertador. Ele está indicando um horário que não pode estar certo. Está dizendo 08h59.

Tenho que estar no trabalho em um minuto.

Como foi que isso aconteceu? Eu me levanto correndo, o estômago revirado e a cabeça girando e, enquanto vasculho o quarto inteiro atrás da minha bolsa — ah, que bom, pelo menos não a perdi, e, ah, isso, aspirina! —, eu me lembro de como tudo começou.

Voltei para o bar depois de fugir de Justin e tirei Rachel de perto do barman para chorar com ela por um tempo. Ela não era a melhor pessoa para conversar — é a única que ainda torce pelo Time Justin (não mencionei a lembrança estranha sobre o beijo. E também não quero pensar nisso). De início, Rachel me mandou voltar e ouvir o que ele tinha a dizer, mas depois aceitou minha estratégia de mexer com a ansiedade dele, que Katherin também aprovou. Ai, meu Deus, contei isso para a Katherin...

Engulo uma aspirina e tento não vomitar. Será que passei mal ontem à noite? Tenho lembranças vagas e desagradáveis de estar próxima demais de um assento de privada no banheiro daquele bar.

Mando uma mensagem rápida, me desculpando com o chefe do editorial, em pânico. Nunca me atrasei tanto para o trabalho e todo mundo vai saber que foi por causa da ressaca. Se não souberem, tenho certeza de que Martin vai adorar esclarecer isso para todos.

Não posso trabalhar assim, percebo em meu primeiro momento de clareza desta manhã. Preciso tomar banho e trocar de roupa. Abro o zíper e jogo o vestido longe, já pegando a toalha pendurada na porta.

Não ouço o chuveiro ligado. Há um zumbido constante em meus ouvidos que já se parece com água correndo, e estou tão nervosa que acho que não notaria se meu elefante de pelúcia ganhasse vida na poltrona e começasse a gritar que preciso de um suco detox.

Só percebo que Leon está no chuveiro quando o vejo. Nossa cortina é *quase* opaca, mas dá pra ver um pouco. Tipo um contorno.

Ele reage de forma natural: entra em pânico e abre a cortina para ver quem está ali. Nós nos encaramos. A água continua correndo.

Leon desperta do transe mais rápido do que eu e fecha a cortina outra vez.

— Ahhh — diz.

Parece mais um gargarejo do que uma palavra.

Estou com uma lingerie extremamente pequena, de renda. Nem me enrolei com a toalha — ela está pendurada no meu braço. De algum modo, isso parece muito pior do que estar nua. Estava tão perto de não me expor, e ao mesmo tempo tão longe.

— Meu Deus! — grito. — Desculpa!

Ele desliga o chuveiro. Provavelmente não consegue me ouvir com o barulho. Vira de costas para mim. O fato de notar isso me faz perceber que eu realmente deveria parar de olhar para o contorno atrás da cortina. Também dou as costas para ele.

— Ahhh — diz ele outra vez.

— Eu sei. Meu Deus. Não foi assim... que imaginei que ia conhecer você.

Eu me encolho. Isso soou meio animado.

— Você... — começa ele.

— Não vi nada — minto, rápido.

— Ótimo. Tudo bem. Nem eu.

— Eu deveria... Estou *muito* atrasada para o trabalho.

— Ah, precisa tomar banho?

— Bom, eu...

— Já terminei — explica ele.

Estamos um de costas para o outro. Tiro a toalha do braço e me enrolo com ela — um pouco tarde demais.

— Bom, se você diz...

— Aham. Preciso da toalha — pede ele.

— Ah, claro — respondo, tirando a toalha do gancho e me virando.

— *Fecha os olhos!* — grita ele.

Travo e fecho os olhos.

— Estão fechados! Estão fechados!

Sinto Leon pegar a toalha da minha mão.

— Tudo bem. Pode abrir de novo.

Ele sai do chuveiro. Quer dizer, agora está coberto, mas não está usando muita coisa. Dá para ver o peito dele, por exemplo. E grande parte da barriga.

Ele é alguns centímetros mais alto do que eu. Mesmo molhado, o cabelo cacheado e grosso não assenta; está preso atrás das orelhas e pingando nos ombros. O rosto tem traços finos e os olhos são bem castanhos, alguns tons mais escuros que sua pele. Ele tem rugas de expressão e suas orelhas são levemente de abano, como se tivessem se acostumado à posição por sempre manterem o cabelo longe do rosto.

Ele se vira de lado para passar por mim. Está fazendo o melhor que pode, mas não há espaço para nós dois, e, no caminho, a pele quente de suas costas esbarra em meu peito. Inspiro fundo, esquecendo a ressaca. Apesar do sutiã de renda e da toalha entre nós, minha pele fica arrepiada e sinto um frio na barriga, onde todas as melhores sensações costumam ficar.

Leon olha para mim por sobre o ombro, um olhar intenso, meio curioso, meio nervoso, que deixa meu rosto quente. Não posso evitar. Quando ele se vira para a porta, olho para baixo, para a toalha em sua cintura.

Ele... Isso parece...

Não pode ser. Deve ser a toalha enrolada.

Ele bate a porta, e eu sento na borda da banheira por um instante. A realidade dos últimos dois minutos é tão dolorosamente vergonhosa que me pego dizendo "Ai, meu Deus" em voz alta e apertando os olhos com as palmas das mãos. Isso não ajuda minha ressaca, que voltou com tudo agora que o homem nu saiu do banheiro.

Caramba. Estou toda vermelha, nervosa, arrepiada e sem fôlego — não, estou *excitada*. Não tinha previsto isso. Com certeza essa situação foi incômoda demais para me deixar excitada. Sou uma adulta! Não posso lidar com um homem nu? Deve ser só porque não transo há muito tempo. É biológico, tipo quando o cheiro de bacon faz a gente salivar, ou segurar um bebê no colo faz a gente querer abandonar a carreira e começar a procriar imediatamente.

Em pânico, eu me viro para o espelho e limpo o embaçado para ver meu rosto pálido e abatido. O batom penetrou na pele seca dos meus lábios, e a sombra e o lápis se misturaram em uma mancha preta ao redor dos olhos. Pareço uma criança que tentou usar a maquiagem da mãe.

Solto um grunhido. Que desastre. Não poderia ter sido pior. Estou *horrível*, e ele estava maravilhoso. Penso no dia em que olhei o Facebook dele — não me lembro de Leon ser bonito. Como não notei isso? Ai, meu Deus, e que diferença faz? É o Leon. Meu colega de apartamento. Que tem namorada.

Bom, preciso *mesmo* tomar banho e ir para o trabalho. Posso lidar com meus hormônios e com toda a situação absurda e estranha em relação ao apartamento amanhã.

Caramba. Estou *muito* atrasada.

28

Leon

Ahhh.

Ahhh.

Deito de costas na cama, paralisado de vergonha. Não consigo pensar em palavras. *Ahhh* é único som adequado para expressar meu horror.

Kay não disse que ela era feia? Eu não imaginava! Ou… Ou… Na verdade, nunca pensei nisso. Mas meu Deus. Ela é… Ahhh.

Não dá para jogar uma mulher seminua num homem que está tomando banho. Não dá. Não é justo.

Não consigo associar a mulher de lingerie vermelha do banheiro com a mulher para quem escrevo bilhetes e arrumo a casa. Eu nunca tinha…

O telefone toca. Congelo. O telefone fica na cozinha. Chance de esbarrar com Tiffy outra vez: grande.

Eu me forço a sair do quarto. Obviamente tenho que atender: é o Richie. Saio correndo de toalha na cintura e localizo o telefone sob uma pilha de chapéus do sr. Prior no balcão. Atendo antes de voltar correndo para quarto.

Eu: Oi.

Riche: Está tudo bem?

Solto um grunhido.

Richie, assustado: O que foi? O que aconteceu?

Eu: Não, não, nada de mais. Só… conheci a Tiffy.

Richie, animado: Ah! Ela é sexy?

Repito grunhido.

Richie: É! Eu *sabia*.

Eu: Não era para ser. Achei que a Kay tinha dado certeza de que ela não era!

Richie: Ela se parece com a Kay?

Eu: Hein?

Richie: A Kay não acharia nenhuma mulher bonita a não ser que se parecesse com ela.

Estremeço, mas meio que entendo o que ele quer dizer. Não consigo tirar a imagem de Tiffy da cabeça. Cabelo ruivo bagunçado, como se tivesse acabado de sair da cama. Sardas na pele clara, salpicadas pelos braços e pelo colo. Sutiã de renda vermelha. Seios ridiculamente perfeitos.

Ahhh.

Richie: Onde ela está agora?

Eu: Chuveiro.

Richie: E onde você está?

Eu: Escondido no quarto.

Pausa.

Richie: Você sabe que ela vai entrar aí quando terminar, não é?

Eu: Merda!

Me sento rápido. Corro procurando roupas. Só consigo achar as dela. Vejo o vestido aberto jogado no chão.

Eu: Espere na linha. Preciso me vestir.

Riche: Oi?

Ponho o telefone na cama enquanto visto cueca e calça de corrida. Incrivelmente ciente de que minha bunda está virada para porta enquanto faço isso, mas é melhor do que virar para o outro lado. Encontro uma regata velha por perto, coloco rápido, então respiro fundo.

Eu: Tudo bem. Certo. Acho que é mais seguro… ir para a cozinha? Ela não vai passar por lá a caminho do quarto. Aí posso me esconder no banheiro até ela ir embora.

Richie: O que aconteceu? Por que você não estava vestido? Você transou com ela, cara?

Eu: *Não!*

Richie: Tudo bem. Era uma pergunta natural a ser feita.

Atravesso a sala e chego à cozinha. Me escondo o máximo possível atrás da geladeira, para não ser visto no caminho do banheiro para o quarto.

Eu: A gente se esbarrou no chuveiro.

Richie solta uma gargalhada que me faz sorrir um pouco, apesar de tudo.

Richie: Ela estava pelada?

Grunhido.

Eu: Quase. Eu estava.

A risada de Richie fica mais alta.

Richie: Ah, cara, ganhei o meu dia. Então ela estava, o quê? De toalha?

Eu: Calcinha e sutiã.

Richie também grunhe desta vez.

Richie: E aí?

Eu: Não vou falar sobre isso!

Richie: É verdade. Dá para ela ouvir você?

Paro. Escuto. Ahhh.

Eu, sibilando: Desligou o chuveiro!

Richie: Você não quer estar lá quando ela sair de toalha? Por que não volta para o quarto? Não vai parecer que você fez de propósito. Quer dizer, você quase fez isso por acaso. Vai juntar vocês dois de novo, nunca se…

Eu: Não vou ficar *de tocaia* esperando a coitada da mulher, Richie! Já me expus para ela, né? Provavelmente está traumatizada.

Richie: Ela pareceu traumatizada?

Paro para pensar. Ela estava… Ahhh. Tanta pele. E grandes olhos azuis, sardas no nariz, um leve arquejar quando passei por ela para sair, perto demais para ser confortável.

Richie: Você vai ter que falar com ela.

Barulho da porta do banheiro abrindo.

Eu: Merda!

Me escondo mais atrás da geladeira, então, sem ouvir qualquer barulho, dou uma olhada.

Tiffy não olha para mim. A toalha está bem enrolada sob seus braços e o cabelo comprido está mais escuro, escorrendo pelas costas. Ela entra no quarto.

Respiro.

Eu: Ela está no quarto. Vou entrar no banheiro.

Richie: Por que você não sai de casa se está tão preocupado, cara?

Eu: Aí não vou poder falar com você! Não consigo lidar com isso sozinho, Richie!

Ouço Richie sorrir.

Richie: Tem alguma coisa que você não está me contando, né? Não, vou adivinhar... Você ficou um pouco excitado...?

Solto um grunhido mais alto e humilhado. Richie cai na gargalhada.

Eu: Ela apareceu do nada! Eu não estava preparado! Não transo há semanas!

Richie, rindo histericamente: Ah, Lee! Você acha que ela notou?

Eu: Não. Com certeza não. Não.

Richie: Talvez então.

Eu: Não. Não pode ter notado. Muito estranho pensar nisso.

Tranco a porta do banheiro e baixo a tampa da privada para me sentar. Encaro minhas pernas, coração disparado.

Richie: Tenho que ir.

Eu: Não! Você não pode ir! O que eu faço agora?

Richie: O que você quer fazer agora?

Eu: Fugir!

Richie: Que isso, Lee! Calma.

Eu: Isso é horrível. A gente *mora junto*. Não posso ficar andando com uma ereção na frente da minha colega de apartamento. É... É... É obsceno! Deve ser crime!

Richie: Se for, então eu com certeza mereço estar aqui. Pare com isso, cara. Não precisa surtar. Como você disse, você e a Kay terminaram há algumas semanas e já não estavam dormindo juntos há um tempo...

Eu: Como você sabe?

Richie: Ah, vai. Era óbvio.

Eu: Você não vê a gente junto há meses!

Richie: A questão é que isso não importa. Você viu uma mulher pelada e começou a pensar com seu… Espere aí, cara, me dê…

Ele suspira.

Richie: Tenho que ir. Mas fique tranquilo. Ela não viu nada, isso não significa nada, relaxe.

Ele desliga.

29

Tiffy

Rachel está quase tremendo de animação.

— Você só pode estar brincando! — diz ela, quicando na cadeira. — Não acredito que ele estava de pau duro!

Solto um grunhido e esfrego as têmporas, algo que às vezes vejo na TV e espero que melhore meu estado. Mas não funciona. Por que Rachel está tão animada? Eu estava certa de que ela tinha bebido quase tanto quanto eu.

— Não é engraçado. E eu disse que *talvez* ele estivesse. Não estou dizendo que com certeza estava.

— Ah, por favor! Você não transa há tanto tempo que já esqueceu como é. Três homens em uma noite! Que sonho!

Ignoro. O chefe do editorial, por sorte, achou engraçado eu estar atrasada, mas ainda tenho uma pilha de trabalho para fazer hoje e minha lista de tarefas não diminuiu porque cheguei mais de uma hora atrasada.

— Pare de fingir que está conferindo essas provas — diz Rachel. — A gente precisa de um plano!

— Para quê?

— Bom, e agora? Você vai ligar para Ken, o eremita? Vai sair com o Justin? Ou entrar no chuveiro com o Leon?

— Vou voltar para minha mesa — respondo, pegando a pilha de provas. — A reunião não está sendo muito produtiva.

Ela canta "Sexual Healing" para mim enquanto me afasto.

• • •

No entanto, Rachel está certa sobre o plano. Preciso descobrir o que vou fazer sobre a situação com Leon. Se não nos falarmos logo, corremos um grande risco de estragar tudo por causa dessa situação — e acabar com os bilhetes e as sobras de comida e restar apenas um incômodo silencioso e doloroso. Humilhação é como mofo: quando a gente ignora, o lugar todo fica verde e fedendo.

Tenho que… Tenho que mandar uma mensagem para ele.

Não. Tenho que ligar para ele, decido. Tem que ser drástico. Olho o relógio. Bom, Leon já deve estar dormindo a essa altura — são duas da tarde —, então tenho gloriosas quatro horas sem poder fazer nada em relação à situação. Imagino que deveria usar esse tempo para revisar as provas do livro da Katherin, sobretudo agora que há um risco real de muitas pessoas realmente comprarem, com toda essa agitação nas redes sociais em relação ao crochê.

Em vez disso, depois de uma noite longa e de uma manhã me esforçando para não fazer isso, penso em Justin.

Então, como não sou boa em pensar sozinha, ligo para Mo. Mo parece um pouco grogue quando atende o telefone, como se tivesse acabado de acordar.

— Onde você está? — pergunto.

— Em casa. Por quê?

— Você está esquisito. Hoje não é o dia de folga da Gerty?

— É, ela está aqui também.

— Ah.

É estranho pensar nos dois juntos sem mim. É só que… não é uma combinação que funciona. Desde a semana de calouros da universidade, Gerty e eu somos inseparáveis. Pusemos Mo embaixo da nossa asa coletiva no fim do primeiro ano, depois de vê-lo dançando sozinho com muito entusiasmo ao som de Snoop Dogg e concluir que qualquer pessoa com aquele suingue todo precisava estar nas nossas saídas. Depois disso, fazíamos tudo em trio e, quando raramente saíamos em dupla, era sempre Gerty e eu ou Mo e eu.

— Pode colocar no viva-voz? — peço, tentando não soar petulante.

— Só um segundo. Oi, tudo certo.

— Vou adivinhar — diz Gerty. — Você se apaixonou pelo irmão do Leon.

Paro.

— Normalmente seu radar é muito bom, mas dessa vez errou feio.

— Droga. Pelo Leon então?

— Não posso ligar para bater papo?

— Isso não é um papo — retruca Gerty. — Você não liga às duas da tarde para bater papo. Você manda mensagens no WhatsApp.

— É por isso que ligo para o Mo.

— E aí? Qual é o drama? — pergunta Gerty.

— Justin — conto, cansada demais para discutir com ela.

— Ah! Assunto velho, mas dos bons.

Reviro os olhos.

— Você pode deixar o Mo contribuir com alguma coisa positiva, pelo menos *de vez em quando*?

— O que aconteceu, Tiffy? — pergunta Mo.

Conto a eles sobre a noite passada. Ou pelo menos uma versão resumida: não menciono o incidente horrível sobre o beijo. É drama demais para uma ligação, sobretudo enquanto estou tentando conferir números de páginas durante a conversa.

Além disso, tem toda a história de estar me esforçando desesperadamente para não pensar nisso.

— Isso tudo é típico do Justin, Tiffy — diz Mo.

— *Parabéns* por ter dito não — afirma Gerty, com um fervor surpreendente. — Já é muito estranho ele estar no cruzeiro e agora isso? Eu queria que você visse como...

Ouço um ruído abafado, e Gerty para de falar. Tenho a sensação de que Mo a cutucou.

— Eu não falei bem "não" — lembro, olhando para meus pés. — Falei "daqui a uns meses".

— Isso é muito melhor que largar tudo e fugir com ele de novo — diz Gerty.

Há um longo silêncio. Minha garganta parece se fechar. Preciso falar sobre o beijo, sei que preciso, mas não consigo.

— Gerty — falo, por fim. — Você se importaria se eu conversasse com o Mo a sós? Só por um instante?

Outro silêncio.

— Claro, tudo bem — responde ela.

Ela claramente está tentando não parecer chateada.

— Sou só eu agora — diz Mo.

Engulo em seco. Não quero falar sobre isso aqui. Vou até a porta do escritório, desço a escada e saio do prédio. Do lado de fora, as pessoas estão mais lentas que o normal, como se o calor tivesse acalmado Londres.

— Você uma vez me disse que meu… Que Justin e eu… Que ele me fez sofrer.

Mo fica em silêncio, esperando.

— Você disse que um dia eu ia entender. E me pediu para ligar quando isso acontecesse.

Outro silêncio, mas esse é o estilo do Mo, ou seja, muito tranquilizador. Como um abraço auditivo. Mo não precisa de palavras — sua arte as supera.

— Uma coisa estranha aconteceu ontem à noite. Eu estava… O tal do Ken e eu nos beijamos e aí… Bom, eu, eu me lembrei…

Por que não consigo falar?

— Eu me lembrei de transar com o Justin depois de uma briga. Eu estava muito triste.

Estou prestes a chorar. Fungo, esforçando-me para não deixar as lágrimas caírem.

— Como você se sentiu? — pergunta Mo. — Quando a lembrança voltou, quero dizer.

— Com medo. Não me lembro do nosso relacionamento ser assim. Mas agora acho que meio que… pintei tudo de cor-de-rosa? Esqueci as partes ruins? Não sei, isso é possível?

— O cérebro faz coisas incríveis para se proteger da dor — explica Mo. — Mas não vai conseguir manter segredos de você por muito tempo. Essa sensação de se lembrar de situações de um jeito diferente tem acontecido muito desde que você se separou do Justin?

— Não muito.

Mas, tipo, *um pouco*. Teve o bilhete que escrevi sobre não chamar Justin para a festa da Rachel, apesar de saber que chamei. Parece maluquice, mas acho que Justin pode ter me feito acreditar que não o chamei porque assim ele poderia ficar irritado por eu ir. E, nos últimos tempos, não paro de achar coisas, como roupas, sapatos, bijuterias, que me lembro de Justin dizer que eu tinha vendido ou dado. Eu em geral culpava minha memória ruim, mas há meses ando com a sensação incômoda de que fui ludibriada — sensação que só piorou com a insistência de Mo, que tem me provocado de maneira irritante e solidária toda vez que falamos sobre Justin. Mas sou muito boa em não pensar nas coisas, então simplesmente... decidi não pensar no assunto.

Mo fala sobre *gaslighting* e gatilhos. Eu me contorço, incomodada, e por fim uma lágrima escorre pela minha bochecha. Estou oficialmente chorando.

— Tenho que ir — digo, fungando.

— Pense um pouco no que falei, está bem, Tiffy? E se lembre de como você o enfrentou ontem à noite. Você já avançou muito. Valorize o que fez.

Volto para o escritório, repentinamente esgotada. O dia de ontem foi difícil. Cheio de altos e baixos e... Aff. A ressaca está me matando.

Quando termino de conferir as provas do livro de Katherin, guardei os pensamentos ruins sobre Justin de volta na caixa de sempre e estou me sentindo bem mais calma. Também comi três pacotes de salgadinhos de queijo, que Rachel afirmou serem a melhor cura para ressaca e parecem ter me feito passar de completa zumbi a semiconsciente. Então, depois de largar *Crochê para a vida* na mesa de Rachel, volto correndo para a minha para fazer o que estou louca para fazer desde ontem à noite: voltar à página de Leon no Facebook.

Lá está ele. Sorrindo para a câmera, o braço sobre os ombros de alguém no que parece uma festa de Natal — há pisca-piscas pendurados atrás deles e uma sala cheia de gente. Olho as fotos de perfil dele e lembro que já as tinha visto. Não achei que ele parecia bonito. E é verdade que não é meu tipo: é magrelo e tem o cabelo comprido demais. Mas pelo jeito é uma dessas pessoas que ficam mais bonitas ao vivo.

Talvez tenha sido só o choque inicial e a nudez. Talvez a segunda vez seja bem legal e platônica e eu possa esquecer isso e ligar para Ken, o eremita norueguês sexy. Mas não posso enfrentar o cara, não depois da humilhação que Justin me fez passar na frente dele. Aff, não, não pense em Justin.

— Quem é esse? — pergunta Martin atrás de mim.

Levo um susto, esparramando café sobre vários Post-its com tarefas mais urgentes.

— Por que você sempre aparece de repente? — retruco, fechando a janela e limpando o café com um lencinho.

— Você está muito nervosa. E aí? Quem era?

— Meu amigo Leon.

— *Amigo?*

Reviro os olhos.

— Desde quando você está minimamente interessado na minha vida pessoal, Martin?

Ele me lança um olhar estranhamente atrevido, como se soubesse de algo que eu não sei, ou talvez esteja apenas com dor de barriga.

— O que você quer? — pergunto, os dentes cerrados.

— Ah, nada, Tiffy. Não quero atrapalhar.

Então ele vai embora.

Recosto-me na cadeira e respiro fundo. Rachel põe a cabeça sobre meu computador e balbucia:

— Ainda não acredito! Pau duro!

Então ergue os polegares para mim.

Afundo ainda mais na cadeira, a ressaca voltando com tudo, e decido que definitivamente nunca mais vou beber.

30

Leon

Pelo menos minha mãe acaba sendo uma distração para a lembrança dolorosamente incômoda desta manhã.

Está fazendo um esforço incrível. E parece que estava dizendo a verdade sobre estar solteira — não há sinais claros de homem na casa (Richie e eu aprendemos a identificá-los na infância), e ela não trocou de penteado nem de estilo desde a última vez em que a vi, o que significa que não está tentando se adequar aos gostos de outra pessoa.

Falo com ela sobre Kay. É surpreendentemente bom. Ela assente nos momentos certos e dá tapinha na minha mão, ficando um pouco chorosa, depois me faz nuggets com batata frita, o que me dá a sensação de voltar a ter dez anos. Mas não é desagradável. É bom ter alguém cuidando de mim.

A parte mais estranha é voltar ao quarto que Richie e eu dividimos quando nos mudamos para Londres, na adolescência. Só voltei aqui uma vez desde o julgamento. Vim para ficar por uma semana depois disso; achei que minha mãe não seria capaz de lidar com aquilo sozinha. Mas não precisei ficar muito: ela conheceu Mike, que estava ansioso para ter a casa só para eles, então voltei para o apartamento.

O quarto não mudou. Parece uma concha, só que sem o bicho dentro. Está cheio de buracos onde coisas deveriam estar: marcas de tachinhas de pôsteres tirados das paredes há muito tempo, livros caídos sem objetos por perto para ampará-los. As coisas de Richie ainda estão encaixotadas, desde que os colegas de apartamento dele as deixaram aqui.

Preciso de muito esforço mental para não revirar nada. Seria desnecessariamente perturbador e ele odiaria.

Deito na cama e me pego voltando à imagem de Tiffy — primeiro com a lingerie vermelha, depois entrando no quarto enrolada na toalha. A segunda imagem parece ainda mais inaceitável, como se ela nem soubesse que eu estava observando. Me remexo, desconfortável. É errado me sentir atraído por ela. Provavelmente é uma reação ao término com Kay.

Telefone toca. Pânico surge. Confiro: Tiffy.

Não quero atender. Telefone toca, toca — parece não parar nunca.

Ela desliga sem deixar recado. Me sinto estranhamente culpado. Richie disse que eu tinha que falar com ela. Mas prefiro silêncio a partir de agora ou, no máximo, um ou outro bilhete deixado na chaleira ou atrás da porta.

Deito de novo. Penso sobre isso. Me pergunto se é verdade.

Telefone vibra. Uma mensagem.

Oi. Então. Hum. Acho que a gente deveria conversar sobre hoje de manhã, não? Bjos, Tiffy

A lembrança volta de repente e me pego grunhindo outra vez. Com certeza deveria responder. Solto o telefone. Encaro o teto.

O telefone vibra de novo.

Eu deveria ter começado com um pedido de desculpa. Era eu que não tinha que estar lá, de acordo com nossas regras de convivência. E aí ataquei você no chuveiro. Então, sim, me desculpe! Bjos

É estranho, mas me sinto muito melhor depois dessa mensagem. Não parece que ela está traumatizada, e também soa bem como Tiffy, então é mais fácil imaginar que essa mensagem vem da Tiffy que eu tinha na cabeça antes de conhecer a verdadeira. Essa é meio… não irrelevante, mas está no "espaço seguro" da minha cabeça. Pessoa para conversar, sem pressão nem implicações. Fácil e sem exigências.

Agora Tiffy definitivamente não está em um espaço seguro da cabeça. Reúno coragem para tentar responder.

Não precisa pedir desculpa. A gente ia acabar se encontrando! Não precisa se preocupar — já esqueci.

Apago a última parte. Claro que não é verdade.

Não precisa pedir desculpa. A gente ia acabar se encontrando! Não precisa se preocupar — topo esquecer isso se você topar. Bjos, Leon

Mando e me arrependo do beijo. Normalmente ponho um beijo? Não lembro. Volto ao histórico das últimas mensagens e percebo que sou absolutamente inconsistente, o que deve ser a melhor resposta. Deito de novo na cama e espero.

E espero.

O que ela está fazendo? Ela costuma responder rápido. Confiro o relógio — onze da noite. Será que pegou no sono? Acho que ela ficou acordada até tarde ontem. Mas, por fim:

Vamos esquecer isso! Prometo que não vai acontecer de novo (nem a intromissão NEM o atraso hoje). Espero que a Kay não surte por eu ter desrespeitado as regras do apartamento… E, tipo, ter atacado o namorado dela no chuveiro… Bjos

Respiro fundo.

Kay e eu terminamos duas semanas atrás. Bjos

Resposta quase instantânea.

Ah, merda, sinto muito. Achei mesmo que tinha alguma coisa errada — você pareceu muito quieto nos bilhetes (mais do que de costume!). Como você está?

Penso um pouco. Como estou? Estou deitado numa cama no apartamento da minha mãe, fantasiando sobre minha colega de apartamento nua, todas as lembranças da minha ex-namorada esquecidas, e de maneira genuína. Não deve ser *totalmente* saudável, mas... melhor do que ontem? Escolho dizer:

Melhorando. Bjos

Longa pausa depois dessa mensagem. Me pergunto se deveria ter falado um pouco mais. Não que isso tenha desanimado Tiffy antes.

Bom, talvez isto anime você: por causa da ressaca, dei com a cara na impressora do trabalho hoje.

Rio. Um segundo depois, uma imagem de impressora surge. É enorme. Devem caber quatro Tiffys nela.

Você não... viu?

Acho que perdi a capacidade de andar no momento crucial. Mas tinha acabado de terminar uma ligação com meu maravilhoso pedreiro que se tornou designer, então...

Ah. Você ainda devia estar nas nuvens.

Provavelmente! Foi um dia daqueles. Bjos

Encaro a mensagem até a tela do telefone apagar. *Um dia daqueles*. Que tipo de dia? Dia de ficar nas nuvens? Mas por quê?... Porque ela...

Não, não, não foi por minha causa. Isso é ridículo. Mas... *O que* ela quis dizer então?

Espero que a comunicação com Tiffy não passe a ser assim a partir de agora. É exaustivo demais.

31

Tiffy

Meu pai gosta de dizer que "a vida nunca é simples". É uma de suas frases favoritas.

Na verdade, não concordo. A vida costuma ser simples, mas a gente não nota até que ela se torna absurdamente complicada, tipo quando só se fica feliz por estar bem quando se fica doente, ou quando só se fica feliz com sua gaveta de meias-calças quando se rasga um par e não tem nenhuma sobrando.

Katherin acabou de gravar um tutorial em vídeo para a página de Tasha Chai-Latte de como fazer um biquíni de crochê. A internet enlouqueceu. Não consigo acompanhar todas as pessoas influentes que retuitaram o vídeo — e, como Katherin odeia Martin, toda vez que surta ou precisa de ajuda com alguma coisa, ela me liga. Eu, que não sei nada sobre relações públicas, tenho que falar com Martin e depois responder a Katherin. Se isso fosse um divórcio e eu fosse filha deles, o serviço social seria acionado.

Gerty me liga quando estou saindo do trabalho.

— Você só saiu agora? Já pediu um aumento? — pergunta ela.

Olho o relógio: são sete e meia da noite. Como fiquei no trabalho por quase doze horas e fiz tão pouca coisa?

— Não tenho tempo para isso — explico. — E eles não dão aumentos. Provavelmente vão me demitir se eu pedir.

— Isso é ridículo.

— Afinal, o que houve?

— Ah, achei que você ia querer saber que consegui um adiantamento de três meses da audiência de apelação do Richie — diz Gerty, distraidamente.

Paro na hora. Alguém esbarra comigo e solta um palavrão (parar de forma brusca no centro de Londres é um crime hediondo e dá permissão imediata para as pessoas à sua volta começarem a te chutar).

— Você pegou o caso?

— O advogado dele era horrível — afirma Gerty. — Sério. Estou até com vontade de denunciá-lo. Vamos ter que achar outro defensor para ele também, especialmente porque passei por cima do último e deixei o cara puto, mas...

— Você *pegou o caso*?

— Isso é meio óbvio, Tiffy.

— Obrigada. Muito obrigada. Meu Deus, eu... — Não consigo parar de sorrir. — O Richie já contou para o Leon?

— O Richie provavelmente não sabe ainda. Escrevi para ele ontem.

— Posso contar para o Leon?

— Vai me poupar o trabalho, então manda ver.

Meu telefone vibra assim que desligo. É uma mensagem do Leon. Meu coração dá um espasmo breve e esquisito. Ele não me manda uma mensagem nem me deixa bilhetes desde que nos falamos no fim de semana.

Só para você saber: buquê enorme de flores do seu ex para você no corredor. Não sei se devo estragar a surpresa (boa ou ruim?), mas, se fosse eu, ia querer ser avisado. Bjos

Paro de repente de novo; desta vez um homem de negócios de scooter passa por cima do meu pé.

Não falo com Justin desde quinta. Não houve ligações, mensagens, nada. Eu tinha me convencido de que ele havia levado a sério o que eu disse e não entraria em contato comigo, mas eu deveria saber que não — não é o estilo dele. Mas isso... isso faz muito mais sentido.

Eu não *quero* um grande buquê de flores de Justin. Quero que ele suma — é muito difícil continuar minha recuperação porque ele fica aparecendo em todos os cantos. Enquanto sigo a passos firmes até nosso prédio, cerro os lábios e me preparo.

É mesmo um buquê de flores enorme. Eu me esqueci de como ele é rico e como está disposto a gastar dinheiro em coisas ridículas. No meu aniversário do ano passado, ele comprou um vestido de grife absurdamente caro, todo de seda e lantejoulas prata. Usá-lo me fez sentir que estava fantasiada de outra pessoa.

Preso entre as flores está um cartão que diz: *Para Tiffy — a gente se fala em outubro. Com amor, Justin.* Ergo o buquê e confiro embaixo, procurando um bilhete decente, mas não. Um bilhete seria direto demais — um gesto gigante e caro faz mais o estilo de Justin.

Isso me irrita muito, por algum motivo. Talvez porque eu nunca tenha contado a Justin onde moro. Ou talvez porque claramente desrespeita o que falei na quinta e porque ele transformou meu "preciso de uns meses" em "vou falar com você daqui a dois meses".

Enfio as flores no vaso ornamental em que costumo guardar a lã reserva. Eu estava esperando que Justin fizesse isso — aparecesse com explicações e gestos caros e me deixasse caidinha de novo. Mas aquela mensagem no Facebook, o noivado... Ele passou dos limites e agora sou uma pessoa diferente da que era na última vez em que ele tentou voltar comigo.

Desabo no sofá e encaro as flores. Penso no que Mo disse e em como estou me lembrando de algumas coisas, apesar de tudo. De como Justin me dava bronca por ser esquecida, de como isso me deixava confusa. Aquela sensação entre a excitação e a ansiedade quando ele chegava em casa todos os dias. A realidade de como meu estômago se revirou quando ele colocou a mão no meu ombro e se irritou comigo ao me chamar para tomar um drinque no bar na quinta-feira.

Aquela lembrança.

Meu Deus. Não quero voltar para tudo aquilo. Estou mais feliz agora — gosto de morar aqui, bem escondida neste apartamento que transformei em algo meu. Daqui a duas semanas, meu contrato aqui acaba. Leon não falou nada, então fiquei quieta também porque *não* quero me mudar. Tenho dinheiro pela primeira vez, mesmo que a maior parte esteja sendo usado para pagar o empréstimo. Tenho um colega de apartamento com quem posso conversar — quem liga se não é ao vivo? E tenho uma casa que finalmente parece cinquenta por cento *minha*.

Pego o telefone e respondo para Leon.

Surpresa ruim. Obrigada por avisar. Agora a gente tem muitas flores no apartamento. Bjos

Ele responde quase no mesmo instante, o que é estranho.

Fico feliz em saber. Bjos

Então mais ou menos um minuto depois:

Sobre as flores no apartamento, não a surpresa, obviamente. Bjos

Eu sorrio.

Tenho boas notícias pra você. Bjos

Momento ótimo. Estou no intervalo. Diga. Bjos

Ele não entende. Acha que é uma notícia boba, tipo que fiz um bolo ou algo assim. Paro, os polegares sobre a tela. Isso vai ser perfeito para me animar — e o que é mais importante? Os problemas do meu antigo relacionamento ou a realidade do caso de Richie agora?

Posso ligar para você? Tipo, se eu ligar, você vai atender? Bjos

A resposta demora um pouco mais desta vez.

Claro. Bjos

Sou tomada por uma onda abrupta e muito intensa de nervosismo e por uma imagem vívida de Leon nu, molhado, o cabelo jogado para trás. Ligo porque não tenho opção a não ser fazer isso ou criar uma desculpa muito estranha e elaborada.

— Oi — diz ele, a voz meio baixa, como se estivesse em algum lugar em que não pudesse fazer muito barulho.

— Oi.

Nós esperamos. Penso nele nu e então me esforço muito para não pensar.

— Como está o trabalho?

— Tranquilo. Por isso o intervalo.

O sotaque dele é muito parecido com o de Richie e diferente de qualquer outra pessoa. É como se o sul de Londres tivesse um caso com a Irlanda. Eu me recosto no sofá, abraçando os joelhos.

— Bom... — começa ele.

— Desculpa — digo, quase ao mesmo tempo.

Esperamos outra vez, e eu me pego soltando uma risada meio incômoda que tenho certeza de que nunca soltei antes. Que momento ótimo para criar uma risada incômoda nova.

— Pode falar — pede ele.

— É só que... Não liguei para falar do outro dia — começo —, então vamos fingir que, pela duração desta conversa, aquela situação no chuveiro foi só um sonho mútuo estranho? É para eu poder contar a boa notícia sem que a gente se sinta muito incomodado.

Acho que o ouço sorrir.

— Combinado.

— A Gerty pegou o caso do Richie.

Tudo que ouço é ele prender a respiração, então silêncio. Espero por um tempo dolorosamente longo, mas tenho a sensação de que Leon é o tipo de pessoa que precisa de tempo para absorver as coisas, assim como Mo, então resisto à tentação de falar de novo até ele estar pronto.

— A Gerty pegou o caso do Richie — repete Leon, como se analisasse a frase.

— É. Pegou. E essa nem é a notícia boa!

Eu me pego quase pulando nas almofadas do sofá.

— Qual é a... notícia boa? — pergunta ele, parecendo um pouco zonzo.

— Ela conseguiu adiantar a audiência de apelação em três meses. Vocês estavam pensando em janeiro do ano que vem, não estavam? Então agora estamos falando de...

— Outubro. Outubro. Isso é...

— Daqui a pouco!

— É daqui a *dois meses*! A gente não está pronto! — diz Leon, de repente em pânico. — E se... Ela...

— Leon. Respire.

Mais silêncio. Posso ouvir o ruído distante de Leon respirando fundo e devagar. Minhas bochechas começam a doer por estarem tentando conter um sorriso enorme.

— Ela é uma advogada incrível — digo. — E não pegaria o caso se não achasse que Richie tem chance. De verdade.

— Não faça isso comigo se ela for... desistir ou... — A voz dele soa estrangulada, e meu estômago revira de pena.

— Não estou dizendo que ela com certeza vai tirar seu irmão de lá, mas acho que é um motivo para você voltar a ter esperança. Eu não contaria se não achasse mesmo isso.

Ele solta um suspiro longo e lento, quase rindo.

— O Richie já sabe?

— Acho que não. Ela escreveu para ele ontem. Quanto tempo as cartas demoram para chegar?

— Depende. Elas ficam paradas na prisão antes de chegar até ele. Mas isso significa que vou poder contar da próxima vez que ele ligar.

— A Gerty também vai querer falar com você sobre o caso — explico.

— Uma advogada que quer falar sobre o caso do Richie — diz Leon. — Advogada. Que. Quer...

— É — interrompo, rindo.

— Tiffy — diz ele, sério de repente. — Não tenho palavras para agradecer.

— Não, *shhh* — começo.

— É sério. É... Não posso dizer o quanto isso significa para... o Richie. E para mim.

— Só repassei a carta do Richie.

— Isso foi mais do que qualquer pessoa já fez pelo meu irmão.

Eu me remexo, inquieta.

— Bom, diga ao Richie que ele me deve uma carta.

— Ele vai escrever. Tenho que ir. Mas... obrigado. Tiffy. Estou tão feliz por ter sido você e não o traficante ou o cara com o porco-espinho...

— Oi?

— Deixa para lá — responde ele, rápido. — Vejo você mais tarde.

32

Leon

Nova série de Post-its (Tiffy sempre usa vários. Nunca tem espaço suficiente).

Leon, deixa eu te perguntar... Qual é a dos nossos vizinhos? Só conheço o cara estranho do apartamento 5 (falando nisso, você acha que ele sabe que a calça de moletom dele tem um furo? Ele mora sozinho e talvez ninguém tenha avisado!). Acho que o apartamento 1 é daquelas duas senhorinhas que ficam no ponto de ônibus da esquina, lendo romances inspirados em crimes da vida real. Mas e os apartamentos 4 e 2? Bjos

O apartamento 4 é de um senhor legal de meia-idade com péssimo hábito de usar crack. Sempre supus que o 2 fosse das raposas. Bjos

Escrito atrás de um manuscrito na mesinha de centro:

Ah, é! As raposas. Bom, espero que elas paguem aluguel. Reparou que a Roberta Raposa teve três filhotinhos?

Abaixo:

... Roberta Raposa?

E, falando em aluguel. Tenho um alerta no telefone me dizendo que faz seis meses que você se mudou. Acho que é tecnicamente o fim do contrato? Você quer ficar?

Então, acrescentado naquela noite, pós-sono:

Espero que queira ficar. Não preciso mais tanto do dinheiro por causa da venda dos cachecóis e da nova advogada incrível e inacreditavelmente grátis. Mas não sei como o apartamento ficaria sem você agora. Para começar, não conseguiria sobreviver sem pufe. Bjos

Embaixo disso, Tiffy desenhou um grupo de raposas em um sofá, com o título *Apartamento 2*. Cada raposa tem uma legenda.

Roberta Raposa! Ela é a mãe raposa. A fêmea alfa, por assim dizer.

Rachel Raposa. A segunda no comando, muito esperta. Costuma ficar no canto fedorento perto das lixeiras.

Rita Raposa. Uma jovem oportunista excêntrica. Geralmente é vista tentando entrar no prédio por uma das janelas.

Ricardo Raposa. Nosso cachorrão raposa (É o único macho, mas me lembra um pouco um cachorro).

Os novos filhotes ainda não têm nome. Quer fazer as honras?

Abaixo disso:

Sim, por favor, o pufe e eu adoraríamos ficar um pouco mais. Vamos combinar mais seis meses? Bjos

Mais seis meses. Maravilha. Combinado. Bjos

Novo bilhete, ao lado da bandeja de cookies vazia:

Desculpe, mas COMO É? Noggle, Stanley e Arquibaldo?

Eles nem começam com R!

Mesmo bilhete, agora ao lado do prato grande de torta:

Fazer o quê... Ricardo Raposa gostou de Noggle. Os outros dois foram ideia da Roberta.

Além disso, desculpa, mas não pude deixar de notar o conteúdo da lixeira de recicláveis quando estava levando o lixo para fora hoje. Está tudo bem? Bjos

A torta acabou. Bilhete novo:

Estou, não se preocupe. Estou ótima, na verdade. Eu precisava me desintoxicar das lembranças relacionadas a meu ex e isso também liberou mais espaço embaixo da cama para guardar cachecóis (caso você esteja se perguntando, não torcemos mais para o Time Ex). Bjos

Ah, não? Devo dizer que estava gostando menos do Ex mesmo. Bom, mais espaço para cachecóis é sempre bem-vindo. Prendi o pé em um ontem — estava largado no quarto, esperando para derrubar um descuidado. Bjos

Opa, desculpa, sei que tenho que parar de deixar roupas no chão do quarto! E também me desculpe se isso for muito pessoal, mas você jogou, tipo, TODAS as suas cuecas fora? De repente, todas as antigas com desenhos divertidos de personagens não estão mais no varal e o apartamento se torna uma homenagem ao Sr. Calvin Klein toda vez que você lava roupa.

E, já que estamos falando de exs... Teve notícias da Kay? Bjos

Novo Post-it duplo. Ocasionalmente, fico sem espaço. Também pensei muito no que dizer neste.

Eu a vi no fim de semana passado, no casamento de um amigo em comum. Foi estranho. Legal. Conversamos como amigos e foi bom. Richie estava certo: o relacionamento tinha acabado muito antes de terminar.

Bom. É, fiz uma limpeza geral no armário. Percebi que há quase cinco anos eu não comprava roupas. Também tive consciência de que uma mulher mora neste apartamento e vê minha roupa limpa no varal.

Parece que você fez compras também. Gostei do vestido branco e azul pendurado na porta. Parece uma coisa que Os Cinco usariam para sair em uma aventura. Bjos

Obrigada ☺ Me parece o momento perfeito para um vestido de aventura. É verão, estou solteira, as raposas estão saltitando pela rua, os pombos, cantando nas calhas… A. Vida. É. Boa. Bjos

33

Tiffy

Estou sentada na varanda, chorando feito uma criança que deixou o sorvete cair. Um choro desesperado, alto, de boca aberta.

As lembranças repentinas estão chegando em momentos totalmente aleatórios agora, surgindo do nada e me deixando em choque. Esta foi especialmente horrível: eu estava tranquila, esquentando sopa e, BAM, ela surgiu — a noite em que Justin foi para casa, antes da mensagem no Facebook, e levou a Patricia. Ele me olhou com nojo e mal disse uma palavra para mim. Então, quando Patricia estava no corredor, ele se despediu de mim com um beijo na boca, uma das mãos na minha nuca. Como se eu fosse dele. Por um instante, enquanto lembrava, senti, horrorizada, que ainda era.

É isso. Apesar de estar tecnicamente muito mais feliz, essas lembranças ficam voltando e estragando tudo. Está claro que tenho problemas a enfrentar e minhas táticas de diversão não estão mais funcionando. Tenho que pensar sobre isso.

Pensar significa que preciso de Mo e Gerty. Eles chegam juntos, mais ou menos uma hora depois de eu mandar a mensagem. Enquanto Gerty serve taças de vinho branco para nós, percebo que estou nervosa. Não quero falar. Mas, quando começo, não consigo parar e tudo sai em uma enorme confusão distorcida: as lembranças, das coisas antigas do início até as flores que ele me mandou na semana passada.

Por fim, paro, exausta. Bebo o resto do vinho na taça.

— Vou ser bem direta — diz Gerty, que nunca foi nada além de direta. — Você tem um ex-namorado maluco e ele sabe onde você mora.

Meu coração dispara; parece que há algo preso em meu peito.

Mo lança um olhar para Gerty que normalmente apenas ela pode lançar para outras pessoas.

— Deixa que eu falo e você se encarrega do vinho, pode ser?

Gerty parece ter levado um tapa. Mas então, curiosamente, ela vira a cabeça para o outro lado e, de onde estou sentada, posso ver que está sorrindo.

Estranho.

— Eu queria não ter dito que ia sair com ele em outubro — digo, encarando o rosto atento de Mo. — *Por que* eu disse isso?

— Não sei se você disse mesmo, não é? Acho que ele preferiu entender desse jeito — responde Mo. — Mas você não tem que se encontrar com o Justin. Não deve nada a ele.

— Vocês dois se lembram de tudo isso? — pergunto, de forma abrupta. — Não estou imaginando coisas?

Mo faz uma pausa, mas Gerty não perde um segundo.

— Claro que a gente lembra. Eu me lembro de cada minuto. Ele era horrível com você. Dizia onde você tinha que estar e como chegar lá e depois levava você porque você não ia conseguir achar o caminho sozinha. Ele fazia com que toda briga fosse culpa sua e não desistia até você pedir desculpa. Largava você e voltava do nada. Ele disse que você era gorda e estranha e que ninguém mais ia querer ficar com você, apesar de você claramente ser uma deusa e ele ter sorte de ser seu namorado. Era horrível. A gente *odiava* o cara. E, se você não tivesse me proibido de falar sobre ele, eu teria dito isso todos os dias.

— Ah… — exclamo, baixinho.

— Para você foi assim mesmo? — pergunta Mo, com uma cara de faz-tudo que tem poucas ferramentas para tentar consertar os danos causados pela explosão de uma bomba.

— Eu… me lembro de ser muito feliz com ele. Além de ser, tipo, infeliz pra cacete.

— Ele não tratava você mal o tempo *todo* — começa Gerty.

— Ele não teria conseguido manter você ao lado dele assim — continua Mo. — Ele sabia disso. É um cara esperto, Tiffy. Ele sabia como...

— Manipular você — completa Gerty.

Mo se encolhe com a escolha de palavras.

— Mas acho que a gente foi feliz um dia.

Não sei por que isso parece importante. Não gosto de pensar que todo mundo me via em um relacionamento e achava que eu era uma idiota por estar com alguém que me tratava tão mal.

— Claro — responde Mo, assentindo. — Especialmente no início.

— Isso — digo. — No início.

Bebemos o vinho em silêncio por um tempo. Eu me sinto estranha. Como se devesse chorar, e meio que quero chorar, mas há uma rigidez estranha em meus olhos que torna as lágrimas impossíveis.

— Bom. Obrigada. Sabe, por tentarem. E desculpem por... ter feito vocês pararem de falar sobre ele — falo, olhando para meus pés.

— Tudo bem. Pelo menos isso significava que você ainda falava com a gente — afirma Mo. — Você precisava chegar a essa conclusão sozinha, Tiffy. Por mais tentador que fosse te arrancar dele, você simplesmente ia voltar.

Reúno coragem e olho para Gerty. Ela me encara; sua expressão é intensa. Não posso imaginar como foi difícil para ela manter a promessa e não mencionar Justin.

Eu me pergunto como Mo a convenceu a me deixar fazer isso sozinha. Mas ele estava certo: eu teria afastado os dois se eles me dissessem para largar Justin. Eu me sinto mal só de pensar.

— Você está indo muito bem, Tiff — diz Mo, enchendo minha taça. — Continue o processo de descoberta. Pode ser difícil lembrar o tempo todo, mas é importante. Então faça o melhor que puder.

Quando Mo diz alguma coisa, ela se torna verdade.

É muito difícil lembrar. Uma semana sem lembranças repentinas e aparições aleatórias de Justin e eu cedo. Fraquejo. Quase desabo e decido que inventei toda essa história.

Por sorte, tenho Mo para conversar comigo. Analisamos incidentes a partir das minhas lembranças — brigas aos berros, provocações sutis, maneiras ainda mais sutis de minar minha independência. Não consigo acreditar em como meu relacionamento com Justin não era saudável, mas, pior do que isso, não consigo acreditar que eu não *notava*. Acho que vou levar um tempo para aceitar.

Graças a Deus tenho amigos e colegas de apartamento. Leon não faz ideia de que isso tudo esteja acontecendo, claro, mas parece ter percebido que preciso me distrair — ele está cozinhando mais e, quando ficamos sem nos falar por um tempo, ele começa outra série de bilhetes. Era sempre eu que fazia isso; tenho a sensação de que começar uma conversa não é algo que Leon gosta de fazer, no geral.

Há um bilhete na geladeira quando chego em casa do trabalho com Rachel, que veio jantar aqui (ela diz que devo uma série infinita de refeições para ela porque estraguei sua vida ao comprar os direitos de *Crochê para a vida*):

Busca por Johnny White indo de mal a pior. Fiquei caindo de bêbado com Johnny White IV em um bar sujo perto de Ipswich. Quase repeti nossa memorável colisão no banheiro: dormi demais e me atrasei muito. Bjos

Rachel ergue as sobrancelhas para mim, lendo por sobre meu ombro.

— Memorável, é?

— Ah, cala a boca. Você sabe o que ele quer dizer.

— Acho que sei mesmo. Ele quer dizer: não paro de pensar em você de calcinha e sutiã. Você pensa em mim pelado?

Jogo uma cebola nela.

— Seja útil e corte isso — digo, mas não posso deixar de sorrir.

SETEMBRO

34

Leon

Já é setembro. Começa a esfriar. Nunca achei que fosse possível o tempo passar tão rápido com Richie na cadeia, mas ele diz a mesma coisa — os dias passam como deveriam, em vez de se arrastarem e o forçarem a sentir cada minuto.

Tudo por causa da Gerty. Só a encontrei algumas vezes, mas com frequência falamos ao telefone; muitas vezes o defensor público também participa da ligação. Eu mal falava com o último. Esse parece estar sempre fazendo alguma coisa. Incrível.

Gerty chega a ser grosseira de tão brusca, mas gosto dela — ela não parece ser capaz de enrolar (oposto de Sal?). Costuma visitar o apartamento com Tiffy e começou a deixar bilhetes também. Por sorte, é fácil diferenciar as duas. Elas estão lado a lado no balcão da cozinha:

Oi! Sinto muito pela ressaca de dois dias – sei como é e recomendo salgadinhos de queijo. No entanto... não DÁ pro seu cabelo ficar mais cacheado em dias de ressaca! Isso é impossível porque ressacas nunca trazem coisas boas. E, com base no meu conhecimento limitado sobre seu visual, aposto que, quanto mais cacheado seu cabelo, mais descolado você fica. Bjos

Leon: peça para Richie me ligar. Ele ainda não me deu as respostas para a lista de perguntas de dez páginas que mandei na semana passada. Por favor, lem-

bre a ele que sou uma pessoa extremamente impaciente que costuma ganhar muito dinheiro para revisar as coisas. G

Voltando da última visita a Richie, parei para ver um Johnny White. Ele mora em uma casa de repouso ao norte de Londres e, em instantes, percebi que não era o cara. Esposa e sete filhos são um forte sinal (apesar de, obviamente, não conclusivo), mas então, depois de uma conversa difícil, descobri que ele só serviu o Exército por três semanas antes de ser mandado para casa devido a uma perna gangrenada.

Isso originou uma longa conversa sobre gangrena. Me lembrou muito o trabalho, só que muito mais incômodo.

O sr. Prior adoece na semana seguinte. Fico surpreendentemente chateado. O sr. Prior é um homem muito idoso — isso é esperado. Meu trabalho é deixá-lo confortável. Faço isso desde o dia em que o conheci. Mas sempre achei que encontraria o amor da vida dele antes que ele fosse embora, e nenhum dos cincos Johnny White foram úteis até agora. Ainda faltam três, mas estou perdendo as esperanças.

Fui inocente. Tenho certeza de que Kay disse isso na época.

No aquecedor:

Bom, se você chegou até aqui, provavelmente percebeu que o aquecedor está quebrado. Mas não se preocupe, Leon, tenho uma notícia excelente! Já liguei para uma bombeira hidráulica e ela vai vir amanhã à noite resolver isso. Até lá você vai ter que tomar banho GELADO, mas, na verdade, se você veio olhar o aquecedor, provavelmente já fez isso, então, nesse caso, o pior já passou. Recomendo que se sente no pufe com uma xícara de chá quente de maçã e especiarias (é, eu comprei outro chá de fruta. Não, a gente não tem chás demais no armário) e nossa bela colcha de Brixton. Foi o que eu fiz e funcionou muito bem. Bjos

Não sei se concordo com a parte sobre a *nossa* colcha de Brixton, suponho que ela queira dizer a coisa colorida e puída que sempre tenho que tirar da cama. Com certeza é um dos piores objetos do apartamento.

Sento no pufe com a última variedade de chá de fruta e penso na Tiffy aqui, neste lugar, apenas algumas horas antes de mim. Cabelo molhado, ombros nus. Enrolada em uma toalha e na colcha.

A colcha não é *tão* ruim assim. Tem... personalidade. Peculiar. Talvez eu esteja começando a gostar dela.

35

Tiffy

Esta é minha primeira sessão com um Terapeuta Que Não é Mo.

O próprio Mo sugeriu. Disse que seria bom eu fazer terapia de verdade e conversar com uma pessoa que não me conhece. Então Rachel me contou que, por mais inacreditável que pareça, os nossos benefícios incluem até quinze sessões de terapia pagas pela Butterfingers. Não sei por que eles estão dispostos a oferecer isso, mas não um salário decente — talvez estejam cansados de os funcionários pedirem demissão por estresse.

Então aqui estou eu. É muito estranho. A Terapeuta Que Não é Mo se chama Luci e está usando um colete gigantesco como vestido, o que obviamente me faz gostar dela na hora e perguntar onde ela compra roupa. Conversamos sobre lojas vintage no sul de Londres por um tempo e depois ela pegou um copo de água para mim e agora aqui estamos, no consultório dela, sentadas uma de frente para a outra em poltronas iguais. Estou muito nervosa, mas não tenho a menor ideia do motivo.

— E então, Tiffy, o que fez você querer vir falar comigo hoje? — pergunta Luci.

Abro a boca e volto a fechá-la. Meu Deus, tem tanta coisa para explicar. Por onde posso começar?

— Que tal começar com o motivo que fez você pegar o telefone e marcar uma consulta? — diz Luci.

É óbvio que ela tem o talento do Mo para a clarividência; eles devem ensinar isso na faculdade.

— Quero consertar o que quer que meu ex-namorado tenha feito comigo — explico, antes de fazer uma pausa, assustada.

Como consegui dizer isso para uma completa estranha depois de cinco minutos? Que vergonha.

Mas Luci nem pisca.

— Claro — diz. — Quer me falar um pouco mais sobre isso?

— Já está curada? — pergunta Rachel, colocando uma caneca de café na minha mesa.

Ah, café, o elixir dos que trabalham demais. Nos últimos tempos, ele superou o chá na minha lista de paixões — um sinal de como estou dormindo pouco. Mando um beijo para Rachel enquanto ela volta para sua mesa. Como sempre, continuamos a conversa por mensagens.

Tiffany [09:07]: Foi muito estranho. Eu contei para a mulher as coisas mais vergonhosas sobre mim dez minutos depois de a ter conhecido.

Rachel [09:08]: Você falou daquela vez em que vomitou no próprio cabelo no ônibus?

Tiffany [09:10]: Bom, não toquei nesse assunto.

Rachel [09:11]: E sobre a vez em que quebrou o pênis de um cara na faculdade?

Tiffany [09:12]: Também não levantei essa questão.

Rachel [09:12]: Aquele cara também não deve levantar.

Tiffany [09:13]: Foi uma piadinha?

Rachel [09:15]: Bom, seja como for, fico mais tranquila por saber mais segredos vergonhosos do que essa nova impostora que está ganhando seu apreço. Certo. Pode continuar.

Tiffany [09:18]: Ela *não falou* muita coisa. Falou até menos do que o Mo. Achei que ela fosse me dizer o que tem de errado comigo. Em vez disso, meio que descobri algumas coisas sozinha... o que eu não teria feito sem ela sentada ali. Muito estranho.

Rachel [09:18]: Que tipo de coisa?

Tiffany [09:19]: Tipo… que o Justin era cruel às vezes. E controlador. E outras coisas ruins.

Rachel [09:22]: Gostaria de dizer que eu estava oficialmente errada em relação ao Justin. A Gerty tem razão. Ele é um filho da mãe.

Tiffany [09:23]: Você tem noção que acabou de digitar: "A Gerty tem razão"?

Rachel [09:23]: Proíbo você de contar isso a ela.

Tiffany [09:23]: Já mandei um print.

Rachel [09:24]: Sua vaca. Tudo bem, então você vai lá de novo?

Tiffany [09:24]: Tenho três sessões esta semana.

Rachel [09:24]: Caramba.

Tiffany [09:25]: Estou com medo de que, como a primeira lembrança aconteceu quando o tal do Ken me beijou…

Rachel [09:26]: Que que tem…?

Tiffany [09:26]: E se isso passar a acontecer sempre agora? E se o Justin, tipo, me reprogramou e eu NUNCA FOR CAPAZ DE BEIJAR OUTRO CARA?

Rachel [09:29]: Isso é assustador.

Tiffany [09:30]: Obrigada, Rachel.

Rachel [09:31]: Você deveria procurar alguém para resolver isso.

Tiffany [09:33]: [emoji de desprezo] Obrigada, Rachel.

Rachel [09:34]: Ah, por favor. Eu sei que fiz você rir. Tipo, literalmente vi você rir e depois transformar a risada em uma tosse quando percebeu que nosso chefe estava passando atrás de você.

Tiffany [09:36]: Acha que funcionou?

— Tiffy? Você tem um minuto? — chama o diretor editorial.

Merda. "Você tem um minuto" é sempre ruim. Se fosse urgente, mas não problemático, ele simplesmente gritaria do outro lado da sala ou me mandaria um e-mail com pontos de exclamações vermelhos passivo-agressivos. "Você tem um minuto" significa que é um assunto confidencial, e tenho quase certeza de que é algo pior do que rir na mesa porque estou trocando mensagens com a Rachel sobre beijos.

O que será que Katherin fez? Será que postou uma foto da própria vagina no Twitter, como ameaça fazer toda vez que peço para ela dar outra entrevista organizada pelo Martin?

Ou talvez o problema seja um dos muitos, muitos livros que ignorei totalmente por causa da loucura que *Crochê para a vida* se transformou? Nem consigo me lembrar dos títulos. Mudei datas de publicação como se estivesse jogando Tetris e nem pensei em confirmar as mudanças com o diretor. Deve ser isso, não é? Ignorei o livro de alguém por tanto tempo que ele foi para a gráfica em branco.

— Claro — respondo, me afastando da mesa com uma postura profissional. Assim espero.

Vou atrás dele até seu escritório. Ele fecha a porta.

— Tiffy — começa, sentando-se na ponta da mesa. — Eu sei que esses meses têm sido muito agitados para você.

Engulo em seco.

— Ah, está tudo bem. Mas obrigada!

Ele me lança um olhar um pouco estranho, o que é totalmente compreensível.

— Você fez um trabalho fantástico com o livro da Katherin. Foi uma obra editorial incrível. Você descobriu essa moda... Não, você a *criou*. Foi ótimo mesmo.

Pisco, abismada. Não descobri nem criei moda alguma — edito livros de crochê desde meu primeiro dia na Butterfingers.

— Err... obrigada? — respondo, um pouco culpada.

— Ficamos tão impressionados com seu trabalho recente, Tiffy, que gostaríamos de promovê-la a editora — diz ele.

Levo alguns bons segundos para absorver o que ele disse e faço um barulho estranho, como se tivesse engasgado.

— Está tudo bem? — pergunta ele, franzindo a testa.

Pigarreio.

— Estou ótima! Obrigada! — grito. — Quer dizer, eu não esperava...

... ser promovida nunca. Nunca. Já tinha até desistido.

— Foi muito merecido — diz ele, sorrindo, benevolente.

Consigo sorrir de volta. Não sei direito como reagir. O que *quero* fazer é perguntar quanto de aumento vou ganhar, mas não há um jeito certo de fazer isso.

— Muito obrigada!

Então começo a me sentir meio patética porque, vamos ser sinceros, eles deveriam ter me promovido dois anos atrás. Estufo o peito e abro para ele meu sorriso cheio de propósito.

— É melhor eu voltar ao trabalho — digo, pois pessoas em cargos mais altos sempre gostam de nos ouvir dizendo isso.

— Claro — responde ele. — O RH vai mandar os detalhes sobre o aumento de salário etc.

Gosto do som desse etc.

Parabéns pela promoção! Antes tarde do nunca? Fiz estrogonofe de cogumelo para comemorar. Bjos

Eu sorrio. O bilhete está preso na geladeira, que já tem uma camada de Post-its. Meu favorito agora é um desenho que Leon fez do homem do apartamento 5 sentado em uma pilha enorme de bananas (ainda não sabemos por que ele guarda tantas caixas de banana na vaga de estacionamento).

Apoio a testa na porta da geladeira por um instante, então passo os dedos pelas camadas de papel e Post-its. Há tanta coisa aqui. Piadas, segredos, histórias, o desdobramento lento de duas pessoas cujas vidas estão mudando em paralelo — ou, talvez, em sincronia. Momentos diferentes, mesmo lugar.

Pego uma caneta.

Obrigada ☺ Ando fazendo várias danças comemorativas pelo apartamento, só para você saber. Tipo, danças seriamente ridículas, projetos de moonwalks. Imagino que não seja algo que você costume fazer…

Posso perguntar o que vai fazer no fim de semana? Imagino que vá ficar na casa da sua mãe de novo. Eu só queria saber se você não gostaria de beber ou fazer alguma coisa para comemorar comigo. Bjos

Esperar pela resposta me faz desejar, pela primeira vez, que Leon e eu nos comunicássemos pelo WhatsApp como pessoas normais. Eu mataria por marquinhas duplas azuis agora. Então, quando chego em casa, colado com cuidado abaixo do meu bilhete na geladeira:

Sou a favor de moonwalk ocasional da cozinha até a sala.

Infelizmente não posso beber porque vou caçar Johnny White. Esse mora em Brighton.

Então, logo abaixo, mas em uma caneta de outra cor:

Pode ser uma ideia ridícula, mas, se você gostar de praia, talvez possa vir junto.

Estou parada na cozinha, diante da geladeira, com um sorriso enorme.

Eu adoraria ir! Adoro praia. Para começar, ela legitima o uso de chapéus, ou de guarda-sóis, ambas coisas maravilhosas que NUNCA uso o suficiente. Onde você quer se encontrar? Bjos

A resposta leva dois dias para chegar. Eu me pergunto se Leon está perdendo a coragem, mas, por fim, ela aparece, rabiscada rápido em caneta azul:

Estação Victoria às dez e meia no sábado. Encontro marcado! Bjos

36

Leon

Encontro marcado? Encontro marcado?!

O que deu em mim? Deveria ter escrito *vejo você lá*. Em vez disso, falei *encontro marcado*. O que não é mentira. Provavelmente. Além disso, não sou uma pessoa que diz coisas como *encontro marcado*, mesmo quando marco um encontro.

Esfrego os olhos e me remexo, inquieto. Estou perto do painel de partidas da estação de trem de Victoria, com cerca de cem pessoas, mas, enquanto elas olham os painéis, estou de olho na saída do metrô. Eu me pergunto se Tiffy vai me reconhecer vestido. Falando nisso: o dia está estranhamente quente para a época do ano. Não deveria ter colocado calça jeans.

Confiro se as indicações de caminho a partir da estação de Brighton estão gravadas no celular. Confiro a hora. Confiro a plataforma. Ando de um lado para outro.

Quando ela finalmente aparece, não há como não notá-la. Está com uma jaqueta amarelo-canário e calça justa; o cabelo ruivo-alaranjado cai sobre os ombros e balança quando ela anda. Além do mais, ela é mais alta do que a maioria das pessoas ao redor e está usando sandálias de salto amarelas, o que dá a ela centímetros extras em relação à população em geral.

Ela nem parece perceber os olhares que atrai quando passa, o que torna todo o efeito muito atraente.

Sorrio e aceno quando ela me vê. Fico parado, sem jeito, sorrindo enquanto ela se aproxima e, tarde demais, me pego pensando se deveria cumprimentá-la com um abraço. Podia ter passado os últimos dez minutos de espera pensando na questão. Mas, deixei para quando ela está bem diante de mim, olhando nos meus olhos, as bochechas avermelhadas por causa do calor abafado que paira no ar da estação.

Ela para um pouco longe; já era o abraço.

Tiffy: Oi.

Eu: Oi.

Então, ao mesmo tempo:

Tiffy: Desculpa o atraso...

Eu: Nunca vi esses sapatos amarelos...

Tiffy: Desculpa, pode falar primeiro.

Eu: Não se preocupe. Você nem se atrasou.

Ainda bem que ela falou mais alto que eu. Por que eu destacaria o fato de conhecer a maioria dos sapatos dela? Soa meio bizarro.

Vamos até a plataforma lado a lado. Não paro de olhar para ela; por algum motivo não consigo acreditar em como ela é alta. Não imaginei que fosse.

Tiffy olha de soslaio para mim, me pega olhando e sorri.

Tiffy: Não sou o que você esperava?

Eu: Hum?

Tiffy: Eu. Não sou o que você esperava?

Eu: Ah, eu...

Tiffy ergue a sobrancelha.

Tiffy: Tipo, antes de você me ver mês passado.

Eu: Bom, eu não esperava que você fosse tão...

Tiffy: Alta?

Eu: Eu ia dizer pelada. Mas alta também.

Tiffy ri.

Tiffy: Eu não estava tão pelada quanto você.

Eu, estremecendo: Nem me lembre. Sinto muito por...

Ahhh. Como terminar essa frase? Pode ser minha imaginação, mas as bochechas dela parecem um pouco mais coradas.

Tiffy: É sério. A culpa foi minha. Você só estava tomando banho.

Eu: Não foi culpa sua. Todo mundo perde a hora.

Tiffy: Ainda mais depois de beber praticamente uma garrafa inteira de gim.

Estamos no trem agora, então a conversa é interrompida enquanto seguimos pelo corredor. Ela escolhe assentos com uma mesa no meio. Em um segundo, concluo que é menos estranho nos sentarmos um de frente para o outro do que lado a lado, mas, quando me aproximo do assento, percebo meu erro. Isso incentiva contato visual.

Tiffy tira a jaqueta; por baixo está usando uma blusa estampada com enormes flores verdes. Seus braços estão nus, e a blusa tem um decote em V bem cavado. Meu adolescente interior tenta comandar meu olhar e eu interrompo a tempo.

Eu: Então... Uma garrafa inteira de gim?

Tiffy: Pois é. Bom, eu estava no lançamento de um livro e o Justin apareceu e... Bom, muito gim acabou sendo ingerido depois disso.

Franzo a testa.

Eu: O ex? Isso é... estranho?

Tiffy balança o cabelo e parece um pouco incomodada.

Tiffy: Também achei no início e pensei que ele estava me perseguindo ou algo assim, mas, se quisesse me ver, ele teria ido até meu trabalho; ou minha casa, pelo visto, já que ele mandou aquele buquê. Deve ser só paranoia minha.

Eu: Ele disse isso? Que você estava paranoica?

Tiffy, depois de uma pausa: Não, ele não usou essas palavras.

Eu, lembrando: Espere aí. Você não contou a ele onde morava?

Tiffy: Não. Não sei como ele me achou. Pelo Facebook, provavelmente.

Ela revira os olhos como se fosse um pequeno inconveniente, mas ainda estou franzindo a testa. Isso me parece errado. Desconfio muito que conheço esse tipo de homem pela vida amorosa da minha mãe. Homens que dizem que a mulher é maluca por desconfiar do comportamento deles, que sabem onde a mulher mora quando ela não espera que saibam.

Eu: Vocês ficaram muito tempo juntos?

Tiffy: Dois anos. Mas era tudo muito intenso. Muitas separações, gritos, choro etc.

Ela parece surpresa consigo mesma. Abre a boca como se fosse se corrigir, depois pensa melhor.

Tiffy: É. Foram uns dois anos.

Eu: E seus amigos não gostam dele?

Tiffy: Nunca gostaram, na verdade. Nem no começo. Gerty disse que sentia "uma energia ruim" até quando o via de longe.

Estou gostando cada vez mais de Gerty.

Tiffy: Enfim, aí ele apareceu e tentou me carregar para algum lugar para tomar um drinque e me explicar tudo, segundo ele.

Eu: Você disse não?

Tiffy assente.

Tiffy: Falei que ele tinha que esperar um pouco para me chamar para beber alguma coisa. Uns meses, no mínimo.

Ela olha pela janela, piscando enquanto observa Londres passar à nossa volta.

Tiffy, baixinho: Não achei que podia dizer não. Justin é assim. Ele faz você querer o que ele quer. É muito... Não sei explicar. Ele domina qualquer lugar de cara, sabe? É uma força...

Tento ignorar as sirenes de alerta na minha cabeça. Não estou gostando nada dessa situação. Não percebi essas coisas pelos bilhetes — mas talvez a própria Tiffy só tenha notado isso recentemente. As pessoas podem demorar a notar e processar abuso emocional.

Tiffy: Enfim! Desculpa. Meu Deus. Que estranho.

Ela sorri.

Tiffy: É uma conversa muito profunda para se ter com alguém que a gente acabou de conhecer.

Eu: A gente não acabou de se conhecer.

Tiffy: Verdade. Teve a colisão memorável no banheiro.

Outra sobrancelha erguida.

Eu: Quis dizer que parece que a gente se conhece há anos.

Tiffy sorri ao ouvir isso.

Tiffy: Parece, não é? Acho que é por isso que é tão fácil conversar com você.

É. É verdade: é fácil conversar com ela, o que é uma surpresa maior para mim do que para ela. Provavelmente, porque só tenho facilidade de conversar com umas três pessoas no mundo todo.

37

Tiffy

Não sei o que me fez falar sobre Justin assim. Não mencionei nos bilhetes para Leon nada sobre a terapia e as lembranças — os Post-its me deixam feliz e acolhida, não vou estragar tudo com as merdas do Justin —, mas, de repente, agora que estou frente a frente com ele, me pareceu natural conversar sobre as coisas que estão enchendo minha cabeça. Ele tem um desses rostos que não julgam, o que faz a gente querer, tipo... compartilhar.

Ficamos em silêncio enquanto o trem corre pelos campos gramados do interior da Inglaterra. Tenho a sensação de que Leon gosta do silêncio; não é tão incômodo quanto eu esperava, é mais como se este fosse o estado natural dele. É estranho porque, quando fala, ele é muito interessante, apesar de ser de uma maneira quieta e intensa.

Ele está olhando pela janela, apertando os olhos para protegê-los da luz do sol, então tenho a chance de observá-lo. Está meio mal vestido, com uma camiseta cinza velha e um cordão que ele parece não tirar nunca. Eu me pergunto qual é o significado. Leon não me parece do tipo que usa acessórios por motivos além dos sentimentais.

Ele me pega olhando e me encara. Sinto um arrepio. De repente, o silêncio parece diferente.

— Como está o sr. Prior? — disparo.

Leon fica surpreso.

— O sr. Prior?

— É. O tricotador que salvou minha vida. A última vez que falei com ele foi na casa de repouso. — Abro um sorriso irônico para ele. — Enquanto você estava ocupado me evitando.

— Ah. — Ele esfrega a nuca, olhando para baixo, depois abre um sorrisinho torto para mim. É tão rápido que quase não vejo. — Não foi meu melhor momento.

— Hum... — Franzo a testa, fingindo seriedade. — Você tem medo de mim, é isso?

— Um pouco.

— Um pouco! Por quê?

Ele engole em seco, fazendo o pomo de adão se mover, e tira o cabelo do rosto. Acho que Leon está nervoso. É muito fofo.

— Você é muito...

Ele aponta para mim.

— Faladeira? Insolente? Exagerada?

Ele se encolhe.

— *Não*. Isso, não.

Eu espero.

— Você algum dia já ficou tão ansiosa para ler um livro que não conseguia nem começar?

— Ah, claro. O tempo todo. Se eu tivesse algum autocontrole, nunca teria conseguido ler o último *Harry Potter*. A ansiedade foi *dolorosa*. Sabe, tipo, e se não for tão bom quanto os últimos? E se não for o que eu espero?

— É, isso. — Ele aponta para mim. — Eu acho que poderia ter sido... assim.

— Comigo?

— É. Com você.

Olho para as mãos que coloquei no colo, esforçando-me para não sorrir.

— Falando no sr. Prior... — Leon voltou-se para a janela de novo. — Sinto muito, mas não posso falar sobre meus pacientes.

— Ah, claro. Bom, espero que a gente ache o Johnny White dele. O sr. Prior é um *fofo*. Ele merece um final feliz.

Enquanto seguimos viagem e mantemos uma conversa confortável, dou olhadas discretas para Leon do outro lado da mesa. Em certo momento, nossos olhares se encontram no reflexo da janela e ambos desviamos rápido, como se tivéssemos visto algo que não deveríamos.

Começo a achar que todo o incômodo passou quando chegamos a Brighton, mas então ele se levanta para pegar a mochila no bagageiro acima do assento e, de repente, fica de pé, a camiseta sobe, e o elástico preto da cueca Calvin Klein desponta da calça jeans. Volto a não saber para onde olhar. Tento achar a mesa muito interessante.

Um sol fraco brilha lá fora; o outono ainda não chegou. Quando saímos da estação, vejo ruas cheias de casinhas brancas se estendendo à nossa frente, pontuadas por pubs e cafés que todos em Londres pagariam caro para ter na esquina.

Leon combinou de encontrar o sr. White no píer. Quando chegamos à praia, deixo escapar um gritinho animado. O píer se estende pelo mar azul-esverdeado como se fosse um quadro em um daqueles balneários costeiros antigos, onde pessoas da era vitoriana nadavam com uns maiôs ridículos que batiam nos joelhos. É perfeito. Tiro da bolsa meu enorme chapéu de abas largas, estilo anos 1950, e ponho na cabeça.

Leon olha para mim, rindo.

— Que chapéu!

— Que dia! — retruco, abrindo bem os braços. — Nenhum outro chapéu faria justiça a ele.

Leon sorri.

— Vamos para o píer?

Meu chapéu balança quando assinto.

— Para o píer!

38

Leon

Encontramos Johnny White sem muita dificuldade. Um homem muito idoso sentado na beira do píer. Literalmente na beira, em cima da cerca, com os pés balançando para fora — fico surpreso por ninguém o ter tirado dali. Parece bem perigoso.

Tiffy, por outro lado, não está preocupada. Ela saltita, o chapéu balançando.

Tiffy: Olha! Um Johnny White só meu! Aposto que é ele. Dá para ver.

Eu: Impossível. Você não pode acertar de primeira.

Mas tenho que admitir: o morador de Brighton é uma aposta melhor que o maconheiro das Midlands.

Tiffy alcança o homem antes que eu tenha tempo de pensar ou analisar a melhor maneira de me aproximar. Ela se senta na cerca com ele.

Tiffy, para JW VI: Oi, o senhor é o sr. White?

Ele se vira. Está sorrindo.

JW VI: Sou, sim. Você é o Leon?

Eu: Eu sou o Leon. É um prazer, senhor.

O sorriso de JW VI aumenta.

JW VI: O prazer é todo meu! Querem se sentar comigo? É o meu lugar favorito.

Eu: E é… seguro?

Tiffy já pendurou as pernas na cerca.

Eu: As pessoas não ficam preocupadas? Com medo de o senhor pular ou cair?

JW VI: Ah, todo mundo aqui me conhece.

Ele acena, alegre, para o homem da barraca de algodão-doce, que mostra o dedo do meio para ele, também alegre. JW VI ri.

JW VI: Então qual é esse seu projeto? Você é um neto que não conheço, meu jovem?

Eu: É improvável. Mas não impossível.

Tiffy me lança um olhar curioso. Não acho que seja hora de contar a ela sobre as muitas lacunas no meu histórico familiar. Eu me remexo, desconfortável. O calor está mais forte aqui com o sol batendo na água, e sinto o suor escorrer pelo couro cabeludo.

Tiffy: Viemos ajudar um amigo. O... sr. Prior?

Uma gaivota berra atrás de nós, e Johnny White VI toma um susto.

JW VI: Acho que você vai ter que me contar mais do que isso.

Eu: Robert Prior. Acho que ele serviu no mesmo regimento que o senhor durante a...

O sorriso de JW VI se fecha. Ele ergue a mão para me interromper.

JW VI: Se você não se importar, prefiro que pare agora. Esse não é... meu assunto favorito.

Tiffy, tranquila: Sr. White, que tal a gente ir para algum lugar se refrescar? Minha pele não aguenta esse sol, não.

Ela abre os braços para mostrar a ele. O sorriso dele volta aos poucos.

JW VI: Uma rosa inglesa! E que rosa linda.

Ele se vira para mim.

JW VI: Você é um homem de sorte. Não se fazem mais mulheres como esta hoje em dia.

Eu: Ah, ela não é...

Tiffy: Não sou...

Eu: Na verdade, só somos...

Tiffy: Colegas de apartamento.

JW VI: Ah!

Olha para os dois. Não parece convencido.

JW VI: Bom. O melhor jeito de se refrescar por aqui é dando um mergulho.

Ele aponta para a praia.

Eu: Não trouxe sunga.

Mas, ao mesmo tempo, Tiffy está dizendo:

Tiffy: Eu só vou se o senhor for, sr. White!

Eu a encaro. Ela é cheia de surpresas. É confuso. Não sei se gosto da ideia.

JW VI, por outro lado, parece encantado com a proposta de Tiffy. Ela já o está ajudando a descer da cerca. Corro para ajudar também, já que é um senhor bem idoso muito próximo de uma queda livre.

Andar de volta pelo píer, passando por brinquedos e fliperamas, me dá tempo suficiente para controlar a ansiedade.

Eu: Um de nós tem que ficar olhando as coisas.

JW VI: Não se preocupe. Vamos deixar tudo com o Radley.

Radley é o homem de turbante colorido que cuida da tradicional barraca de marionetes. Tiffy me lança um olhar encantado quando nos apresentamos e deixamos nossas bolsas. *Isso não é incrível?*, balbucia para mim. Não posso deixar de sorrir. Este Johnny White está se tornando meu favorito bem rápido, tenho que admitir.

Sigo Tiffy e Johnny enquanto eles desviam dos banhistas e das cadeiras de praia a caminho do mar. Paro por um instante para tirar os sapatos, sentindo as pedras frias sob os pés. O sol brilha na água e os seixos molhados resplandecem, prateados. O cabelo de Tiffy está mais vermelho do que nunca. Johnny White está tirando a camiseta.

E agora... Ahhh. Tiffy também.

39

Tiffy

Não me sinto assim há muito tempo. Na verdade, se tivessem me perguntado alguns meses atrás, eu teria dito que só poderia me sentir assim com Justin. Essa energia ao fazer algo ridiculamente espontâneo — a emoção de ignorar os planos e calar todas as partes do cérebro que dizem que não é uma boa ideia... Meu Deus, como senti falta disso. Rindo, tropeçando, o cabelo no rosto, tiro a calça e me abaixo enquanto o sr. White joga o short na nossa pilha improvisada de roupas.

Leon está atrás de nós. Sorrindo também, e isso já basta para mim. O sr. White está de cueca.

— Pronto? — grito para ele.

Está ventando bastante. Meu cabelo bate em minhas bochechas e o vento faz cócegas na pele nua da minha barriga.

O sr. White não precisa ouvir duas vezes. Ele já está entrando no mar — consegue andar *bem* rápido para um homem que deve ter pelo menos noventa anos. Olho para Leon, que ainda está vestido e me observando com uma expressão confusa e irreconhecível.

— Vem! — grito para ele, correndo de costas para a água.

Sinto-me ansiosa, quase embriagada.

— Nem pensar! — berra ele.

Abro bem os braços.

— O que te impede?

Pode ser minha imaginação, e ele está muito longe para eu ter certeza, mas os olhos dele não parecem estar focados apenas no meu rosto. Contenho um sorriso.

— Venha! — grita Johnny White, no mar, já dando umas braçadas. — A água está ótima!

— Não tenho sunga! — diz Leon, parando na sombra.

— E daí? — berro, apontando para minha calcinha e meu sutiã, que, por serem pretos, desta vez sem renda, são muito parecidos com os biquínis que as mulheres estão usando.

Já estou com a água na altura dos quadris e mordo o lábio por causa do frio.

— Talvez não faça diferença se você for mulher, mas é um pouco diferente para...

Acho que Leon termina a frase, mas não ouço o resto. De repente estou embaixo d'água e só consigo pensar na dor lancinante que sinto no tornozelo.

Dou um grito e engulo um monte de água salgada que queima minha garganta; bato os braços e, por um instante, meu pé bom alcança o fundo, mas, quando o outro tenta encontrar apoio, a dor me faz afundar outra vez. Estou contorcida, girando; tudo que vejo são imagens rápidas da água e do céu. *Devo ter torcido o tornozelo*, registra algum canto distante de meu cérebro. *Não entre em pânico*. Mas é tarde demais, estou engolindo água e meus olhos e minha garganta estão ardendo, não consigo me virar, não consigo pôr o pé no chão, meu tornozelo grita de dor toda vez que tento nadar.

Alguém está tentando me puxar. Sinto mãos fortes lutando para alcançar meu corpo; algo bate no tornozelo machucado e tento gritar, mas é como se minha garganta estivesse fechada. É Leon, e ele está me tirando da água. Estendo os braços para ele, que tropeça, quase caindo comigo, mas ele bate os pés até nadar, os braços segurando minha cintura com força, e me arrasta para a areia.

Estou tão zonza que tudo balança de um lado para outro. Não consigo respirar. Agarro a camiseta encharcada dele, tossindo e arquejando enquanto ele me deita nos seixos da praia. Estou exausta — como se tivesse ficado acordada a noite toda passando mal e meus olhos não conseguissem ficar abertos.

— Tiffy — chama Leon.

Não consigo parar de tossir. Há muita água na minha garganta — vomito boa parte nas pedras úmidas, a visão ainda embaçada, a cabeça tão pesada que mal consigo mantê-la erguida. Ao longe, quase esquecido, meu tornozelo dói.

Estou sem fôlego. Não é possível que tenha mais água dentro de mim. Leon tirou meu cabelo do rosto e está pressionando com cuidado meu pescoço, como se conferisse alguma coisa, e então me enrola na jaqueta dele, esfregando meus braços sob o tecido. Isso machuca minha pele e tento me afastar, mas ele me abraça com força.

— Está tudo bem. — Acima de mim, o rosto dele balança de um lado para outro. — Acho que você torceu o tornozelo, Tiffy, e engoliu muita água, mas vai ficar bem. Tente respirar mais devagar, se conseguir.

Faço o que posso. Atrás dele, surge o rosto preocupado de Johnny White VI. Ele está se esforçando para colocar o moletom, depois de ter vestido a calça.

— Tem algum lugar quente aqui perto para levarmos a Tiffy? — pergunta Leon.

— O Bunny Hop Inn, bem ali — responde o sr. White.

Vomito outra vez e descanso a testa nas pedrinhas.

— Eu conheço a gerente. Ela vai arranjar um quarto para a gente, sem problema.

— Ótimo. — Leon soa absolutamente calmo. — Vou pegar você no colo, Tiffy. Tudo bem?

Devagar, com o coração disparado, eu assinto. Leon me pega nos braços. Com a respiração mais tranquila, apoio a cabeça no peito dele. A praia passa como um borrão; vários banhistas olham para nós, rostos chocados contra o cenário multicolorido de toalhas e óculos de sol. Fecho os olhos — mantê-los abertos está me deixando ainda mais enjoada.

Leon solta um palavrão baixinho.

— Onde fica a escada?

— Por aqui — diz Johnny White, em algum lugar à minha esquerda.

Ouço o barulho do trânsito enquanto atravessamos a rua. Leon está ofegante, o peito erguendo e baixando contra minha bochecha. Já minha respiração está quase normal — a rigidez da garganta e o peso estranho no peito um pouco melhores.

— Babs! Babs! — grita Johnny White VI.

Estamos no hotel e o calor repentino me faz perceber que estou tremendo muito.

— Obrigado — diz Leon.

Há uma comoção à minha volta. Por um instante, fico envergonhada e tento me soltar de Leon e ficar de pé, mas minha cabeça gira e eu me agarro de novo à sua camiseta enquanto ele tropeça.

— Calma — pede ele.

Eu grito. Leon esbarrou meu tornozelo no corrimão. Ele solta um palavrão, puxando-me mais para perto e fazendo minha cabeça rolar de volta para seu peito.

— Desculpa, desculpa — diz, subindo a escada de costas.

Consigo ver paredes rosadas com quadros em molduras elaboradas, todas douradas e cheias de rococós, e então uma porta. Leon me deita em uma cama gloriosamente macia. Rostos desconhecidos surgem e desaparecem. Há uma mulher com uma roupa de salva-vidas; eu me pergunto se ela esteve com a gente o tempo todo.

Leon está colocando travesseiros atrás de mim, escorando-me com o antebraço.

— Você consegue ficar sentada? — pergunta ele, baixinho.

— Eu… — tento falar, mas começo a tossir e rolo para o lado.

— Cuidado. — Ele puxa meu cabelo encharcado para trás. — Tem algum outro cobertor aqui?

Alguém está empilhando cobertores grossos e ásperos em cima de mim. Leon ainda está me puxando, tentando me colocar sentada.

— Vou me sentir melhor se você estiver com a cabeça erguida. — Seu rosto está perto do meu. Posso ver sua barba por fazer. Ele me olha nos olhos. Os dele têm um tom castanho suave que me lembra chocolate Lindt. — Pode fazer isso por mim?

Tento ficar sentada e agarro os cobertores com dedos rígidos e gelados, sem muito sucesso.

— Que tal um pouco de chá para aquecer? — sugere ele, já olhando em volta para que alguém pegue para mim.

Um dos desconhecidos sai do quarto. Não há mais sinal de Johnny White — espero que ele tenha ido pegar roupas quentes —, mas ainda há um milhão de pessoas aqui. Volto a tossir e viro o rosto para não ver todo mundo me encarando.

— Vamos dar um pouco de espaço a ela, pessoal. Vocês podem sair, por favor? É, não se preocupem — diz Leon, levantando-se para pôr as pessoas para fora. — Só vou examinar a moça com um pouco de calma.

Várias pessoas dizem que se precisarmos de alguma coisa é só chamar. E saem uma a uma.

— Desculpa — peço, quando a porta se fecha.

Volto a tossir. Ainda é difícil falar.

— Para com isso — diz Leon. — Como está se sentindo agora?

— Com frio e com um pouco de dor.

— Não vi você cair. Você se lembra se bateu a cabeça em uma pedra ou alguma coisa assim?

Ele tira os sapatos e se senta de pernas cruzadas na beira da cama. Por fim, noto que também está molhado e tremendo.

— Merda, você está encharcado!

— Só preciso confirmar que não tem fluido cerebral seu escorrendo em algum lugar. Aí vou me trocar, certo?

Abro um sorriso breve.

— Desculpa. Não, acho que não bati a cabeça. Só torci o tornozelo.

— Ótimo. E você sabe me dizer onde a gente está?

— Brighton. — Olho em volta. — E o único lugar em que já estive com tanto papel de parede floral quanto a casa da minha mãe.

Dizer essa frase me faz tossir, mas vale a pena ver Leon relaxar um pouco e seu sorriso torto voltar.

— Vou supor que essa é a resposta certa. Você pode me dizer seu nome completo?

— Tiffany Rose Moore.

— Eu não sabia seu nome do meio. Rose combina com você.

— Não seria melhor me fazer perguntas para as quais sabe a resposta?

— Acho que eu gostava mais de você quando estava meio afogada e zonza. — Leon se inclina para a frente, uma das mãos erguidas, e toca minha bochecha. É muito intenso e um pouco repentino. Pisco enquanto ele me encara, conferindo alguma coisa, imagino. — Você está com sono?

— Não muito. Estou cansada, mas não com sono.

Ele assente e, demorando um pouco mais do que deveria, tira a mão da minha bochecha.

— Vou ligar para uma colega. Ela é médica e acabou de fazer a residência na Emergência, então vai saber como examinar um tornozelo. Tudo bem? Pelo que você falou e pelo que notei dos seus movimentos, tenho quase certeza de que é só uma torção, mas é melhor conferir.

— Hum... Claro.

É estranho ouvir a conversa entre Leon e uma médica que trabalha com ele. Ele não fica diferente — é tão quieto e comedido quanto ao falar comigo, com o mesmo sotaque irlandês —, mas parece mais... adulto.

— Certo, na verdade é um exame muito simples — explica ele, virando-se de novo para mim após desligar. Sua testa está franzida e ele se senta de novo na cama, afastando as cobertas para tocar meu tornozelo. — Posso tentar? Vai ser bom para saber se precisamos ir a uma emergência.

Engulo em seco, um pouco nervosa de repente.

— Tudo bem.

Ele para, olhando para mim por um instante como se estivesse analisando se vou mudar de ideia, e meu rosto fica vermelho. Então Leon pressiona meu tornozelo, testando com cuidado vários pontos até eu me encolher de dor.

— Desculpa — diz ele, colocando a mão fria na minha perna.

Minha pele fica arrepiada quase no mesmo instante e eu puxo o cobertor, um pouco envergonhada. Leon vira meu pé com cuidado de um lado para outro, os olhos passando do meu tornozelo para meu rosto enquanto tenta avaliar minha reação.

— Em uma escala de um a dez, qual seu nível de dor?

— Não sei, hum, seis?

Na verdade, estou pensando *oito oito oito*, mas não quero soar ridícula.

O canto da boca de Leon se ergue um pouco, e tenho a impressão de que ele sabe exatamente o que estou fazendo. Enquanto continua o exame, observo as mãos dele se moverem pela minha pele e me pergunto como nunca notei como esses exames médicos são íntimos, a quantidade de toque que exigem. Imagino que seja porque normalmente estamos num consultório, não seminuas em uma grande cama de casal.

— Ótimo. — Leon pousa meu pé com cuidado. — Eu diria que você oficialmente torceu o tornozelo. Não precisa esperar cinco horas na emergência, para ser sincero. Mas podemos ir se você quiser.

Balanço a cabeça. Sinto que estou em boas mãos bem aqui.

Alguém bate à porta. Uma senhora de meia-idade aparece com duas xícaras e uma pilha de roupas.

— Ah, maravilha. Obrigado.

Leon pega as xícaras e me passa uma. É chocolate quente e está com um cheiro incrível.

— Tomei a liberdade de pôr um pouco de uísque no seu — diz a senhora, piscando para mim. — Meu nome é Babs. Como está se sentindo?

Respiro fundo, estremecendo.

— Muito melhor agora que estou aqui. Muito obrigada.

— Você pode fazer companhia para ela enquanto me troco? — pergunta Leon.

— Não preciso...

Volto a tossir.

— Não tire os olhos dela — pede Leon, direto, antes de entrar no banheiro.

40

Leon

Apoio as costas na porta do banheiro, olhos fechados. Não há concussão, só um tornozelo torcido. Podia ter sido muito, muito pior.

Agora tenho tempo de pensar no frio que estou sentindo; tiro minhas roupas molhadas e ligo a água quente do chuveiro. Digito uma mensagem rápida para agradecer a Socha. O celular, por sorte, ainda funciona, apesar de meio úmido — estava no bolso da calça.

Entro no chuveiro e me obrigo a ficar aqui embaixo até parar de tremer. Lembro que Babs está com Tiffy. Mesmo assim, me visto mais rápido do que nunca e nem me preocupo em pôr um cinto para segurar a calça absurdamente larga que Babs achou para mim; vou usá-la assim mesmo, estilo anos 1990.

Quando volto para o quarto, Tiffy fez um coque. Os lábios e as bochechas voltaram a ter um pouco de cor. Ela sorri para mim, e eu sinto um aperto no peito. Difícil descrever. Como se um cadeado se fechasse, talvez.

Eu: O chocolate está descendo bem?

Ela empurra a outra xícara para mim pela mesa de cabeceira.

Tiffy: Experimente e vai ver.

Alguém bate à porta; levo o chocolate quente comigo quando vou abri-la. É Johnny White VI, muito preocupado e com uma calça igualmente enorme.

JW VI: Como vai nossa amiga?

Tenho a sensação de que Tiffy tem facilidade para fazer amigos — ela é o tipo de pessoa que até parentes distantes e vizinhos pouco presentes gostam de dizer que conhecem.

Tiffy: Estou bem, sr. White! Não se preocupe.

Ela começa uma sessão pouco convincente de tosse úmida. JW VI se remexe à porta, entristecido.

JW VI: Mil desculpas. Eu me sinto responsável... a ideia de entrar na água foi minha. Eu deveria ter conferido se vocês sabiam nadar!

Tiffy, depois de se recuperar: Eu sei nadar, sr. White. Só pisei em falso e meio que entrei em pânico, nada de mais. Se quiser culpar alguma coisa, ponha a culpa na pedra que bateu no meu tornozelo.

JW VI parece um pouco menos ansioso.

Babs: Bom, vocês dois vão dormir aqui hoje. Sem discussão. É por conta da casa.

Tanto Tiffy quanto eu tentamos protestar, mas Tiffy começa a tossir e quase vomita outra vez, tirando um pouco da força do argumento de que ela não precisa ficar de cama.

Eu: Eu deveria ir embora. Você não precisa de mim agora...

Babs: Que bobagem. Isso não vai me dar mais trabalho. Além disso, Tiffy precisa que alguém cuide dela e meu conhecimento médico não vai muito além dos benefícios de um copo de uísque. John, quer uma carona para casa?

JW VI também tenta se livrar do favor, mas Babs é o tipo de pessoa legal e incrível que não aceita "não" como resposta. A discussão dura apenas cinco minutos, e logo os dois seguem para a porta. Quando saem, começo a respirar aliviado. Eu não havia percebido como ansiava pelo silêncio.

Tiffy: Você está bem?

Eu: Estou. Só não sou fã de...

Tiffy: Tanta comoção?

Faço que sim com a cabeça.

Tiffy sorri, puxando os cobertores.

Tiffy: Você é enfermeiro. Como consegue evitar isso?

Eu: No trabalho é diferente. Mas ainda suga minha energia. Preciso de silêncio depois.

Tiffy: Você é introvertido.

Faço careta. Não sou fã dessas coisas que dizem seu tipo de personalidade, como horóscopo para empresários.

Eu: Acho que sou.

Tiffy: Sou o oposto. Não consigo processar nada sem ligar para Gerty, Mo ou Rachel.

Eu: Quer ligar para alguém agora?

Tiffy: Ai, merda, meu telefone estava na minha...

Ela vê a pilha de roupas, trazidas da praia por um dos cem desconhecidos gentis que nos seguiram, em procissão. Tiffy bate palmas de alegria.

Tiffy: Você pode me passar minha calça?

Eu entrego a ela e a observo vasculhar os bolsos.

Eu: Vou comprar alguma coisa para a gente almoçar. De quanto tempo você precisa?

Tiffy afasta algumas mechas do rosto, olhando para mim e segurando o telefone. O cadeado trancado surge em meu peito de novo.

Tiffy: Meia hora?

Eu: Combinado.

41

Tiffy

— Você está bem? — É a primeira pergunta de Mo. — Já foi à emergência?

Gerty, por outro lado, está concentrada no que importa.

— Por que não contou para a gente sobre o encontro no banheiro? Você está apaixonada por esse cara que dorme na sua cama e escondendo isso porque vai acabar dormindo com ele e eu *já* expliquei que a principal regra para dividir apartamento é não transar com a pessoa que mora com você?

— Estou bem e, não, não fui à emergência, mas o Leon examinou meu tornozelo com a ajuda de uma amiga que é médica. Pelo visto, só preciso de descanso. E de uísque, dependendo de quem der a opinião médica.

— Agora responda à minha pergunta — pede Gerty.

— Não, não estou apaixonada por ele — digo, mudando de posição na cama e sentindo um arrepio quando meu tornozelo lateja. — E não vamos transar. Leon é meu amigo.

— Ele é solteiro?

— Bom, é, na verdade. Mas...

— Desculpa, mas só para garantir, Tiffy, alguém examinou...

— Ah, cala a boca, Mo — interrompe Gerty. — Ela está acompanhada de um enfermeiro. Tiffy está ótima. Agora, você tem certeza de que não está sofrendo de síndrome de estocolmo?

— Oi?

— Um enfermeiro de emergência é muito diferente de um enfermeiro de cuidados paliativos…

— Síndrome de estocolmo? — pergunto, interrompendo Mo.

— É — explica Gerty. — Esse cara ofereceu a casa dele quando você estava desabrigada. Você é forçada a dormir na cama dele e agora acha que está apaixonada.

— Eu *não* acho que estou apaixonada. Já falei que Leon é meu amigo.

— Mas vocês tiveram um encontro.

— Tiffy, você parece bem, mas preciso conferir — diz Mo. — Estou procurando na internet. Você consegue pôr peso no tornozelo?

— Você e o Google não são melhores que um enfermeiro com o auxílio de uma médica — explica Gerty.

— Não era um encontro — digo, apesar de ter quase certeza de que era.

Queria que Mo e Gerty não tivessem adquirido esse novo costume de atender o telefone juntos toda vez que estão em casa. Liguei para Mo porque queria falar com Mo. Não é que não goste de falar com Gerty, mas é uma experiência muito diferente — e não necessariamente algo que gostaria de fazer depois de quase me afogar.

— Você vai ter que explicar essa história toda de Johnny White para mim de novo — pede Gerty.

Confiro a hora no telefone. Apenas cinco minutos até Leon voltar com o almoço.

— Olhem, tenho que ir. Mas, Mo, eu estou bem. E, Gerty, acalme seus instintos protetores, por favor. Ele não está tentando dormir comigo nem me prender e me trancar no porão, está bem? Na verdade, não tenho motivo nenhum para pensar que ele está interessado em mim.

— Mas você está interessada nele? — insiste Gerty.

— Tchau, Gerty.

— Se cuide, Tiffy — Mo consegue dizer antes de Gerty desligar (ela não é boa com despedidas).

Digito o número de Rachel sem nem pestanejar.

• • •

— Bom, o principal aqui — diz Rachel — é que você ainda não conseguiu interagir com Leon sem tirar a roupa e ficar de calcinha e sutiã.

— Hum...

Estou sorrindo.

— É melhor você ficar vestida a partir de agora. Ele vai achar que você é uma... Como é que as pessoas chamam aqueles homens que gostam de ficar se expondo no parque?

— Ei! — reclamo. — Eu não...

— Só estou dizendo o que todo mundo está pensando, amiga. Você tem certeza de que não vai bater as botas?

— Estou ótima. Só dolorida e exausta.

— Tudo bem, então. Nesse caso, aproveite ao máximo sua hospedagem grátis e me ligue caso acabe tirando o sutiã por acidente durante o jantar.

Ouço uma batida à porta.

— Merda. Tenho que ir, tchau! — sibilo para o telefone. — Pode entrar!

Consegui vestir o casaco que Babs me deixou enquanto Leon estava fora, então estou coberta da cintura para cima, pelo menos.

Leon sorri e ergue uma sacola muito cheia, com cheiro de peixe e batata frita. Suspiro, maravilhada.

— Comida de praia de verdade!

— E...

Ele põe a mão na sacola, tira outra e entrega para mim. Olho dentro: cupcakes red velvet com cobertura de cream cheese.

— Bolo! O melhor tipo de bolo!

— Ordens médicas. — Ele faz uma pausa. — Bom, Socha disse: "Faça com que ela coma." O peixe frito e os cupcakes foram certa licença poética.

O cabelo dele está quase seco. Ainda mais cacheado por causa do sol e não para de sair de trás das orelhas. Leon me flagra olhando enquanto ele tenta colocar os cachos para trás e abre um sorriso triste.

— Você não deveria me ver assim — diz ele.

— Ah, e era exatamente assim que eu queria que você me visse — respondo, apontando para o enorme casaco largo, o rosto pálido e o cabelo lambido e desgrenhado. — "Rato afogado" é meu visual favorito.

— Tipo sereia? — sugere Leon.

— Engraçado você mencionar isso. Tenho mesmo uma barbatana aqui embaixo — digo, batendo de leve no cobertor sobre minhas pernas.

Leon sorri ao ouvir isso, abrindo a embalagem com o peixe e as batatas fritas entre nós na cama. Ele tira os sapatos e se senta, tomando cuidado para não esbarrar no meu tornozelo inchado.

A comida está ótima. É exatamente do que eu precisava, mas só notei ao sentir o cheiro. Leon pediu quase todos os acompanhamentos — creme de ervilha, anéis de cebola, molho curry, picles de cebola, até aquelas salsichas que parecem de plástico que eles sempre têm atrás do balcão —, e nós comemos tudo. Quando chega a hora do cupcake, terminar os últimos bocados exige certo esforço.

— Quase morrer é exaustivo — declaro, dominada de repente pelo sono.

— É melhor você dormir — diz Leon.

— Você não está com medo de eu dormir e nunca mais acordar? — pergunto, as pálpebras já se fechando.

Estar aquecida e alimentada é incrível. Nunca mais vou subestimar isso.

— Vou acordar você a cada cinco minutos para conferir se não teve nenhum trauma cerebral.

Meus olhos se arregalam.

— A cada cinco minutos?

Leon ri, já reunindo as coisas dele e seguindo para a porta.

— Vejo você daqui a algumas horas.

— Ei, enfermeiros não deveriam fazer piadas! — grito, mas acho que ele não me ouviu.

Talvez eu só tenha pensado em dizer isso. Já estou caindo no sono quando ouço a porta se fechar.

Acordo com um sobressalto que provoca uma onda de dor. Solto um berro e olho em volta. Papel de parede floral. Estou em casa? Quem é aquele homem na cadeira perto da porta, lendo…

— *Crepúsculo?*

Leon pisca para mim, pousando o livro no colo.

— Você passou da inconsciência à crítica muito rápido.

— Por um instante, achei que fosse um sonho estranho. Mas, no meu sonho, você teria um gosto muito melhor para livros.

— Era tudo que Babs tinha. Como está se sentindo?

Penso um pouco na pergunta. Meu tornozelo está latejando e minha garganta está ardida e seca, mas a dor de cabeça passou. No entanto, sinto que os músculos da minha barriga vão ficar doloridos de tanto tossir.

— Muito melhor, na verdade.

Ele sorri. Leon fica *muito* bonito quando sorri. Quando está sério, seu rosto fica um pouco severo — testa, maçãs e mandíbula delicadas —, mas, quando sorri, só vemos os lábios macios, os olhos escuros e os dentes brancos.

Olho a hora no telefone, mais para desviar o olhar do que qualquer coisa — de repente tenho muita consciência de que estou deitada em uma cama, o cabelo lambido e as pernas nuas semiescondidas pelos cobertores.

— Já são *seis e meia*?

— Você estava com sono.

— E o que você ficou fazendo esse tempo todo?

Leon me mostra o marcador de livro. Ele leu *Crepúsculo* quase todo.

— Essa Bella Swan é muito popular para alguém que se declara tão feia. Parece que o único homem do livro que não se apaixona por ela é 0 pai.

Eu assinto, solene.

— É *muito* difícil ser a Bella.

— Ter um namorado que brilha não deve ser fácil — concorda Leon. — Você quer tentar dar uns passos?

— Não posso ficar na cama para sempre?

— Há um jantar e mais uísque esperando por você se conseguir descer a escada.

Lanço um olhar para ele. Leon me olha de volta, absolutamente plácido, e percebo que ele deve ser um ótimo enfermeiro.

— Tudo bem. Mas você vai ter que olhar para o outro lado para eu colocar a calça.

Ele não comenta que já viu coisas demais e que não precisa se virar; simplesmente me dá as costas e volta a abrir *Crepúsculo*.

42

Leon

Você não pode ficar bêbado. Estou repetindo isso para mim mesmo a todo instante, mas ainda assim não consigo parar de beber. É uísque com gelo. Horrível. Ou seria se Babs não tivesse dito que era por conta da casa, o que o deixou muito mais saboroso.

Estamos sentados a uma mesa de madeira bamba com vista para o mar. Há uma chaleira com uma vela grossa no meio, pela qual Tiffy está encantada. Teve uma conversa animada com garçons sobre decoração (ou "design de interiores", como eles chamam).

Tiffy está com o pé apoiado em uma almofada, como Socha mandou. Acabou colocando o outro também — ela está praticamente deitada, o cabelo jogado para trás, ainda mais vermelho contra o sol quase no horizonte. Parece uma pintura renascentista. O uísque voltou a dar cor às bochechas e deixou a pele de seu peito um pouco avermelhada, e não consigo deixar de olhar sempre que Tiffy está distraída.

Praticamente só pensei nela o dia todo, mesmo antes do afogamento. A busca do sr. Prior por Johnny White foi quase esquecida — semana passada esse projeto era o que Kay tinha chamado de minha "fixação". Agora parece algo que quero fazer porque deixou Tiffy animada.

Ela está me contando sobre os pais. De tempos em tempos, põe a cabeça para trás, joga o cabelo ainda mais sobre as costas da cadeira, quase fecha os olhos.

Tiffy: A única coisa que ficou foi a aromaterapia. Minha mãe fez velas por um tempo, mas não dá para ganhar dinheiro com isso, então um dia ela meio que surtou e declarou que ia voltar a comprar as da Poundland e ninguém podia falar que tinha avisado a ela. Aí minha mãe passou por uma fase muito estranha em que fazia sessões.

Isso me faz parar de encará-la.

Eu: Sessões?

Tiffy: É, sabe, daquelas em que você se senta em volta de uma mesa e tenta falar com os mortos?

O garçom aparece perto da cadeira onde estão os pés da Tiffy. Olha, um pouco confuso, mas não comenta nada. Fico com a impressão de que eles estão acostumados com todo tipo de gente aqui, inclusive pessoas encharcadas comendo com o pé para cima.

Garçom: Desejam sobremesa?

Tiffy: Ah, não, já estou satisfeita. Obrigada.

Garçom: Babs disse que é por conta da casa.

Tiffy, sem pestanejar: Pudim, por favor.

Eu: Para mim também.

Tiffy: Todas essas coisas de graça. Parece um sonho. Eu deveria me afogar com mais frequência.

Eu: Por favor, não faça isso.

Ela ergue a cabeça para me olhar nos olhos, sonolenta, alguns segundos a mais do que o necessário.

Pigarreio. Engulo em seco. Procuro um assunto.

Eu: Então, sua mãe fazia sessões...

Tiffy: Ah, é. Por uns dois anos, quando eu estava no ensino fundamental, eu voltava para casa e encontrava todas as cortinas fechadas e um bando de pessoas dizendo: "Por favor, apareça" ou "Bata uma vez para sim e duas para não". Imagino que pelo menos sessenta por cento das visitas tenham sido só eu voltando para casa e jogando a mochila no armário embaixo da escada.

Eu: E depois das sessões?

Tiffy pensa um pouco. O pudim chega; é enorme e encharcado de calda de caramelo. Tiffy geme de prazer e me deixa arrepiado. Ridículo. Não posso ficar excitado com uma mulher gemendo por causa de sobremesa. Tenho que me controlar. Tomo mais um gole de uísque.

Tiffy, boca cheia de pudim: Ela fez cortinas por um tempo. Mas o custo inicial era enorme, então ela começou a fazer centros de mesa. E aí veio a aromaterapia.

Eu: É por isso que você tem tantas velas aromáticas?

Tiffy, sorrindo: É. Todas as do banheiro foram cuidadosamente escolhidas para terem aromas que ajudam a relaxar.

Eu: Para mim elas têm o efeito contrário. Tenho que tirar todas dali quando quero tomar banho.

Tiffy me lança um olhar atrevido.

Tiffy: Algumas pessoas não conseguem relaxar nem com a aromaterapia. E minha mãe escolheu meu perfume também. Pelo jeito, ele "reflete minha personalidade".

Penso no primeiro dia em que entrei em casa e senti o perfume dela — flores e especiarias — e como foi estranho ter a fragrância de alguém no apartamento. Agora nunca é estranho. Seria estranho voltar para casa e não sentir nada.

Eu: E qual é?

Tiffy: A nota predominante é de rosas, depois almíscar e cravo. O que significa, segundo minha mãe…

Ela franze o nariz um pouco, pensando.

Tiffy: "Esperança, fogo e força."

Parece achar engraçado.

Tiffy: Essa sou eu, pelo jeito.

Eu: Acho que está certo.

Ela revira os olhos, sem querer aceitar.

Tiffy: "Falida, bocuda e teimosa" seria mais preciso… e deve ter sido isso mesmo que ela quis dizer.

Eu, com certeza um pouco embriagado: E o que eu seria, então?

Tiffy inclina a cabeça. Ela volta a me encarar, com uma intensidade que me faz querer desviar o olhar e, ao mesmo tempo, me debruçar na mesa e beijá-la por cima da vela na chaleira.

Tiffy: Bom, tem esperança em você, com certeza. Seu irmão está contando com isso.

Isso me pega de surpresa. Poucas pessoas sabem sobre a verdadeira situação de Richie; e menos ainda falariam dele sem incentivo. Tiffy está me observando, testando minha reação, como se fosse deixar o assunto de lado caso me veja sofrer. Sorrio. É bom falar sobre Richie assim. Como se fosse normal.

Eu: Então minha loção pós-barba vai ter cheiro de rosas?

Tiffy faz uma careta.

Tiffy: Os cheiros devem ser totalmente diferentes para os homens. Infelizmente, só conheço a arte da perfumaria feminina.

Quero encorajá-la para ouvir mais — quero saber o que ela pensa sobre mim —, mas é pretensioso perguntar. Então ficamos em silêncio, a chama da vela balançando rápido entre nós na chaleira, e eu tomo outro gole de uísque.

43

Tiffy

Não estou bêbada, mas também não estou sóbria. Sempre ouvi dizer que nadar no mar nos deixa com fome — bom, quase se afogar nos deixa fracos para bebida.

Além disso, uísque com gelo é muito forte.

Não consigo parar de rir. Leon com certeza também não está sóbrio; ele relaxou os ombros e seu sorriso torto agora é permanente. Além disso, ele parou de tentar arrumar o cabelo, então de vez em quando um novo cacho se liberta.

Ele está me contando de quando era criança e morava em Cork e das armadilhas elaboradas que Richie e ele criavam para irritar o namorado da mãe (e é por isso que estou rindo).

— Espere aí. Vocês estendiam um fio no corredor? Como as outras pessoas não tropeçavam também?

Leon balança a cabeça.

— A gente saía escondido e montava tudo depois que minha mãe tinha colocado a gente na cama. Whizz sempre ficava até tarde no pub. A gente aprendia muitos palavrões quando ouvia o cara tropeçar.

Dou risada.

— O nome dele era *Whizz*?

— Aham. Mas acho que não era de batismo. — A expressão dele fica séria. — Ele foi um dos piores, na verdade. Tratava minha mãe muito mal, sempre a chamava de burra. Mas mesmo assim ela continuava com ele. Sempre deixava que ele voltasse depois de pôr o cara para fora. Ela estava estudando para receber o diploma de segundo grau quando eles começaram a namorar, mas ele fez com que ela desistisse.

Faço cara feia. A história da armadilha de repente não é mais tão engraçada.

— Sério? Mas que filho da puta!

Leon parece um pouco impressionado.

— Falei alguma coisa errada? — pergunto.

— Não. — Ele sorri. — Não, só surpreendente. De novo. Você ia ganhar do Whizz em um concurso de palavrões.

Inclino a cabeça.

— Ah, obrigada — digo. — E seu pai? Ele foi embora?

Leon está quase na horizontal, como eu — estamos compartilhando a cadeira para os pés. Ele está com as pernas cruzadas na altura dos tornozelos e o copo de uísque na ponta dos dedos, girando o líquido à luz da vela. O restaurante já está quase vazio; os garçons limpam discretamente as mesas do outro lado do salão.

— Ele foi embora quando Richie nasceu, se mudou para os Estados Unidos. Quase não me lembro mais dele... Só imagens aleatórias... — Ele balança a mão. — Uma coisa ou outra. Minha mãe nunca fala dele. Só sei que ele trabalhava como bombeiro hidráulico em Dublin.

Arregalo os olhos. Não consigo imaginar não saber mais nada sobre meu pai, mas Leon fala como se não se importasse. Ele percebe minha expressão e dá de ombros.

— Nunca liguei para isso. Não fazia questão de saber mais sobre ele. Essa história incomodava o Richie na adolescência, mas não sei o que ele fez com relação a isso. A gente não conversa sobre nosso pai.

Parece que há mais a ser dito, mas não quero forçar a barra e estragar a noite. Toco o pulso dele por um instante; ele me lança outro olhar surpreso, curioso. O garçom se aproxima, talvez sentindo que nossa conversa não vai terminar nunca se ele deixar. Começa a retirar nossa mesa; só então tiro a mão do pulso de Leon.

— A gente deveria ir dormir, não? — sugiro.

— Provavelmente. — Ele se vira para o garçom. — Babs ainda está por aqui?

Ele faz que não com a cabeça.

— Já foi para casa.

— Ah. Ela disse em que quarto vou dormir? Ela falou que Tiffy e eu podíamos passar a noite aqui.

O garçom olha para mim, depois para Leon, depois de novo para mim.

— É… Acho… que ela imaginou… que vocês dois eram…

Leon leva um tempo para entender. Quando a ficha cai, ele grunhe e esconde o rosto nas mãos.

— Não tem problema — respondo, rindo de novo. — A gente está acostumado a dormir na mesma cama.

— Certo — diz o garçom, mais confuso do que nunca. — Bom, então está tudo bem?

— Não *ao mesmo tempo* — informa Leon. — A gente usa a mesma cama *em horários diferentes.*

— Certo — repete o garçom. — Bom, é… Eu posso…? Vocês precisam de alguma coisa?

Leon faz um gesto para que ele fique tranquilo.

— Não, pode ir para casa. Vou dormir no chão.

— A cama é grande — lembro. — A gente pode dividir.

Grito. Fui ambiciosa demais ao tentar me apoiar no tornozelo torcido enquanto me levantava da mesa. Em um instante, Leon está ao meu lado. Ele tem reflexos rápidos para um homem que bebeu tanto uísque.

— Estou bem — digo, mas deixo que ele ponha o braço em volta de minha cintura para me escorar enquanto manco pelo restaurante.

Depois de pouco tempo, quando chegamos à escada, ele diz:

— Foda-se.

E me pega no colo outra vez.

Solto um grito de surpresa e depois uma gargalhada. Não peço que ele me ponha no chão — não quero. Mais uma vez vejo o corrimão polido e os quadros engraçados com molduras douradas e cheias de rococó enquanto ele me carrega pela escada; mais uma vez ele abre a porta do meu quarto — nosso quarto — com o cotovelo e entra comigo, fechando a porta com um chute.

Ele me deixa na cama. O quarto está na penumbra, a luz do poste da rua cria triângulos amarelos no edredom e pinta o cabelo de Leon de dourado. Seus grandes olhos castanhos me encaram, o rosto a centímetros do meu enquanto ele tira o braço da minha cabeça com cuidado, para apoiá-la nos travesseiros.

Leon não se afasta. Nós nos encaramos, os olhares fixos, apenas poucos centímetros nos separando. O momento é tenso, cheio de possibilidades. Entro em pânico por um instante — e se eu começar a surtar de novo? —, mas estou louca para que ele me beije, e o pânico logo desaparece, esquecido. Posso sentir seu hálito nos meus lábios, ver seus cílios na luz fraca.

Então ele fecha os olhos e se afasta, virando a cabeça com um suspiro rápido, como se estivesse prendendo a respiração.

Caramba. Também me afasto, em dúvida de repente, e o encanto se quebra. Será que entendi errado os sinais? Os olhares fixos, a tensão, os lábios quase se tocando?

Minha pele está quente, e meu coração, disparado. Ele olha de novo para mim: ainda há desejo em seus olhos e uma ruguinha entre suas sobrancelhas. Tenho *certeza* de que ele estava pensando em me beijar. Talvez eu tenha feito alguma coisa errada — afinal, estou meio fora de forma. Ou talvez a maldição de Justin tenha se ampliado e agora estrague os beijos antes mesmo de começarem.

Leon se deita ao meu lado na cama. Parece absurdamente constrangido, e, enquanto mexe na camiseta, eu me pergunto se deveria tomar a iniciativa e beijá-lo, simplesmente encostar meu corpo no dele e puxar seu rosto. Mas e se eu não compreendi a situação direito e esse for um daqueles momentos em que deveria apenas deixar o assunto de lado?

Eu me ajeito com cuidado ao lado dele.

— É melhor a gente ir dormir, não é? — pergunto.

— É. — A voz dele soa baixinha.

Pigarreio. Bom, acho que é isso.

Ele se mexe um pouco. Seu braço esbarra no meu; minha pele fica arrepiada. Eu o ouço respirar fundo quando nos tocamos, apenas um suspiro baixo de surpresa. Então ele se levanta e vai para o banheiro, e eu fico ali, com a pele arrepiada e o coração disparado, encarando o teto.

44

Leon

A respiração dela fica mais calma. Arrisco um olhar de esguelha; posso ver o leve tremor das pálpebras enquanto Tiffy sonha. Ela está dormindo. Expiro devagar, tentando relaxar.

Espero de verdade que não tenha estragado tudo.

Não foi uma decisão típica minha, pegá-la no colo assim e colocá-la na cama. Só parecia... Não sei. Tiffy é tão impulsiva que é contagioso. Mas, claro, ainda sou eu, então a impulsividade desapareceu no momento potencialmente crucial e foi substituída por uma indecisão familiar e assustadora. Ela está bêbada e machucada — não posso beijar uma mulher bêbada e machucada, posso? Talvez possa. Talvez ela estivesse esperando por isso?

Richie tem fama de ser romântico, mas sempre fui mais. Ele costumava me chamar de fresco quando éramos adolescentes: enquanto estava sempre correndo atrás de tudo que tivesse olhado uma vez para ele, eu sonhava com a menina de quem gostava desde o ensino fundamental, mas tinha muito medo de falar com ela. Sempre fui o cara que pensa antes de se apaixonar — apesar de nós dois nos apaixonarmos com a mesma intensidade.

Engulo em seco. Penso na sensação do braço de Tiffy encostado no meu, em como os pelos do meu antebraço se eriçaram ao menor toque. Encaro o teto. Percebo tarde demais que as cortinas ainda estão abertas, a luz do poste entrando pela janela do quarto.

Enquanto estou deitado ali, pensando, observando a luz se mover pelo chão, percebo aos poucos que não amo Kay há muito tempo. Eu a amei, me senti próximo dela, gostava do fato de ela fazer parte da minha vida. Era seguro e fácil. Mas tinha me esquecido da incrível loucura que era se apaixonar por alguém e não conseguir pensar em mais nada. Kay e eu não tínhamos nenhuma faísca desde o último... ano, talvez?

Olho de novo para Tiffy, os cílios lançando sombras nas maçãs do rosto, e penso no que ela me contou sobre Justin. Os bilhetes me fizeram pensar que ele não era bom para ela — por que Tiffy teve que devolver todo aquele dinheiro de repente? Mas nada tão assustador quanto o que ela disse no trem. Porém, por mais que fossem importantes para mim, eram só bilhetes. Mais fácil mentir para si mesmo escrevendo e mais difícil para alguém notar.

Minha cabeça está muito cheia de pânico, arrependimento e uísque para dormir. Continuo encarando o teto. Ouço a respiração de Tiffy. Imagino tudo que poderia ter acontecido: se tivéssemos nos beijado e ela tivesse me impedido, se tivéssemos nos beijado e ela não tivesse...

Melhor parar. Esses pensamentos estão seguindo um caminho pouco apropriado.

Tiffy se vira, puxando o edredom com ela. Metade do meu corpo agora está descoberto. Mas não consigo ficar irritado. É importante que ela fique aquecida depois de quase se afogar.

Ela se vira de novo. Mais edredom. Agora só meu braço direito está coberto. Não vou conseguir dormir assim de jeito nenhum.

Vou ter que puxar de volta. Tento com cuidado primeiro, mas é como brincar de cabo de guerra. A mulher prendeu o edredom com mão de ferro. Como ela consegue ser tão forte se está inconsciente?

Vou ter que optar pelo puxão assertivo. Talvez ela não acorde. Talvez ela só...

Tiffy: Ai!

Ela veio com o edredom, rolando, e eu também pareço ter migrado para o meio da cama. Agora estamos cara a cara no escuro, em uma proximidade tentadora.

Minha respiração acelera. As bochechas dela estão vermelhas, e os olhos, pesados de sono.

Percebo tarde demais que ela acabou de dizer *ai*. O movimento deve ter puxado o tornozelo dela.

Eu: Desculpa! Desculpa!

Tiffy, confusa: Você tentou arrancar o edredom de mim?

Eu: Não! Eu só estava querendo pegar de volta.

Tiffy pisca, sonolenta. Quero muito beijá-la. Será que posso fazer isso agora? Ela provavelmente está mais sóbria. Mas então Tiffy estremece por causa do tornozelo dolorido e eu me sinto o pior ser humano do mundo.

Tiffy: Pegar de volta?

Eu: Bom, você meio que… roubou tudo.

Tiffy: Ah! Desculpa. Da próxima vez, me acorde. Vou voltar a dormir rapidinho.

Eu: Ah. Tudo bem. Claro. Desculpa.

Tiffy me lança um olhar divertido, meio sonolento enquanto rola para o outro lado, puxando o edredom até o queixo. Afundo a cabeça no travesseiro. Não quero que ela veja que estou sorrindo como um adolescente apaixonado porque ela acabou de dizer "da próxima vez".

45

Tiffy

Acordo com a luz do sol, o que é muito mais agradável do que as pessoas fazem parecer. Não fechamos as cortinas ontem à noite. Viro de costas para a janela por instinto e percebo que o lado direito da cama está vazio.

A princípio, parece absolutamente normal: afinal, acordo todo dia na cama de Leon sozinha. Meu cérebro sonolento pensa: *Ah, claro… Não, espere aí, mas o que…*

Há um bilhete no travesseiro dele.

Saí para comprar o café da manhã. Volto com doces. Bjos

Sorrio e rolo de volta para o outro lado para conferir a hora no telefone, que deixei na mesa de cabeceira.

Merda. Vinte e sete ligações perdidas, todas de um número desconhecido.

Mas que p…

Eu me levanto rápido, o coração disparado, e grito quando coloco o tornozelo no chão. Porra. Ligo para a caixa postal com uma sensação ruim no estômago. É como se… ontem tivesse sido bom demais para ser verdade. Alguma coisa horrível aconteceu… eu sabia que não deveria…

"Tiffy, você está bem? Vi a postagem da Rachel no Facebook. Você quase se afogou?"

É Justin. Fico imóvel enquanto a mensagem continua.

"Olha, sei que você está chateada comigo. Mas preciso saber se você está bem. Ligue para mim."

Há outras mensagens como essa. Outras doze, para ser precisa. Apaguei o número dele depois de uma sessão de terapia particularmente encorajadora, o que explica o número desconhecido. Mas acho que eu sabia quem era. Ninguém nunca me ligou tantas vezes seguidas, só Justin — normalmente depois de uma briga, ou de uma separação.

"Tiffy, isso é ridículo. Se eu soubesse onde você está, iria correndo até aí. Ligue para mim, está bem?"

Eu estremeço. Isso parece... Eu me sinto péssima. Como se o dia que passei com Leon não devesse ter acontecido. O que Justin faria se soubesse onde estive e o que andei fazendo?

Balanço a cabeça. Sei que não faz sentido. Estou ficando assustada de novo. Digito uma mensagem.

Estou bem, só torci o tornozelo. Por favor, não me ligue mais.

Em instantes, ele responde.

Ah, graças a Deus! Viu o que acontece quando não estou aí para cuidar de você? Fiquei muito preocupado. Vou me comportar e seguir as regras, nenhum contato até outubro. Só quero que saiba que estou pensando em você. Bjos

Olho a mensagem por um tempo. *Viu o que acontece quando não estou aí...?* Como se eu fosse *uma* idiota. Ontem, Leon precisou me tirar do mar, mas esta é a primeira vez em todo o fim de semana em que me sinto alguém que precisa ser resgatada.

Foda-se. Aperto *Bloquear* e apago todas as mensagens da caixa postal.

Vou mancando até o banheiro. Não é uma visão muito digna — as luminárias vagabundas das paredes balançam um pouco enquanto faço isso —, mas há algo de muito terapêutico nos passos pesados. *Bam, bam, bam. Justin, babaca, idiota.* Bato a porta do banheiro com uma força satisfatória.

Ainda bem que Leon saiu para comprar o café. Em primeiro lugar, porque ele não teve que testemunhar esta manhã horrível; e em segundo, porque vai voltar com alguma coisa extremamente calórica para fazer com que eu me sinta melhor.

Depois que tomei banho e vesti as roupas de ontem — que, por estarem cobertas de areia grossa e cascalho, talvez tire a esfoliação da minha lista de tarefas —, volto pulando e me jogo na cama, enterrando o rosto no travesseiro. Aff. Ontem foi tão legal e agora estou me sentindo terrivelmente suja, como se os recados tivessem deixado uma mancha. Mesmo assim, bloqueei o Justin, algo que nunca teria conseguido me convencer a fazer alguns meses atrás. Talvez eu deva ficar feliz com todas aquelas mensagens de voz por terem me levado a fazer isso.

Uso os cotovelos para erguer o corpo e pego o bilhete que Leon escreveu no papel de carta do hotel: *Bunny Hop Inn* está escrito em letras vistosas no rodapé. Mas a letra é a mesma de sempre — clara, pequena e redonda. Em um momento de sentimentalismo vergonhoso, dobro o papel ao meio e o guardo na bolsa.

Ouço uma leve batida na porta.

— Pode entrar!

Ele está com uma enorme camiseta turística em homenagem a Brighton. Meu humor multiplica por mil. Nada como um homem em uma camiseta engraçadinha para alegrar uma manhã — especialmente quando ele está segurando uma sacola de papel muito promissora com *Patisserie Valerie* escrita na lateral.

— Uma das melhores da Babs? — pergunto, apontando para a camiseta.

— Minha nova estilista — responde Leon.

Ele me passa a sacola de doces e se senta na beira da cama, passando a mão no cabelo. Está nervoso outra vez. Por que acho seu nervosismo tão fofo?

— Você conseguiu chegar ao chuveiro? — pergunta ele, por fim, indicando meu cabelo molhado. — Por causa do pé.

— Tomei banho que nem um flamingo — digo, recolhendo uma perna. Ele sorri. Ver um desses sorrisos tortos é como ganhar um jogo que eu nem sabia que estava jogando. — Mas a porta não tranca. Achei que você ia aparecer por lá, mas parece que o carma estava ocupado com outra coisa hoje.

Ele solta um *hummm* meio estrangulado e decide comer um croissant. Contenho um sorriso. Infelizmente, um dos efeitos colaterais de achar o nervosismo dele fofo é ser incapaz de resistir à possibilidade de dizer coisas que sei que vão deixá-lo incomodado.

— Mas, bom, você basicamente já me viu pelada — continuo. — Duas vezes. Então não seria uma grande novidade.

Desta vez, ele olha para mim.

— "Basicamente" — responde, enfático — não é a mesma coisa que "realmente". Na verdade, há diferenças importantes.

Meu estômago se contrai. Seja lá o que tenha acontecido ontem à noite, com certeza eu não estava errada sobre a tensão sexual. O ar chega a estar pesado.

— Sou eu que deveria estar preocupado com a falta de novidade — diz ele. — Você *realmente* me viu pelado.

— Eu queria saber… quando peguei você no chuveiro, você estava…

Ele some no banheiro tão rápido que mal ouço a desculpa que dá enquanto anda. Sorrio quando ele fecha a porta e liga o chuveiro. Acho que já tenho minha resposta. Rachel vai adorar.

46

Leon

Nunca me esforcei tanto para escrever os bilhetes. Era *muito* mais fácil quando só rabiscava ideias aleatórias para a amiga que ainda não tinha conhecido. Agora estou pensando em mensagens com cuidado para a mulher que ocupa a maior parte dos meus pensamentos.

É horrível. Eu me sento com caneta e Post-it e de repente esqueço todas as palavras. As mensagens de Tiffy são atrevidas, provocantes e irritantes como ela. Esta foi a primeira depois do fim de semana em Brighton, presa à porta do quarto:

Bom, oi, colega de quarto. Como está sendo a transição de volta para a vida noturna de sempre? Vi que Roberta e a família reviraram as lixeiras de novo enquanto a gente estava fora — são umas raposinhas mesmo.

Queria escrever para agradecer de novo por você ter me tirado do mar. Lembre-se de cair em uma grande porção de água em algum momento para que eu possa retribuir o favor, sabe, em nome da igualdade. E também porque acho que você ia ficar ótimo com aquele visual de sr. Darcy saindo do lago. Bjos

As minhas são formais e excessivamente pensadas. Escrevo quando chego do trabalho, depois reescrevo quando saio para trabalhar, depois passo a noite me arrependendo delas na casa de repouso. Até chegar em casa, ver a resposta e me sentir bem de novo. E o ciclo se repete.

Por fim, na quarta, tomo coragem para deixar esta mensagem no balcão da cozinha:

Planos para o fim de semana? Bjos

Fiquei paralisado, em dúvida, assim que saí do prédio e me afastei o máximo possível para a volta ser inviável. Pensando bem, o bilhete foi muito curto. Curto demais para o significado ter ficado claro? Talvez ofensivamente curto? Por que isso é tão difícil?

Mas agora estou me sentindo melhor.

Bom, vou ficar sozinha em casa este fim de semana. Quer vir para cá e preparar seu estrogonofe de cogumelos para mim? Só comi requentado e aposto que fica ainda melhor fresquinho. Bjos

Pego um Post-it e rabisco minha resposta.

Bolo de sobremesa? Bjos

Richie: Você está nervoso, não está?

Eu: Não! Não, não.

Richie bufa. Ele está de bom humor — e tem sido assim nos últimos tempos. Liga para Gerty a cada dois dias para saber do progresso da apelação. Tanta coisa para falar, ligações a cada dois dias pelo jeito são essenciais. Provas reexaminadas. Testemunhas surgindo. E, por fim, imagens da câmera de segurança obtidas.

Eu: Está bem. Estou um pouco nervoso.

Richie: Vai dar tudo certo, cara. Você sabe que ela gosta de você. Qual é o plano? Hoje é *o* dia.

Eu: Claro que não. Rápido demais.

Richie: Raspou as pernas por precaução?

Não me digno a responder. Richie ri.

Richie: Eu gosto dela, cara. Você arrumou uma das boas.

Eu: Não sei se "arrumei" nada ainda.

Richie: Por quê? Você acha... O ex?

Eu: Ela não ama mais o cara. Mas é complicado. Estou um pouco preocupado.

Richie: Ele era babaca?

Eu: Aham.

Richie: Ele machucava a Tiffy?

Meu estômago se revira só de pensar.

Eu: De certa forma. Ela não fala muito sobre isso comigo, mas... tenho um mau pressentimento em relação a ele.

Richie: Que merda. A gente está lidando com uma mulher traumatizada aqui?

Eu: Você acha?

Richie: Você está falando com o rei dos suores noturnos. Não sei, não conheço a Tiffy, mas, se ela ainda estiver processando alguma coisa que enfrentou, tudo que você pode fazer é estar presente e deixar que ela decida quando vai estar pronta para seja lá o que for.

O trauma do julgamento e do primeiro mês na prisão pegou Richie umas seis semanas depois da sentença. Mãos trêmulas, terrores repentinos, lembranças intrusivas, pânico ao menor barulho. Este último era o que mais o incomodava — ele parecia pensar que esse tipo de transtorno pós-traumático devia ser exclusivo de pessoas que realmente sofriam traumas relacionados a barulhos altos, como soldados.

Richie: E não tente tomar nenhuma decisão por ela. Não assuma que a Tiffy pode não estar se sentindo bem. Isso é da conta dela.

Eu: Você é um cara legal, Richard Twomey.

Richie: Diga isso aos juízes daqui a três semanas, maninho.

Chego ao apartamento por volta das cinco. Tiffy está com Mo e Gerty. Estranho estar aqui no fim de semana. É a casa dela agora.

Não raspo as pernas, mas levo um tempo estranhamente longo me aprontando. Não paro de pensar em onde vamos dormir hoje. Vou voltar para casa da minha mãe ou dormir aqui? Já dividimos a cama em Brighton...

Penso em mandar mensagem para dizer que vou ficar na casa da minha mãe hoje, para demonstrar boa vontade. Mas concluo que isso é fechar uma porta antes do necessário e é um exemplo de tomar decisões por ela, coisa que Richie pediu que eu não fizesse, então deixo para lá.

Chave na porta. Tento sair rápido do pufe, mas seria impossível até para uma pessoa com coxas de aço, então Tiffy entra e me encontra meio agachado, tentando me levantar.

Tiffy, rindo: Parece areia movediça, não parece?

Ela está linda. Blusa azul justa e saia cinza longa e leve, com sapatos cor-de-rosa que ela começa a tirar, se equilibrando na perna boa.

Eu me aproximo para ajudar, mas Tiffy me afasta com um gesto da mão, sentando-se no balcão da cozinha para facilitar o trabalho. O tornozelo dela parece menos rígido — bom sinal. Pelo visto, está melhorando.

Ela ergue as sobrancelhas para mim.

Tiffy: Está olhando para os meus tornozelos.

Eu: Meu interesse é puramente médico.

Ela sorri para mim, descendo do balcão e mancando até o fogão para examinar a panela.

Tiffy: O cheiro está ótimo.

Eu: Ouvi dizer que você gosta de estrogonofe de cogumelo.

Ela sorri de novo, dessa vez olhando para mim por cima do ombro, e eu quero parar atrás dela, pôr meus braços em sua cintura e beijar seu pescoço. Resisto à vontade, por ser muito presunçosa e pouco apropriada.

Tiffy: Falando nisso, olha o que estava no escaninho lá embaixo.

Ela aponta para um pequeno envelope branco no balcão da cozinha, endereçado a mim. Eu abro. É um convite, escrito com letras cuidadosas e um pouco tortas.

Caro Leon,

Vou dar uma festa de aniversário no domingo porque vou fazer oito anos. Venha, por favor!! Traga sua amiga Tiffy, a que gosta de tricô. Desculpa mandar o convite tão em cima da hora. Minha mãe disse que uma enfermeira péssima do St. Marks perdeu o convite de verdade e depois eles disseram que não podiam dar seu endereço, mas avisaram que iam mandar isto por mim, então espero que você receba a tempo. Bom, venha, por favor!

Bjoooooooooooos,

Holly

Sorrio e mostro para Tiffy.

Eu: Talvez não seja o que você tinha planejado para amanhã...

Tiffy, parecendo encantada: Ela se lembra de mim!

Eu: Holly estava obcecada por você. Mas a gente não precisa ir.

Tiffy: Você está brincando? Claro que a gente vai. Por favor. Só se faz oito anos uma vez, Leon.

47

Tiffy

Não achei que comer bolo de chocolate podia ser tão sensual. Estamos sentados no sofá, diante da TV (que normalmente só é usada como prateleira), segurando taças de vinho e com nossas pernas se tocando. Na verdade, estou quase sentada no colo dele. Com certeza é onde eu *queria* estar.

— Vamos — peço, cutucando-o com o joelho. — Conte a verdade.

Ele parece incomodado. Estreito os olhos para ele, me aproximando, meu olhar nos seus lábios. Ele está fazendo a mesma coisa — aquela olhada rápida para olhos, lábios e olhos de novo que parece nos aproximar ainda mais —, e pairamos no momento como se estivéssemos no alto de uma corda bamba, esperando a gravidade nos afetar, sentindo a atração, mas sem ceder. Não há dúvidas desta vez: eu *sei* que ele está pensando em me beijar.

— Conta para mim — repito.

Ele inclina a cabeça, mas, no último instante, afasto-me um pouco e ele solta um suspiro, meio rindo, meio frustrado com a provocação.

— Muito mais baixa — responde ele, relutante, afastando-se também e pegando outro pedaço de bolo.

Eu o observo lamber o chocolate dos dedos. É incrível... sempre achei estranho nos filmes quando as pessoas achavam sexy ver os outros lambendo coisas, mas aqui está Leon, provando que eu estava errada.

— Mais baixa? Só? Isso eu já sei.

— E... mais atarracada.

— Atarracada! — Era isso que eu queria ouvir. — Você achou que eu ia ser atarracada?

— Eu só... supus! — diz Leon, aproximando-se e me puxando outra vez, fazendo com que eu fique quase apoiada no peito dele.

Eu me apoio nele, adorando a sensação.

— Baixinha e atarracada. O que mais?

— Achei que você se vestisse de um jeito estranho.

— Bom, eu me visto — lembro, apontando para as roupas secando no varal, que incluem minha calça brilhante vermelha e o casaco de tricô colorido que Mo me deu de aniversário ano passado (mas usar ambas as peças ao mesmo tempo seria demais até para mim).

— Mas combina com você — explica ele. — Você faz as combinações funcionarem. Elas fazem você parecer você.

Eu rio.

— Bom, obrigada.

— E você? — pergunta ele, mudando um pouco de posição para tomar outro gole de vinho.

— E eu o quê?

— Como achava que eu seria?

— Eu roubei e procurei você no Facebook — admito.

Leon parece chocado, o vinho a meio caminho da boca.

— Nem pensei nisso!

— Claro que não pensou. Quer dizer, eu ia querer saber como uma pessoa é se ela fosse se mudar para meu apartamento e dormir na minha cama, mas você não se importa muito com aparências, não é?

Ele pensa no assunto.

— Me importei com a sua depois que vi. Se não fosse isso, que diferença faria? A primeira regra da divisão do apartamento era que a gente não ia se encontrar.

Começo a rir.

— Então *essa* a gente quebrou.

— Essa?

— Deixa para lá.

Desdenho da ideia com um aceno. Não quero explicar “a principal regra” de Gerty nem quanto tempo passei pensando em quebrá-la.

— Ahhhh — diz Leon, de repente, olhando meu relógio de Peter Pan sobre a geladeira. Meia-noite e meia. — Está tarde. — Ele olha para mim, preocupado. — Perdi a noção do tempo.

Dou de ombros.

— Não tem problema.

— Não posso voltar para a casa da minha mãe agora. O último trem saiu à meia-noite e dez. — Ele parece estar sofrendo. — Então vou... dormir no sofá? Se estiver tudo bem para você.

— No sofá? Por quê?

— Para você ficar com a cama?

— O sofá é minúsculo. Você vai ter que ficar em posição fetal. — Meu coração está batendo forte. — Você tem o seu lado, eu tenho o meu. A gente seguiu a regra da esquerda e da direita o ano inteiro. Por que isso teria que mudar agora?

Leon me observa, os olhos passando pelo meu rosto como se tentasse me analisar.

— É só uma cama — digo, aproximando-me de novo. — A gente já dividiu uma cama.

— Não sei... se isso seria tão fácil — responde Leon, a voz um pouco estrangulada.

Num impulso, inclino-me para a frente e pressiono os lábios de leve na bochecha dele, depois outra vez, e de novo, até ter feito um caminho da maçã do rosto dele à beira dos lábios.

Eu me afasto e olho nos olhos dele. Minha pele já está zumbindo, mas o olhar que ele me lança me causa um arrepio, e é como se, de repente, oitenta por cento do meu corpo se restringisse às batidas do coração. Engulo em seco. É impossível que dois humanos fiquem tão próximos sem se beijar. Não sinto nenhuma faísca de pânico desta vez, apenas um desejo delicioso e violento.

Então, por fim, beijo Leon.

Quando beijei a bochecha dele, tinha planejado fazer com que nosso primeiro beijo fosse suave e lento, o tipo de beijo que sentimos até nos dedos do pé, mas, quando finalmente chego a esse ponto, fica claro que houve espera e tensão sexual demais para isso. Então acaba sendo um beijo de verdade, do tipo que costuma acontecer quando estamos tropeçando para chegar na cama. Com isso, não fico surpresa ao descobrir, quando paramos para respirar, que estou no colo dele, o cabelo pendendo dos dois lados do corpo, a saia longa puxada para as coxas, as mãos dele em minhas costas, puxando-me para o mais perto possível.

Paramos por um breve instante. Eu me viro para deixar a taça de vinho sem cerimônia na mesinha de centro e mudo um pouco de posição para não forçar tanto o tornozelo, e nos beijamos de novo, famintos, meu corpo responde com um desejo que realmente acho que nunca senti. Uma das mãos dele vai para minha nuca, passando pela lateral do meu seio no caminho, e eu quase grito. Tudo parece acontecer muito rápido.

Não tenho ideia do que vai vir em seguida. Na verdade, não consigo nem pensar nessa questão. Estou absurdamente grata por isso — qualquer lembrança anterior ou sobre meu ex evaporou. O corpo de Leon é rígido e quente, e só consigo pensar em tirar a roupa para ficar ainda mais perto dele. Quando começo a desabotoar sua camisa, ele solta minha cintura para me ajudar. Tira e joga a blusa para trás do sofá, onde ela fica pendurada na luminária, como uma bandeira. Passo as mãos pelo peito de Leon, encantada com a estranheza de poder tocar nele assim. Me afasto só por tempo suficiente para tirar minha blusa.

Ele respira fundo e me interrompe quando me inclino para beijá-lo de novo, me segurando pelos ombros, olhando meu corpo. Estou com um chemise fino sob a blusa, e o decote segue a linha do meu sutiã, formando um V profundo.

— Meu Deus — diz ele, a voz rouca. — Olhe só para você.

— Nada que você já não tenha visto antes — lembro, já me aproximando, impaciente por outro beijo.

Ele continua me segurando e me encarando. Solto um gemido de frustração, mas ele beija minha clavícula, então mais baixo, em direção aos meus seios. Paro de reclamar na hora.

Está se tornando impossível formar ideias por mais de dois segundos. Elas simplesmente evaporam. Sinto uma parte considerável do cérebro redirecionando seus esforços para o sexo. A parte que lida com a dor, por exemplo, esqueceu-se totalmente do tornozelo e ficou muito mais interessada no que os lábios de Leon estão fazendo à medida que seus beijos se aproximam do meu sutiã. A área que costuma analisar se fico gorda em algumas roupas aparentemente sumiu. Comecei a gemer porque o centro de fala do meu cérebro também está claramente sem ação.

As mãos de Leon mergulham sob minha saia, tocando a seda da calcinha. Coloquei uma bonita, claro. Posso não ter planejado isso, mas também não tinha *não* planejado.

Eu me afasto e arranco o chemise — só está atrapalhando. Vou ter que sair do colo dele para nós dois podermos tirar mais peças de roupa, mas não sei mesmo se quero. Meu cérebro se esforça muito para pensar a longo prazo, mas não adianta, obviamente, então abandono o problema e torço para que Leon tenha alguma solução.

— Cama? — pergunta ele, os lábios de novo em meu pescoço.

Faço que sim, mas, quando ele se mexe para se levantar, murmuro uma reclamação e baixo a cabeça para beijá-lo outra vez. Sinto seu sorriso em meus lábios.

— Não consigo chegar na cama se você não me deixar levantar — lembra ele, tentando se movimentar de novo.

Faço uma reclamação incoerente. Ele ri, lábios ainda nos meus.

— Sofá? — sugere ele, então.

Melhor. Eu sabia que Leon teria uma solução. Relutante, saio de seu colo para que ele possa se mexer. Suas mãos puxam o tecido da minha saia, os dedos procurando um zíper ou botão.

— Tem um zíper invisível — digo, virando-me para achá-lo na costura do quadril.

— Que roupas chatas — declara Leon, ajudando-me.

Como antes, tento pressionar o corpo no dele outra vez, mas ele me interrompe e olha para mim. Meu rosto está ruborizado. Abro seu cinto, e ele respira fundo. Seus olhos voltam ao meu rosto enquanto desabotoo sua calça.

— Você não vai me ajudar? — pergunto, sobrancelhas erguidas, enquanto brigo com o botão.

— Vou deixar essa parte para você. Leve o tempo que precisar.

Sorrio. Ele tira a calça e me puxa para me deitar ao seu lado no sofá. Somos uma bagunça de membros, almofadas e pele. Não cabemos nem um pouco ali. Não há espaço. Estamos rindo agora, mas só entre beijos, e, onde quer que o corpo dele toque no meu, é como se alguém tivesse reprogramado meus nervos para sentir com cinco vezes mais intensidade do que o normal.

— De quem foi a ideia do sofá mesmo? — pergunta Leon.

Sua cabeça está na altura do meu peito; ele beija a parte de baixo do meu sutiã agora e solto um gemido. Estou incrivelmente desconfortável, mas, por mim, o desconforto é um preço pequeno a se pagar.

É só quando ele me dá uma cotovelada na barriga ao tentar se sentar para me beijar que eu me rendo.

— Cama — digo, firme.

— Mulher sensata.

Levamos outros dez minutos para realmente nos mexer. Ele se levanta primeiro e, quando começo a me levantar, se abaixa para me pegar no colo.

— Eu consigo andar — reclamo.

— Já virou tradição. Além disso, vai ser mais rápido.

Ele está certo... em segundos, estou deitada na cama e Leon está em cima de mim, os lábios quentes nos meus, a mão no meu seio. Não há risadas agora. Mal posso respirar de tão excitada. É absurdo. Não posso mais esperar.

Então a campainha toca.

48

Leon

Nós dois congelamos. Ergo a cabeça e olho para ela. Tiffy está com as bochechas vermelhas, os lábios inchados e o cabelo um emaranhado ruivo sobre os travesseiros brancos. Absurdamente sexy.

Eu: É para você?

Tiffy: O quê? Não!

Eu: Todo mundo que conheço sabe que não fico aqui no fim de semana!

Tiffy grunhe.

Tiffy: Não me faça perguntas complicadas. Não consigo... pensar agora.

Volto a beijá-la, mas a campainha toca pela segunda vez. Solto um palavrão. Rolo para o lado; tento me acalmar.

Tiffy faz o mesmo e fica em cima de mim.

Tiffy: Eles vão embora.

De repente, parece de longe a melhor sugestão. O corpo dela é maravilhoso. Não consigo parar de tocá-la — sei que estou exagerando, mãos por todos os lados, mas não quero perder nada. O ideal seria ter pelo menos outras dez mãos.

A campainha toca de novo. E de novo. Em intervalos de cinco segundos. Tiffy se joga de volta no seu lado da cama e solta um grunhido.

Tiffy: Que merda é essa?

Eu: A gente deveria atender.

Ela estende o braço e deixa o indicador correr do meu umbigo até a cueca. Não consigo pensar em mais nada. Quero Tiffy. Quero Tiffy. Quero Tiffy. Quero...

Campainha campainha campainha campainha.

Tiffy: Porra! Vou lá atender.

Eu: Não, eu vou. Posso me enrolar em uma toalha e fingir que estava no banho.

Tiffy olha para mim.

Tiffy: Como é que você consegue pensar em uma coisa dessas agora? Meu cérebro parou de funcionar. Você claramente tem um poder de distração maior do que eu.

Ela está deitada na cama, nua da cintura para cima, apenas uma calcinha de seda a impedindo de estar totalmente nua. Só uma força de vontade enorme e uma campainha alta e insistente conseguem me conter.

Eu: Confie em mim. Você me distrai demais.

Tiffy me beija. A campainha agora toca sem parar. Não para mais. A pessoa afundou o dedo no botão.

Seja quem for, eu já odeio.

Me afasto de Tiffy, solto outro palavrão e pego uma toalha enquanto tropeço do quarto para o corredor. Preciso me controlar. Vou só atender a porta, socar a pessoa que interrompeu a gente e voltar para cama. Um plano bom e concreto.

Aperto o botão para liberar a entrada no prédio, depois abro a porta e espero. Me ocorre tarde demais, que, como meu cabelo está seco, não vai parecer que acabei de sair do chuveiro.

Não conheço o homem que aparece no corredor. Também não é um tipo fácil de socar. É alto, forte como quem passa muito tempo na academia. Cabelo castanho, barba bem-feita, camisa cara. Expressão irritada.

De repente, tenho uma sensação ruim. Queria estar usando mais que uma toalha.

Eu: Posso ajudar?

Ele parece confuso.

Homem de expressão irritada: Aqui não é a casa da Tiffy?

Eu: É. Divido o apartamento com ela.

Homem de expressão irritada não parece muito feliz.

Homem de expressão irritada: Bom, ela está?

Eu: Desculpa, você disse seu nome?

Ele me lança um olhar demorado e irritado.

Homem de expressão irritada: Sou o Justin.

Ah.

Eu: Não, ela não está.

Justin: Achei que ela ficasse em casa no fim de semana.

Eu: Ela te falou isso?

Justin parece incomodado por um instante. Mas disfarça bem.

Justin: É, ela mencionou da última vez em que a vi. O acordo de vocês. A história de dividir a cama etc.

Ela com certeza não contou nada disso. Tenho quase certeza de que ela saberia que ele não ia gostar. Linguagem corporal extremamente hostil sugere que ele não gosta mesmo.

Eu: Dividir quarto. Mas é. Ela normalmente fica aqui no fim de semana, mas viajou.

Justin: Para onde?

Dou de ombros. Pareço entediado. Ao mesmo tempo, me estico um pouco, para ele perceber que temos a mesma altura. Estou bancando o homem das cavernas, mas me sinto bem com isso.

Eu: Como vou adivinhar?

Justin, de repente: Posso ver o apartamento?

Eu: O quê?

Justin: Posso ver o apartamento? Quero dar uma olhada.

Ele já está avançando na minha direção como se fosse entrar. Imagino que seja assim que consiga as coisas: pedindo algo absurdo e depois simplesmente fazendo o que tem vontade.

Não saio da porta. Por fim, ele para porque estou no caminho.

Eu: Não. Desculpe. Não pode.

Ele sente minha hostilidade. Está irritado. Já estava com raiva quando chegou aqui. É um cachorro na coleira, louco por uma briga.

Justin: Por que não?

Eu: Porque o apartamento é meu.

Justin: E da Tiffy. Ela é minha…

Eu: Sua o quê?

Justin não termina a mentira. Ele deve imaginar que eu sei se Tiffy está solteira ou namorando.

Justin: É complicado. Mas somos muito próximos. Posso prometer que ela não se importaria se eu desse uma olhada no lugar para conferir se é bom para ela. Imagino que vocês tenham um contrato de sublocação? Assinado pelo dono do imóvel e tal?

Não quero falar sobre isso com esse cara. Também não tenho acordo de sublocação. O proprietário não fala comigo há anos, então simplesmente não… mencionei Tiffy.

Eu: Você não pode entrar.

Justin alinha o corpo com o meu. Só estou usando uma toalha na cintura; estamos cara a cara. Posso apostar que Tiffy não gostaria que isso virasse uma briga.

Eu: Estou com uma mulher aqui, cara.

Justin afasta a cabeça em um movimento rápido. Não estava esperando isso.

Justin: Está?

Eu: É. Então eu adoraria se você…

Ele estreita os olhos.

Justin: Quem é?

Ah, pelo amor de Deus.

Eu: Isso não é da sua conta.

Justin: Não é a Tiffy?

Eu: Por que acharia que é a Tiffy? Já falei…

Justin: É. Ela viajou esse fim de semana. Mas sei que ela não está com os pais, e a Tiffy não sai de Londres sozinha por nada, só para ir para casa. Então…

Ele tenta me empurrar, mas estou preparado. Apoio o peso contra ele, desequilibrando-o.

Eu: Vá embora. Agora. Não sei qual é seu problema, mas, assim que você entrou no meu apartamento, você desrespeitou uma lei, então, se não quer que eu chame a polícia — se é que a mulher no meu quarto já não fez isso —, pode sair daqui.

Vejo as narinas dele se inflarem. Ele quer brigar; precisa de toda a sua energia para não fazer isso. Não é um homem agradável. Mas percebo que estou pronto para a briga também. Estou quase torcendo para ele me dar um soco.

Mas ele não dá. Seus olhos se voltam para a porta do quarto e depois veem minha calça jogada no chão. Minha camisa pendurada na luminária de macaco ridícula da Tiffy. Graças a Deus as roupas dela não estão à vista — imagino que ele as reconheceria. Que ideia desagradável.

Justin: Vou voltar para ver a Tiffy.

Ele se afasta.

Eu: Talvez seja melhor ligar da próxima vez para saber se ela está em casa. E se quer ver você.

Bato a porta na cara dele.

49

Tiffy

Quer dizer, ninguém diria que é legal seu ex-namorado aparecer quando se está pegando um cara novo. Ninguém ia querer que uma coisa assim acontecesse, a não ser que fosse um fetiche bem estranho.

Mas com certeza ninguém ficaria tão abalado.

Estou tremendo — não só minhas mãos, mas também as pernas, até bem acima dos joelhos. Tento me vestir da maneira mais silenciosa possível, paralisada com a possibilidade de Justin entrar e me ver só de calcinha, mas só consigo chegar até a metade antes que o medo de ser ouvida supere esse impulso. Desabo na cama só de calcinha, sutiã e um enorme casaco com desenhos do Papai Noel (era a coisa mais próxima dentro do armário).

Quando a porta do apartamento bate, tenho um sobressalto, como se alguém tivesse puxado um gatilho. É ridículo. Meu rosto está úmido com as lágrimas e estou realmente assustada.

Leon bate com cuidado na porta do quarto.

— Sou só eu. Posso entrar?

Respiro fundo, trêmula e enxugo as lágrimas.

— Sim, pode.

Ele me olha rápido e faz o mesmo que fiz: vai até o armário e pega a primeira roupa que vê na frente. Depois de vestido, ele se senta na outra ponta da cama. Fico agradecida. De repente, não quero estar perto de ninguém nu.

— Ele foi embora mesmo? — pergunto.

— Esperei até ouvir a porta do prédio fechar. Ele foi embora.

— Mas Justin vai voltar. E não consigo lidar com a ideia de ter que vê-lo de novo. Eu não... Eu o odeio. — Respiro fundo outra vez, ainda trêmula, sentindo as lágrimas escorrerem de novo. — Por que ele estava tão *irritado*? Será que ele sempre foi assim e eu só esqueci?

Estendo a mão para Leon; quero ser abraçada. Ele muda de posição na cama e me puxa, deitando-me à sua frente e colando o corpo ao meu.

— Ele percebeu que está perdendo o controle sobre você — diz Leon, baixinho. — Está com medo.

— Bom, não vou voltar para ele.

Leon beija meu ombro.

— Você quer ligar para o Mo? Ou para a Gerty?

— Você pode ficar comigo?

— Claro.

— Só quero dormir.

— Então vamos dormir.

Ele estende a mão para pegar a coberta de Brixton, puxa-a sobre nós dois, depois se inclina para apagar a luz.

— Pode me acordar se precisar de mim.

Não sei como, mas durmo a noite toda e só acordo ao som do cara do apartamento de cima fazendo o que quer que ele faça às sete da manhã (parece algum tipo de aeróbica empolgada que envolve muitos pulos. Eu ficaria irritada, mas é muito melhor do que meu despertador me acordando para trabalhar).

Leon sumiu. Eu me sento na cama, os olhos inchados por ter ido dormir chorando, e tento entender a realidade outra vez. Quando estou conseguindo processar o dia anterior — infelizmente a parte boa do sofá teve um fim triste com a chegada de Justin —, Leon põe a cabeça para dentro do quarto.

— Chá?

— Você que fez?

— Não, pedi para o elfo doméstico.

Sorrio ao ouvir isso.

— Não se preocupe. Falei para ele fazer o seu bem forte. Posso entrar?

— Claro que pode. É seu quarto também.

— Não quando você está aqui.

Ele me entrega uma xícara de chá bem forte. É a primeira xícara de chá que ele faz para mim, mas, assim como sei que ele gosta de tomar o dele com leite, Leon deve ter descoberto como gosto do meu. É estranho ver como é fácil conhecer alguém pelos vestígios que a pessoa deixa para trás.

— Sinto muito por ontem à noite, eu...

Leon balança a cabeça.

— Por favor, não precisa se desculpar. A culpa não é sua.

— Bom, eu namorei o cara. Por vontade própria.

Meu tom é leve, mas Leon franze a testa.

— Relacionamentos como esse param de ser "voluntários" muito rápido. Existem muitas maneiras de uma pessoa fazer a outra ficar, ou achar que quer ficar.

Inclino a cabeça, olhando para Leon enquanto ele se senta na beira da cama, os antebraços apoiados nos joelhos, ambas as mãos segurando a xícara de chá. Ele está falando comigo por sobre o ombro e, toda vez que olha nos meus olhos, tenho vontade de sorrir. Ele penteou o cabelo — nunca o vi tão arrumado, alisado atrás das orelhas e formando cachos perto da nuca.

— Você parece muito bem informado — digo, com cuidado.

Ele não me encara.

— Minha mãe passava muito tempo com homens abusivos.

A palavra me dá arrepios. Leon percebe.

— Desculpa — pede.

— O Justin nunca me bateu — afirmo, rápido, ficando vermelha.

Aqui estou eu, fazendo um escândalo por causa de um namorado que mandava em mim, enquanto a mãe de Leon passou...

— Não quis dizer esse tipo de abuso — explica ele. — Quis dizer emocional.

— Ah.

Era isso que Justin fazia?

Era, penso na hora, antes de ter tempo para duvidar de mim mesma. Claro que era, porra. Luci, Mo e Gerty estão tentando me dizer isso há meses, não? Tomo um gole de chá, escondendo-me atrás da xícara.

— Era difícil perceber — explica Leon, encarando o chá. — Mas ela está bem melhor agora. Muita terapia. Bons amigos. Chegando à raiz do problema.

— Hum. Estou experimentando... essa história de terapia também.

Ele assente.

— Isso é bom. Vai ajudar.

— Acho que já está ajudando. Foi ideia do Mo, e ele sempre está certo sobre tudo.

Eu adoraria ser confortada por Mo agora, na verdade. Quando olho ao redor, procurando o celular, Leon aponta para a mesa de cabeceira.

— Vou deixar você sozinha para ligar. E não se preocupe com o aniversário da Holly. Aposto que é a última coisa que você...

Ele para ao ver minha expressão escandalizada.

— Você acha que vou perder o aniversário da Holly por causa de ontem?

— Bom, só achei que isso tinha exigido muito de você e...

Faço que não com a cabeça.

— De jeito nenhum. A última coisa que quero é deixar essa... história do Justin atrapalhar as coisas importantes.

Ele sorri, e seu olhar encontra o meu.

— Tudo bem. Obrigado.

— A gente tem que sair para comprar um presente! — grito quando ele sai do quarto.

— Já dei a saúde de presente para ela! — berra ele de volta.

— Isso não serve. Tem que ser alguma coisa que dê para colocar numa caixa!

50

Leon

A casa da mãe de Holly é uma construção geminada caindo aos pedaços em Southwark. Todas as paredes estão com a tinta descascada e quadros apoiados, não pendurados, mas tudo é muito simpático. Só um pouco gasto.

Crianças entram e saem correndo quando chegamos. Fico um pouco assustado. Ainda estou processando a noite anterior, ainda zumbindo com a adrenalina da quase briga com Justin. Demos queixa do incidente na polícia, mas quero fazer mais. Tiffy deveria pedir uma ordem de restrição. Mas não posso sugerir. A escolha é dela. Não tenho o que fazer.

Entramos na casa. Há muitos chapéus de festa e alguns bebês chorando, talvez levado às lágrimas pelas crianças de oito anos aos berros.

Eu: Você está vendo a Holly?

Tiffy fica na ponta do pé (do pé bom).

Tiffy: É ela ali? Na fantasia de *Star Wars*?

Eu: *Star Trek*. E não. Talvez seja aquela menina na cozinha.

Tiffy: Tenho quase certeza de que é um menino. Você não me disse que era esporte fino?

Eu: Você também leu o convite!

Tiffy me ignora, pega um chapéu de caubói abandonado e o coloca na minha cabeça.

Viro para o espelho do corredor. O chapéu se equilibra muito mal no meu cabelo. Tiro e coloco na cabeça de Tiffy. Muito melhor. Uma coisa meio vaqueira sexy. Muito clichê, claro, mas sexy mesmo assim.

Tiffy confere o reflexo no espelho e afunda mais o chapéu na cabeça.

Tiffy: Tudo bem. Então você vai ser um feiticeiro.

Ela tira das costas de uma cadeira uma capa coberta com luas e estende os braços para colocá-la em meus ombros, prendendo-a com um laço no meu pescoço. Sentir os dedos dela me faz pensar na noite anterior. É um local muito pouco apropriado para esse tipo de pensamento, então tento deixar isso para lá, mas Tiffy não está ajudando. Ela passa as mãos pelo meu peito em um gesto que lembra o momento no sofá.

Agarro a mão dela.

Eu: Não pode fazer isso.

Tiffy ergue as sobrancelhas, atrevida.

Tiffy: Fazer o quê?

Bom, se ela está planejando me torturar, deve estar se sentindo um pouco melhor.

Por fim, localizo Holly sentada na escada e percebo por que foi tão difícil encontrá-la. Está totalmente transformada. Olhos brilhantes. Cabelo mais grosso e saudável, caindo no rosto e sendo soprado para trás com impaciência enquanto ela fala. Parece até que engordou um pouco.

Holly: LEON!

Ela desce a escada correndo. Está vestida de Elsa, de *Frozen*, assim como toda menina que fez aniversário no Ocidente desde 2013. Está um pouco grande para se fantasiar, mas, por outro lado, ela perdeu a maior parte da infância internada num hospital.

Holly: Cadê a Tiffy?

Eu: Ela também veio. Só foi ao banheiro.

A resposta parece acalmá-la. Holly passa o braço pelo meu e me arrasta até a sala para que eu experimente os enroladinhos de salsicha que já foram cutucados por muitas crianças com dedos sujos.

Holly: Vocês já estão namorando?

Eu a encaro, o copo de plástico com suco de frutas a caminho da boca.

Holly revira os olhos, me convencendo de que ainda é a mesma pessoa, não uma sósia mais gordinha.

Holly: Ah, pelo amor de Deus. Vocês dois foram feitos um para o outro!

Olho em volta, nervoso, torcendo para que Tiffy não esteja perto para ouvir. Mas também estou sorrindo. Na mesma hora, penso na minha reação a comentários parecidos sobre mim e Kay — normalmente era o tipo de coisa que fazia Kay dizer que eu tinha medo de compromisso. Claro que esses comentários raramente vinham da boca de crianças pequenas e precoces com tranças falsas enroladas no pescoço (imagino que tenha caído da cabeça dela há algum tempo).

Eu: Na verdade...

Holly: Isso! Eu sabia! Já disse "eu te amo" para ela?

Eu: Ainda está meio cedo.

Holly: Não se você estiver apaixonado há um tempão.

Pausa.

Holly: E você está. É óbvio.

Eu, com cuidado: Não sei do que você está falando, Holly. Nós éramos amigos.

Holly: Amigos que se amam.

Eu: Holly...

Holly: Bom, você já disse que gosta dela?

Eu: Ela com certeza já sabe.

Holly estreita os olhos.

Holly: Sabe *mesmo*, Leon?

Fico um pouco abalado. Sim? Sabe? Os beijos foram uma pista clara, não?

Holly: Você é péssimo em contar às pessoas o que sente de verdade. Quase nunca dizia que gostava mais de mim do que dos outros pacientes. Mas eu sei que gostava.

Ela abre as mãos, como se dissesse: *É o mesmo caso aqui*. Tento não sorrir.

Eu: Bom, pode deixar que vou dizer.

Holly: Tudo bem. Vou contar para ela mesmo.

E ela sai correndo, atravessando a multidão. Merda.

Eu: Holly! Holly! Não diga nada...

Por fim, encontro as duas na cozinha. Chego no fim do que é claramente uma intervenção da parte de Holly. Tiffy está abaixada, sorrindo, o cabelo ruivo brilhando sob as luzes exageradas da cozinha.

Holly: Só quero que saiba que ele é legal *e* você é legal.

Ela fica na ponta dos pés e acrescenta, em um sussurro alto demais.

Holly: Isso significa que nenhum dos dois vai ser feito de capacho.

Tiffy olha para mim, sem entender.

Aperto os lábios enquanto algo derrete no meu peito. Interrompo as duas e puxo Tiffy para mim, estendendo a mão para bagunçar o cabelo de Holly. Criança estranha e clarividente.

51

Tiffy

Mo e Gerty chegam à tarde, depois que Leon foi para a casa da mãe. Conto a eles sobre o drama da última noite acompanhada por uma garrafa de vinho muito necessária. Mo assente da maneira mais empática possível; Gerty, por outro lado, não para de xingar. Ela criou alcunhas horríveis e muito criativas para Justin. Acho que estava guardando isso há algum tempo.

— Quer ficar lá em casa hoje? — pergunta Mo. — Pode dormir na minha cama.

— Obrigada, mas estou bem. Não quero fugir. Sei que ele não quer me machucar nem nada.

Mo não parece ter tanta certeza.

— Se você diz...

— Ligue a qualquer hora e a gente manda um táxi para buscar você — informa Gerty, terminando sua taça de vinho. — E me ligue amanhã de manhã. Quero saber como foi o sexo com Leon.

Eu a encaro.

— O quê?!

— Eu sabia! Dá para ver na sua cara — responde ela, parecendo muito satisfeita.

— Bom, na verdade, a gente não fez nada — digo, pondo a língua para fora. — Então você está errada. De novo.

Ela semicerra os olhos.

— Mas houve nudez. E... carícias.

— Foi neste sofá.

Ela dá um pulo como se tivesse sido picada. Mo e eu começamos a rir.

— Bom — continua Gerty, passando a mão pela calça skinny com nojo —, a gente vai encontrar o Leon na terça. Então pode deixar que vamos descobrir se as intenções dele são as que deveriam ser.

— Espera aí, você o quê?

— Vou conversar com ele sobre o andamento do caso.

— E o Mo vai junto porque...

Olho para Mo.

— Porque quero conhecer o Leon — responde ele, sem nenhuma vergonha. — O que foi? Todo mundo já conheceu.

— É, mas... Mas... — Estreito os olhos. — Ele é *meu* colega de apartamento.

— E *meu* cliente — lembra Gerty, pegando a bolsa no balcão. — Olha, conhecer o Leon pode ter sido uma tarefa hercúlea para você, mas a gente pode simplesmente convidá-lo para almoçar como pessoas normais.

O irritante é que não tenho como retrucar. E não posso culpar os dois por serem amigos superprotetores — sem isso, sem eles, eu provavelmente ainda estaria indo dormir chorando na casa de Justin. Ainda assim, não sei se estou pronta para a etapa de "apresentar para os amigos", e essa intromissão é irritante.

No entanto, tudo é perdoado quando chego em casa do trabalho na terça-feira e encontro este bilhete na mesinha de centro.

COISAS RUINS REALMENTE ACONTECERAM (Mo me pediu para lembrar você).

Mas você superou essas coisas ruins e é mais forte por causa disso. (Gerty me pediu para transmitir a mensagem... mas a versão dela tinha mais palavrões.)

Você é linda e eu nunca vou machucar você como ele fez.

(Essa parte fui eu.)

Bjos,

Leon

• • •

— Você vai me adorar — diz Rachel, na ponta dos pés para falar comigo por cima da parede de plantas.

Esfrego os olhos. Acabei de falar ao telefone com Martin, que agora resolveu me ligar em vez de atravessar o corredor. Suspeito que ele ache que isso o faça parecer ocupado e importante — ocupado e importante demais para levantar a bunda da cadeira e vir falar comigo. Ainda assim, agora tenho o poder de bloquear suas ligações e, quando preciso mesmo falar com ele, posso fazer caretas para Rachel ao mesmo tempo, então isso tem suas vantagens.

— Por quê? O que você fez? Comprou um castelo para mim?

Ela me encara.

— É tão *estranho* você ter dito isso.

Eu a encaro de volta.

— Por quê? Você comprou mesmo um castelo para mim?

— Claro que não. Porque, se eu pudesse comprar um castelo, compraria para mim primeiro, com todo o respeito. Mas isso tem mesmo a ver com um castelo.

Pego minha xícara e me levanto da mesa. Esta conversa exige chá. Fazemos o caminho costumeiro até a copa: damos a volta na sala dos coloristas para evitar as mesas do diretor editorial e do diretor-geral, nos escondemos atrás da pilastra perto da impressora para Hana não nos ver e chegamos à copa por um ângulo que nos permite ver se algum chefe está esperando para nos emboscar ali dentro.

— Vamos! Fale logo! — peço a Rachel quando estamos em segurança.

— Bom, sabe o ilustrador que contratei para fazer o segundo livro do pedreiro que virou designer, o lorde alguma coisa?

— Claro. O Lindo Lorde Ilustrador — digo.

É assim que eu e Rachel nos referimos a ele.

— Bom, o Lindo Lorde chegou à solução perfeita para a sessão de fotos da Katherin.

Agora o marketing quer mostrar os produtos do livro de Katherin. Os meios de comunicação tradicionais estão resistindo à moda — ainda não conseguem entender como youtubers que nem Tasha Chai-Latte influenciam as vendas —, então vamos bancar uma sessão de fotos e "espalhar pelas redes sociais". Tasha prometeu compartilhar em seu blog e, com apenas pouco mais de uma semana até o lançamento, o marketing e os RPs estão tendo surtos periódicos por causa dessa sessão.

— Ele *tem* um castelo — revela Rachel. — No País de Gales. E disse que a gente pode usar.

— É sério? De graça?

— Totalmente. Este fim de semana. E, como é muito longe para dirigir, ele garantiu que vai hospedar a gente no sábado à noite. *Em um castelo*! E a melhor parte é que Martin não pode me tirar da viagem porque eu sou só a designer... porque o Lindo Lorde Ilustrador está insistindo para *eu* levar a Katherin! — Ela bate palmas, feliz. — E você vai, óbvio, porque a Katherin não faz nada a não ser que você a proteja dos horrores que são o Martin e a Hana. Um fim de semana em um castelo galês! Um fim de semana em um castelo galês!

Faço *shhh*. Ela começou a cantar muito alto e está fazendo um tipo de dança do castelo (requebrando até demais) e, apesar de termos garantido que não há nenhum chefe na copa, nunca se sabe quando vão aparecer. É como o que as pessoas dizem sobre os ratos: estão sempre por perto.

— Agora a gente só tem que achar modelos dispostos a trabalhar de graça por dois dias — diz Rachel. — Quase não quero contar para o Martin. Não quero que ele comece a gostar de mim ou alguma coisa assim. Isso vai acabar com o equilíbrio do escritório.

— Conte! — peço. — É uma ideia ótima.

E é mesmo. Mas Rachel está certa. Katherin não vai sem mim, e isso significa um fim de semana inteiro longe do apartamento. Eu estava planejando passar parte do fim de semana com Leon. Pelada, de preferência.

Rachel ergue a sobrancelha, percebendo meu desânimo.

— Ah...

— Não, não, vai ser ótimo — garanto. — Um fim de semana com você e Katherin vai ser muito engraçado. Além disso, é uma visita grátis a um castelo! Vou fingir que estou procurando minha futura casa.

Rachel se apoia na geladeira, esperando nossos chás ficarem prontos, e me observa com cuidado.

— Você gosta mesmo desse cara, não é?

Eu me ocupo pegando os saquinhos de chá. Na verdade, gosto *mesmo* dele. É meio assustador. No geral, um assustador bom, mas também um pouquinho assustador de verdade.

— Bom, então leve o cara, para vocês não ficarem sem se ver.

Olho para ela.

— *Levar o Leon?* Como vou fazer isso ser aprovado com as Pessoas Responsáveis pelos Custos com Transporte?

— Me lembre como esse garanhão é — pede Rachel, saindo da frente para me deixar pegar o leite na geladeira. — Alto, moreno, bonito, com um sorriso sexy misterioso?

Só Rachel consegue dizer "garanhão" sem ironia.

— Será que ele não toparia ser modelo de graça?

Quase cuspo meu primeiro gole de chá. Rachel sorri e me passa uma toalha de papel para conter os danos no batom.

— Leon? Modelo?

— Por que não?

— Bom... Porque...

Ele odiaria, com certeza. Ou... talvez não. Ele se preocupa tão pouco com o que as outras pessoas pensam que, se alguém tirasse fotos dele e postasse na internet, provavelmente nem se incomodaria.

Mas, se ele concordar, isso significaria chamá-lo para viajar comigo no fim de semana, apesar de pouco convencional. E isso com certeza parece... *sério*. Coisa de namorados. Essa ideia faz minha garganta fechar e começa uma pequena onda de pânico em meu estômago. Engulo a sensação, irritada comigo mesma.

— Vamos lá. Pergunte — insiste Rachel. — Aposto que ele vai aceitar se isso significar mais tempo com você. E eu resolvo as coisas com o Martin. Depois que eu oferecer esse castelo, ele vai passar dias puxando meu saco.

• • •

É muito difícil saber como abordar o assunto. De início, pensei que ele surgiria de maneira natural na ligação, mas estranhamente castelos e/ou sessão de fotos não surgem na conversa, e agora são sete e quarenta e eu só tenho cinco minutos antes de Leon sair para o trabalho.

Não estou desistindo de convidá-lo. Desde a noite em que Justin apareceu, as coisas com Leon mudaram; isso é mais que tensão sexual e flertes através de bilhetes e, por algum motivo, estou com um pouco de medo. Quando penso nele, sinto uma onda incontrolável de alegria besta seguida por um pânico quase claustrofóbico. Mas desconfio que seja algum trauma em relação a Justin e, sinceramente, estou cansada de deixar que isso me impeça de fazer as coisas.

— Então — começo, fechando ainda mais meu cardigã. Estou na varanda; ela se tornou meu lugar favorito para telefonemas noturnos. — Você está livre esse fim de semana?

— Aham — diz ele.

Leon está jantando na casa de repouso enquanto conversa comigo, por isso está falando ainda menos que o normal, mas acho que isso vai me ajudar neste caso. Acho que a proposta precisa ser ouvida por inteiro antes de ser discutida.

— Bom, vou ter que ir para um castelo no País de Gales no fim de semana para tirar fotos dos tricôs com Katherin, porque sou responsável por ela e, apesar de ganhar uma miséria, supõe-se que vou trabalhar nos fins de semana quando me pedem, e é isso.

Um instante de silêncio.

— Hum... certo? — diz Leon.

Ele não parece incomodado. E, agora que estou pensando, ele não ficaria. Não é como se eu estivesse fugindo dele, já que tenho que trabalhar. E se alguém entende isso, é Leon.

Relaxo um pouco.

— Mas eu queria muito ver você — explico, antes que possa desistir. — E a Rachel teve uma ideia que pode ser horrível, mas também muito divertida.

— Hum...? — pergunta Leon, soando um pouco nervoso.

Ele já ouviu o suficiente sobre Rachel para saber que as ideias dela costumam envolver grandes quantidades de álcool e pouca discrição.

— O que você acha de passar um fim de semana comigo com todas as despesas pagas em um castelo galês… em troca de vestir umas peças de tricô e participar de uma sessão de fotos que depois vão ser postadas nas redes sociais da Butterfingers?

Ouço Leon engasgar do outro lado da linha.

— Você odiou a ideia — percebo, sentindo meu rosto corar.

Um longo silêncio. Eu nunca deveria ter sugerido isso — Leon gosta de noites sossegadas em casa com vinho e uma boa conversa, não de se exibir para as câmeras.

— Não odiei a ideia — responde Leon. — Só… estou absorvendo.

Eu espero, dando tempo a ele. A pausa é horrenda e então, quando acho que sei exatamente como essa vergonha vergonhosa vai terminar, Leon diz:

— Tudo bem.

Eu pisco, surpresa. Sob a varanda, Roberta Raposa caminha e um carro de polícia passa com a sirene gritando.

— Tudo bem? — pergunto, quando a rua volta a ficar silenciosa o bastante para ele me ouvir. — Você vai?

— Parece um preço relativamente pequeno a se pagar para um fim de semana com você. Além disso, a única pessoa que riria de mim por causa disso seria o Richie, e ele não tem acesso à internet.

— Está falando sério?

— Você também vai ser modelo?

— Ah, o Martin provavelmente acha que sou gorda demais — digo, balançando o braço. — Só vou estar lá como Kat-sitter.

— Vou conhecer esse Martin de quem a gente tanto gosta? E você vai para lá fazer o quê?

— Vou como Kat-sitter. Desculpe, é a palavra que a Rachel inventou, porque sempre sou a baby-sitter da Katherin. E, sim, o Martin vai coordenar a coisa toda. Ele vai estar especialmente chato porque vai ser o responsável.

— Ótimo — diz Leon. — Posso passar o tempo que estiver posando planejando a destruição dele.

OUTUBRO

52

Leon

Então. Estou parado entre duas armaduras, usando um suéter de lã, encarando um ponto à distância.

Minha vida ficou mais estranha depois de conhecer Tiffy. Nunca tive medo de uma vida estranha, mas, nos últimos tempos, tudo ficou mais... confortável. "Acomodado", Kay costumava dizer.

Não posso ficar assim por muito tempo com Tiffy por perto.

Ela está ajudando Katherin a arrumar os modelos. As outras duas parecem adolescentes desnutridas; Martin as encara como se fossem comestíveis. Elas são legais, mas a conversa morreu depois que falamos sobre a temporada atual de *Bake Off,* e agora estou só contando os minutos até Tiffy voltar para ajustar meu suéter de lã de maneiras imperceptíveis que (tenho quase certeza) são só desculpas para tocar em mim.

Lindo Lorde Ilustrador anda pelo set. Ele é um senhor chique agradável; seu castelo é um pouco malcuidado, mas tem salas e vistas épicas, então todos parecem satisfeitos.

Com exceção de Martin. Brinquei com Tiffy sobre planejar sua destruição, mas, quando não está salivando pelas modelos, ele parece estar pensando na maneira mais fácil de me empurrar da muralha. Não consigo entender. Ninguém aqui sabe sobre mim e Tiffy — achamos que assim seria mais fácil. Mas estou começando a achar que ele descobriu. E, mesmo que tivesse, por que se importaria a ponto de me olhar com tanta raiva?

Ah, bem. Faço o que me pedem e olho para uma direção um pouco diferente. Estou feliz por poder sair de casa este fim de semana; estava com a estranha sensação de que Justin ia aparecer. E vai, em algum momento. Claramente foi embora insatisfeito no sábado. Mas ele tem estado quieto desde então. Sem flores, sem mensagens, sem aparições onde quer que Tiffy esteja, apesar de não ter como saber onde ela vai estar. Suspeito. Estou com medo de que ele esteja preparando alguma coisa. Homens assim não vão embora depois de um susto.

Tento não bocejar (estou acordado há muitas, muitas horas, com apenas breves sonecas). Procuro Tiffy com o olhar. Ela está de galochas e calça jeans desbotada, deitada de lado em uma enorme cadeira estilo *Game of Thrones* situada na ponta da sala de armas, na qual provavelmente ninguém deve se sentar. Vejo um pouco de sua pele macia quando ela se mexe, o cardigã se abrindo. Engulo em seco. Volto a olhar para o ponto específico ao longe como o fotógrafo insiste em que eu faça.

Martin: Tudo bem. Vamos fazer um intervalo de vinte minutos!

Eu me afasto antes que ele possa me mandar fazer outra coisa e me impeça de conversar com Tiffy (até agora, tive que passar os intervalos mexendo em armas antigas, varrendo uma palha ou outra e conferindo um arranhão minúsculo no dedo de uma das modelos desnutridas).

Eu, me aproximando do trono de Tiffy: Qual é o problema daquele cara comigo?

Tiffy balança a cabeça e baixa as pernas para se levantar.

Tiffy: Olha, não tenho a menor ideia. Mas ele está sendo mais babaca com você do que com o resto da equipe, não está?

Rachel, sussurrando às minhas costas: Corram! Fujam! Ele está vindo!

Tiffy não precisa ouvir duas vezes. Ela pega minha mão e me arrasta para o saguão principal (caverna de pedra gigante com três escadas).

Katherin, gritando para nós: Você vai me deixar sozinha com ele?

Tiffy: Mas que droga, mulher! Imagine que ele é um deputado conservador dos anos 1970, está bem?

Não me viro para ver a reação de Katherin, mas posso ouvir a risada de Rachel. Tiffy me puxa para um nicho decorado que um dia parece ter abrigado uma estátua e me beija com empolgação.

Tiffy: Essa história de ficar olhando você o dia inteiro é insuportável. E estou morrendo de ciúme, porque todo mundo pode fazer isso também.

Sinto como se tivesse bebido algo quente — a sensação se espalha pelo meu peito, põe um sorriso nos meus lábios. Não sei direito o que dizer, então a beijo. Ela me imprensa na parede de pedra fria, as mãos se unindo atrás de meu pescoço.

Tiffy, contra minha boca: No próximo fim de semana.

Eu: Hum?

(Ocupado beijando).

Tiffy: Vamos ser só nós dois. Sozinhos. No nosso apartamento. E, se alguém interromper a gente ou arrastar você para cuidar do dedo machucado de uma menina de dezoito anos, eu mesma vou ordenar a execução dessa pessoa.

Pausa.

Tiffy: Desculpa. O castelo está me subindo à cabeça.

Me afasto, analiso o rosto dela. Não contei a Tiffy? Devo ter contado.

Tiffy: O quê? O que foi?

Eu: A audiência do Richie é na sexta. Desculpa. Vou passar o próximo fim de semana na casa da minha mãe. Não avisei?

Sinto um medo familiar. Parece o início de uma conversa desconfortável — esqueci de dizer algo a ela, estou mudando seus planos...

Tiffy: Mentira! É sério?

Meu estômago se revira. Tento puxá-la para mim de novo, mas ela afasta minhas mãos, os olhos arregalados.

Tiffy: Você não me contou! Leon... Eu não sabia. Eu sinto muito, mas... O lançamento do livro da Katherin...

Fico confuso. Por que *ela* está pedindo desculpa?

Tiffy: Eu queria ir, mas o lançamento do livro da Katherin é na sexta. Não acredito. Você pode pedir ao Richie para ligar quando eu estiver no apartamento? Quero me desculpar direito.

Eu: Pelo quê?

Tiffy revira os olhos, impaciente.

Tiffy: Por não poder ir à audiência!

Eu a encaro. Pisco, confuso. Relaxo quando percebo que Tiffy, na verdade, não está irritada comigo.

Eu: Não esperava...

Tiffy: Você está brincando? Você acha que eu não ia querer ir? É o Richie!

Eu: Você queria mesmo ir?

Tiffy: Queria, Leon. Queria muito.

Cutuco a bochecha dela com o dedo.

Tiffy, já rindo: Ai! O que foi isso?

Eu: Você é de verdade? Uma humana real?

Tiffy: É, eu sou real, idiota.

Eu: Pouco provável. Como pode ser tão legal e bonita? Você é um mito, não é? Vai se transformar em ogro à meia-noite?

Tiffy: Para com isso. Meu Deus, você se contenta com tão pouco! Por que eu não ia querer ir à audiência do seu irmão? Ele também é meu amigo. Na verdade, falei com ele antes de falar com você, se não se lembra.

Eu: Que bom que você não conheceu Richie primeiro. Ele é muito mais bonito do que eu.

Tiffy ergue as sobrancelhas.

Tiffy: Ah, foi por isso que você não falou a data da audiência?

Mexo os pés. Achei que tinha falado. Ela aperta meu braço.

Tiffy: Tudo bem, é sério. Estou só brincando.

Penso nos meses trocando bilhetes e compartilhando sobras de jantar, sem nunca conhecer Tiffy. Parece tão diferente agora que a conheço. Não acredito que desperdicei todo aquele tempo — não só aqueles meses, mas o tempo antes disso, os anos de procrastinação, acomodação, espera.

Eu: Não, eu deveria ter falado. A gente tem que melhorar nossa comunicação. Não dá para ficar contando que vamos nos encontrar. Ou que vamos nos esbarrar por acaso.

Tenho uma ideia. Será que eu poderia trocar para alguns turnos diurnos? Ficar no apartamento uma noite por semana? Quando vou sugerir isso, os olhos de Tiffy ficam arregalados e sérios, quase ansiosos, e eu travo, com uma certeza repentina de que é a coisa errada a se dizer. Então, depois de um instante:

Tiffy, animada: Que tal um calendário na geladeira?

Certo. Provavelmente é o mais apropriado. O relacionamento está só começando. Estou me empolgando demais.

Que bom que não falei nada.

53

Tiffy

Eu encaro o teto muito alto, cheio de teias de aranha. Faz um frio absurdo aqui, mesmo embaixo de um edredom, três cobertores e o calor do corpo de Rachel à minha esquerda, como um aquecedor em forma de gente.

Hoje foi um dia extremamente frustrante. É estranho passar oito horas encarando a pessoa de quem a gente gosta. Para ser sincera, passei a maior parte do dia fantasiando que todas as outras pessoas no castelo tinham sido vaporizadas, e apenas eu e Leon sobrevivemos, nus (nossas roupas também tinham sido vaporizadas) e com muitos lugares excitantes para transar.

Claro que ainda estou confusa com tudo o que aconteceu entre mim e Justin e, à medida que as coisas progridem com Leon, sinto aquele friozinho gostoso na barriga se transformar em pânico absoluto com mais frequência. Quando Leon começou a falar sobre passarmos mais tempo juntos, por exemplo, a sensação de pânico me sufocou de novo. Mas quando penso com clareza sinto apenas coisas boas em relação a Leon. É nele que penso quando estou me sentindo muito bem. Ele me deixa ainda mais determinada a superar o que aconteceu com Justin, porque não quero carregar esse peso com Leon. Quero ficar livre, leve e solta. E pelada.

— Para — murmura Rachel com o rosto no travesseiro.

— Para o quê?

Eu não havia percebido que ela estava acordada, senão teria tido toda essa conversinha interna em voz alta.

— Sua frustração sexual está me deixando nervosa — explica Rachel, virando de costas para mim e levando junto o máximo de edredom possível.

Agarro-me a ele e o puxo de volta um ou dois centímetros.

— Não estou frustrada.

— Ah, me poupe. Aposto que está só esperando eu dormir para se esfregar na minha perna.

Eu a cutuco com o pé muito frio. Ela solta um gritinho.

— Minha frustração sexual não está impedindo você de dormir — admito. — Se isso fosse possível, ninguém conseguiria dormir na era vitoriana.

Ela se vira para mim, os olhos semicerrados.

— Você é estranha — diz, rolando para o outro lado de novo. — Vá procurar seu namorado.

— Ele não é meu namorado — respondo de forma automática, como aprendemos aos oito anos.

— Seu amigo especial. Seu amante. Seu gostosão. Seu...

— Estou indo — sibilo, jogando o edredom longe.

Hana está roncando na outra cama. Ela até parece uma boa pessoa quando está dormindo, mas, por outro lado, é difícil alguém parecer babaca quando está babando em um travesseiro.

Leon e eu criamos um plano para nos vermos durante a noite. Martin, por algum motivo irritante, colocou Leon para dividir o quarto com um cinegrafista, o que significa que não podemos dormir juntos escondidos. Mas, com Hana e o cinegrafista dormindo, não há motivos para não sairmos e nos aventurarmos pelo castelo. A ideia era nós dois descansarmos um pouco e nos encontrarmos às três da manhã, mas estou excitada demais para dormir. Além disso, o visual de quem acaba de acordar não é nem de longe o que Hollywood quer nos vender, então provavelmente foi uma boa ideia ficar acordada aqui por horas, pensando em coisas impróprias.

No entanto, eu não havia levado em conta que estaria tão frio. Tinha imaginado que ia usar só calcinha e sutiã e uma camisola — até comprei uma lingerie sexy parecida com um *négligée* —, mas agora estou de calça comprida, meias de lã e três casacos e não vou tirar nada disso. Então só passo um pouco de brilho labial, dou uma arrumada no cabelo e abro a porta com cuidado.

Ela range tanto que chega a ser clichê, mas Hana não acorda. Consigo abrir uma fresta grande o suficiente para passar e fecho a porta, encolhendo-me com todos os ruídos.

Leon e eu marcamos na cozinha, porque, se alguém nos encontrar, vamos ter uma boa desculpa (levando em conta a quantidade de biscoitos que como no trabalho, ninguém vai duvidar que preciso de um lanchinho à meia-noite). Ando rápido pelo corredor acarpetado, atenta às fileiras de quartos dos dois lados para o caso de outra pessoa estar acordada, zanzando pelo castelo.

O corredor está vazio. O andar apressado está me aquecendo um pouco, então desço a escada correndo também e, quando chego à cozinha, estou um pouco sem fôlego.

A cozinha é a única parte do castelo que parece bem cuidada. Foi reformada recentemente e, para minha completa alegria, há uma fornalha enorme nos fundos. Eu me agarro à fornalha como uma fã que encontrou um antigo membro do One Direction em uma boate e não planeja ir embora sem ele.

— Eu deveria ficar com ciúme? — pergunta Leon atrás de mim.

Eu me viro, e o vejo parado à porta, o cabelo penteado para trás, com uma camiseta larga e calça de corrida.

— Se sua temperatura corporal for mais alta que a desta fornalha, sou toda sua — digo a ele, virando-me para aquecer meu bumbum e a parte de trás das pernas e vê-lo melhor.

Ele vem tranquilamente até mim, sem pressa. Às vezes Leon demonstra uma confiança inerente — não é sempre, mas, quando acontece, é absurdamente sexy. Ele me beija, e eu fico com ainda mais calor.

— Você teve algum problema para sair do quarto? — pergunto, afastando-me para empurrar o cabelo para trás dos ombros.

— Larry, o cinegrafista, dorme que nem uma pedra — diz Leon, me beijando devagar.

Meu coração já está disparado. Sinto-me um pouco zonza, como se todo o sangue que deveria estar na minha cabeça tivesse decidido ir para um lugar melhor. Ainda me beijando, Leon me imprensa no forno e eu ponho as pernas em volta da sua cintura, cruzando os tornozelos às suas costas. Ele pressiona o corpo contra o meu.

Começo a sentir o calor da fornalha passando pelo meu pijama e queimando minha bunda.

— Ah! Está quente — digo, inclinando-me para a frente para que Leon sustente meu peso.

Ele me levanta, como se eu fosse um coala, e me leva para uma das bancadas, os lábios começando a fazer desenhos lentos por todo o meu corpo — pescoço e peito, lábios outra vez, pescoço, clavícula, lábios. Minha cabeça começa a girar; mal consigo pensar. As mãos dele encontram a pequena abertura entre os casacos e minha calça. Então estão em minha pele, e os poucos pensamentos desaparecem por completo.

— Será que é muito ruim transar onde outras pessoas preparam a comida? — pergunta Leon, afastando-se, sem fôlego.

— Não! Só é... limpo! Muito higiênico — respondo, puxando-o de volta para mim.

— Ótimo — diz ele.

De repente, estou sem nenhum dos casacos. Não sinto mais frio. Na verdade, eu poderia estar com menos roupas ainda. Por que não usei lingerie mesmo?

Arranco a camiseta dele e puxo sua calça até ele tirá-la também. Quando colo o corpo no dele, Leon para por um instante.

— Está tudo bem? — pergunta, a voz áspera.

Posso ver quanto essa pergunta está exigindo autocontrole dele; respondo com outro beijo.

— Isso é um sim? — pergunta ele, a boca na minha.

— Sim. Agora pare de falar.

Ele obedece.

Estamos muito próximos. Estou quase nua, ele também, e só consigo pensar em Leon. É agora. Vai acontecer. Minha personagem da era vitoriana interna, sexualmente frustrada, quase chora de gratidão quando Leon me puxa pelos quadris, seu corpo de novo entre minhas pernas.

Então elas surgem. As lembranças.

Eu travo. Ele não percebe de início e, por três segundos horrendos, suas mãos continuam percorrendo meu corpo, seus lábios ainda pressionados com força nos meus. É muito difícil descrever a sensação. Pânico, talvez, mas estou totalmente imóvel e me sinto passiva de uma forma estranha. Paralisada, presa, e tenho a sensação incômoda de que uma parte crucial de mim se separou do restante do corpo.

As mãos de Leon seguram meu rosto. Ele ergue minha cabeça com cuidado para que eu olhe para ele.

— Ah...

Leon se afasta quando começo a tremer.

Tenho a sensação de que não consigo recuperar essa parte de mim. Não sei de onde veio esse sentimento — em um instante eu ia transar como vinha fantasiando a semana toda e, no seguinte, estava... me lembrando de alguma coisa. Um corpo que não era o de Leon, mãos que faziam a mesma coisa, mas que não eram bem-vindas.

— Você quer ficar sozinha ou quer um abraço? — pergunta ele simplesmente, a um passo de distância.

— Abraço — consigo dizer.

Ele me puxa, ao mesmo tempo pegando a pilha de casacos na bancada. Leon põe um sobre meus ombros e me abraça com força, minha cabeça encostada em seu peito. A única indicação do quanto ele deve estar frustrado é seu coração disparado em minha orelha.

— Desculpa — murmuro para o peito dele.

— Você não deveria mais dizer isso. Nada de desculpas. Está bem?

Abro um sorriso trêmulo, dando um beijo na pele dele.

— Está bem.

54

Leon

Não costumo ser uma pessoa irritada. Normalmente sou tranquilo e difícil de provocar. Sou sempre eu que impeço Richie de entrar numa briga (normalmente para defender uma mulher, que pode ou não precisar de ajuda). Mas agora algo primitivo parece estar acontecendo e preciso me esforçar muito para manter o corpo relaxado e a delicadeza nos movimentos. Postura hostil e rigidez não ajudariam Tiffy.

Mas quero machucar aquele cara. De verdade. Não sei o que ele fez a Tiffy, o que provocou isso, mas, seja lá o que for, a machucou tanto que todo o seu corpo está tremendo, como um gatinho que caiu na neve.

Ela seca o rosto.

Tiffy: Descul... Hum... Quer dizer. Oi.

Eu: Oi. Quer um pouco de chá?

Ela assente. Não quero soltá-la, mas continuar a abraçá-la nestas circunstâncias talvez não seja a melhor ideia. Me visto de novo e vou até a chaleira.

Tiffy: Isso foi...

Espero. A chaleira começa a ferver, um borbulhar leve.

Tiffy: Isso foi horrível. E nem sei o que aconteceu.

Eu: Foi outra lembrança? Ou alguma coisa sobre a qual você já conversou com a terapeuta?

Ela balança a cabeça, franzindo a testa.

Tiffy: Não foi como uma lembrança. Não foi uma coisa que apareceu na minha cabeça...

Eu: Foi tipo memória muscular?

Ela olha para mim.

Tiffy: É. Tipo isso.

Sirvo os chás. Abro a geladeira para procurar leite e paro. Está cheia de cupcakes cor-de-rosa, com "F e J" desenhados na cobertura.

Tiffy se aproxima e passa um braço pela minha cintura.

Tiffy: Oba. Devem ser para o casamento que vão fazer aqui depois que formos embora.

Eu: Será que eles foram muito cuidadosos com a quantidade?

Tiffy ri. Não é bem uma risada alta, soa um pouco úmida por causa das lágrimas, mas ainda assim é um bom sinal.

Tiffy: Provavelmente sim. Mas tem *tantos*...

Eu: Até demais. Eu imagino que sejam... uns trezentos.

Tiffy: Ninguém convida trezentas pessoas para um casamento. A não ser que seja famoso. Ou indiano.

Eu: Será que é o casamento de um indiano famoso?

Tiffy: O Lindo Lorde Ilustrador não falou nada sobre isso.

Pego dois cupcakes e dou um para Tiffy. Apesar dos olhos ainda um pouco vermelhos, ela está sorrindo e come o cupcake quase todo de uma vez. Imagino que precise de açúcar.

Comemos em silêncio por um tempo, indo para perto da fornalha.

Tiffy: Então... queria sua opinião profissional...

Eu: Como enfermeiro de cuidados paliativos?

Tiffy: Como profissional da área médica.

Ah, não. Essas conversas nunca são boas. As pessoas sempre imaginam que a gente aprenda toda a medicina do mundo na escola de enfermagem e que se lembre de tudo cinco anos depois.

Tiffy: Será que vou surtar assim toda vez que a gente for transar? Porque seria bem deprimente.

Eu, com cuidado: Imagino que não. Talvez leve algum tempo para descobrir quais são os gatilhos e como podemos evitá-los até você se sentir segura.

Ela olha para mim, de repente.

Tiffy: Eu não... Não quero que você ache... Ele nunca... Ele nunca me machucou *de verdade*.

Quero discordar. Parece que ele a machucou muito. Mas com certeza não é meu papel, então só ofereço outro cupcake.

Eu: Não estou supondo nada. Só quero que você se sinta melhor.

Tiffy me encara e, então, do nada, cutuca minha bochecha.

Eu, tomando um susto: Ei!

O cutucão na bochecha é mais surpreendente do que eu havia imaginado quando fiz isso com ela mais cedo.

Tiffy: Você não é de verdade, é? É inacreditavelmente gentil.

Eu: Não sou, não. Sou um velho rabugento que não gosta da maioria das pessoas.

Tiffy: Da maioria?

Eu: Existem poucas exceções.

Tiffy: E como você escolhe? As exceções?

Dou de ombros, desconfortável.

Tiffy: É sério. De verdade. Por que eu?

Eu: Hum. Bem. Na verdade... são poucas as pessoas com quem me sinto à vontade. Mas com você eu já me sentia bem antes mesmo de te conhecer.

Tiffy olha para mim, a cabeça inclinada para o lado, os olhos fixos nos meus por tanto tempo que chega a ficar desconfortável. Estou louco para parar de falar no assunto. Por fim, ela se inclina para a frente e me beija devagar, com sabor de cobertura de cupcake.

Tiffy: Vai valer a pena esperar. Você vai ver.

Como se eu duvidasse disso.

55

Tiffy

Eu me recosto na cadeira do escritório, tirando os olhos da tela. Estou encarando o computador há tempo demais — as fotos do castelo foram selecionadas pelo caderno de moda do *Daily Mail* e isso é *muito estranho*. Katherin é oficialmente uma celebridade. Não posso acreditar em como foi rápido e também não consigo parar de ler outras mulheres comentando que Leon está bonito nas fotos. Claro que já sei que ele é bonito, mas, ainda assim, é ao mesmo tempo horrível e bom ter esse tipo de validação externa.

Eu me pergunto como ele estará se sentindo em relação a isso. Torço para que não seja curioso o bastante para conferir a seção de comentários do *Daily Mail*, porque alguns são bem pornográficos. Claro que há alguns racistas também, afinal estamos falando de comentários on-line. Tudo logo se transforma em uma discussão sobre o aquecimento global ser ou não uma conspiração liberalista e, antes que eu perceba, já mergulhei no ralo da internet e perdi meia hora lendo opiniões malucas que vão desde a possibilidade de Trump ser um neonazista até as orelhas de Leon serem grandes demais.

Vou para a terapia depois do trabalho. Como sempre, Luci mantém um silêncio quase desconfortável por um tempo, e então, de forma espontânea, começo a falar sobre coisas horríveis e dolorosas em que por muito tempo evitei pensar. Sobre como Justin me fez acreditar que eu tinha uma péssima memória, para sempre poder dizer que eu não me lembrava das coisas. Sobre como ele havia me convencido de que eu tinha jogado várias roupas no lixo enquanto enfiava no fundo do armário coisas que não queria que eu vestisse.

Sobre como ele havia, sem eu perceber, transformado o sexo em algo que eu devia a ele, mesmo depois de me deixar tão triste que eu nem conseguia pensar direito.

Mas isso é só trabalho para Luci. Ela apenas assente. Ou inclina a cabeça. Ou, às vezes — em casos extremos; por exemplo quando falei em voz alta algo que quase machucou fisicamente —, enuncia um "sim" para me consolar.

Desta vez, no fim da sessão, ela me pergunta como acho que estou me saindo. Começo com o costumeiro "ah, tem sido ótimo, muito obrigada", como acontece quando o cabeleireiro pergunta se a gente gostou do corte. Mas Luci apenas me encara por um tempo, então penso: *como estou me saindo* de verdade? Dois meses atrás, eu não conseguia me imaginar recusando um convite de Justin. Apenas gastava a maior parte da minha energia mental ignorando certas coisas. Nem estava disposta a admitir que ele era abusivo comigo. E agora, aqui estou eu, falando com uma Terapeuta Que Não é Mo que não foi minha culpa o que aconteceu entre nós dois, e até acredito nisso.

Ouço várias músicas da Kelly Clarkson voltando para casa de metrô. Endireitando a postura encaro meu reflexo no vidro como naquela primeira viagem de trem da casa de Justin para o apartamento. É, estou com os olhos um pouco úmidos depois da terapia, mas não estou usando óculos de sol.

Quer saber? Estou muito orgulhosa de mim mesma.

Fico sabendo como Leon se sente em relação às fotos no *Daily Mail* quando chego em casa à noite. Ele deixou este bilhete para mim na geladeira:

Não fiz o jantar. Famoso demais para isso agora.

(Ou seja, pedi comida para celebrar o sucesso da Katherin/seu. Comida tailandesa deliciosa na geladeira para você.)

Bjos

Bom, parece que Leon não deixou que o sucesso subisse à cabeça, então já é alguma coisa. Ponho a comida tailandesa no micro-ondas, cantarolando "Stronger (What Doesn't Kill You)", e pego uma caneta enquanto o prato gira. Leon vai trabalhar até quarta-feira, depois vai para a casa da mãe. Não vou vê-lo antes da audiência do Richie na sexta. Ele está se mantendo ocupado — vai visitar o último Johnny White amanhã de manhã. Planeja pegar o primeiro trem para Cardiff e voltar para tirar uma soneca antes de ir para o trabalho. Eu lembraria que não é descanso suficiente para ele, mas já notei que não está dormindo bem nem quando está aqui, então talvez seja melhor ficar fora de casa. Leon finalmente terminou *A redoma de vidro*, um sinal claro de que está ficando acordado durante o dia, e parece estar sobrevivendo à base de cafeína — nesta época do mês, não costumamos ter tão pouco café solúvel.

Deixo um bilhete curto.

Fico feliz que você já esteja se adaptando à sua nova vida de celebridade. Eu, por outro lado, estou vergonhosamente morrendo de ciúme das cem mulheres na internet que acham você "muito gostoso ☺" e concluí que prefiro quando só eu posso ficar olhando para você.

Dedos cruzados para Johnny White VIII ser o nosso cara! Bjos

Quando recebo a resposta na noite seguinte, percebo que Leon está exausto. A letra dele está diferente — menos certinha do que o normal, como se ele não tivesse energia para segurar a caneta direito.

Johnny White VIII não é nosso cara. Na verdade, era muito desagradável e homofóbico. Também me fez comer vários biscoitos goiabinhas vencidos.

Richie mandou um oi. Ele está bem. Aguentando firme. Bjos

Humm. Richie pode estar aguentando firme, mas quanto a Leon já não tenho tanta certeza.

56

Leon

Atrasado para o trabalho. Conversei com Richie sobre transtorno pós-traumático por vinte minutos, um tempo que ele realmente não tinha sobrando. É a primeira vez em muito tempo que converso com Richie sobre outra coisa que não o caso, o que é estranho, já que a audiência é daqui a três dias. Acho que Gerty fala sobre isso com tanta frequência que ele quer mudar de assunto.

Perguntei sobre ordens de restrição também. Ele foi bem claro: a decisão é da Tiffy. Seria uma péssima ideia tentar impor decisões a ela — tenho que esperar que chegue a essa conclusão sozinha. Ainda odeio que o ex saiba onde ela mora, mas tenho que lembrar que não é meu papel dizer isso.

Atrasado mesmo. Abotoo a camisa saindo do prédio. Sou especialista em saída rápida de casa. Cada segundo conta, então pulo o lanche, o que vai me atormentar às onze da noite, depois que as enfermeiras do turno da manhã tiverem comido todos os biscoitos.

Homem Estranho do Apartamento 5: Leon!

Olho para cima quando a porta do prédio bate. É o Homem Estranho do Apartamento 5, que (de acordo com Tiffy) faz ginástica aeróbica animada às sete da manhã e acumula caixas de banana na vaga de estacionamento. Fico surpreso ao perceber que ele sabe meu nome.

Eu: Oi?

Homem Estranho do Apartamento 5: Nunca achei que você fosse enfermeiro!

Eu: Ah. Estou atrasado para o trabalho, então…

Homem Estranho do Apartamento 5 balança celular para mim, como se eu pudesse ver o que está na tela.

Homem Estranho, triunfante: Você ficou famoso!

Eu: Oi?

Homem Estranho: Saiu no *Daily Mail*! Usando um casaco metido a besta de uma coroa famosa.

Eu: Isso não soou muito politicamente correto, Homem Estranho do Apartamento 5. Tenho que ir. Aproveite o resto do jornal!

Corro o mais rápido possível. Penso um pouco e decido não me esforçar para manter a fama.

O sr. Prior fica acordado por tempo suficiente para ver as fotos. Logo vai apagar de novo, mas sei que com isso pelo menos vai dar umas risadas, então mostro as fotos na tela do telefone.

Hum. Quatorze mil curtidas em uma foto minha olhando para o horizonte, de camiseta preta e um cachecol de crochê enorme. Estranho.

Sr. Prior: Lindo, Leon!

Eu: Nossa, obrigado.

Sr. Prior: Bom, por acaso certa bela moça convenceu você a se humilhar desta maneira?

Eu: É. Hum… Foi ideia da Tiffy.

Sr. Prior: Ah, a colega de apartamento. E… namorada?

Eu: Não, não, "namorada" não. Ainda não.

Sr. Prior: Não? Da última vez que nos falamos, tive a impressão de que vocês dois estavam muito encantados um com o outro.

Confiro a ficha do sr. Prior, mantendo o rosto cuidadosamente impassível. Testes de função hepática ruins. Nada bom. Era o esperado, mas, ainda assim, nada bom.

Eu: Eu… é. Estou. Só não quero apressar as coisas. Acho que ela também não quer.

O sr. Prior franze a testa. Seus olhinhos redondos quase desaparecem sob as rugas das sobrancelhas.

Sr. Prior: Posso lhe dar um conselho, Leon?

Faço que sim.

Sr. Prior: Não deixe sua... reticência natural atrapalhar você. Deixe claro o que sente por ela. Afinal, você é um livro fechado, Leon.

Eu: Livro fechado?

Noto as mãos do sr. Prior tremerem enquanto ele ajeita a colcha na cama e tento não pensar no prognóstico.

Sr. Prior: Quieto. Taciturno. Tenho certeza de que ela acha isso muito atraente, mas não deixe que seja uma barreira. Demorei muito para dizer ao meu... Agora é tarde demais e me arrependo de não ter simplesmente dito o que queria quando ainda podia. Pense em como minha vida poderia ter sido. Não que eu não esteja feliz com o que tenho, mas... a gente perde muito tempo quando é jovem.

Não posso fazer nada por aqui sem que alguém queira compartilhar um pouco de sensatez comigo. Mas o sr. Prior me deixou meio nervoso. Senti, depois do País de Gales, que não deveria apressar as coisas com Tiffy. Mas talvez eu esteja me contendo demais. É o que faço, pelo visto. Agora queria ter mencionado a mudança para o turno do dia. Ainda assim, fui para um castelo com ela e posei apoiado em uma árvore, ao vento, com um cardigã longo. Com certeza deixei claro o que sinto, não?

Richie: Você não é uma pessoa *naturalmente* acessível.

Eu: Sou, sim! Sou... direto. Expressivo. Um livro aberto.

Richie: Você não se sai tão mal ao falar sobre seus sentimentos comigo, mas aí não conta, e normalmente acontece porque faço isso primeiro. Você deveria seguir meu exemplo, cara. Nunca tive tempo para essa coisa de bancar o difícil. Bancar o fácil e me pôr para jogo sempre funcionou para mim.

Fico um pouco envergonhado. Estava me sentindo bem em relação a tudo com Tiffy, mas agora estou ansioso. Não deveria ter contado a Richie o que o sr. Prior disse — eu tinha que saber qual seria a opinião dele. Richie já escrevia músicas de amor para cantar para as meninas nos corredores da escola aos dez anos.

Eu: E o que eu faço então?

Richie: Porra, cara, é só falar que você gosta dela e que quer tornar isso oficial. Dá para ver que você quer, então não pode ser tão difícil assim. Tenho que ir. A Gerty me mandou recontar tudo o que aconteceu depois que saí da boate *de novo*. Sério, não sei se aquela mulher é humana.

Eu: Aquela mulher é...

Richie: Não se preocupe. Longe de mim falar mal dela. Eu ia dizer que ela é *sobre-humana*.

Eu: Muito bem.

Richie: E gostosa também.

Eu: Nem comece...

Richie solta uma gargalhada. Me pego sorrindo. Não consigo não sorrir quando ele ri assim.

Richie: Vou me comportar, pode deixar. Mas, se a Gerty me tirar daqui, vou levá-la para jantar. Ou talvez pedir a mão dela em casamento.

Meu sorriso some um pouco. Sinto uma pontada de preocupação. A audiência vai mesmo acontecer. Faltam dois dias. Não me deixei sequer pensar na possibilidade de Richie ser declarado inocente, mas meu cérebro não para de seguir esse caminho contra minha vontade, montando a cena: eu levando Richie para casa para se sentar no pufe estampado de Tiffy, beber cerveja, ser meu irmão mais novo outra vez.

Não consigo pôr em palavras o que quero dizer a ele. Não tenha tanta esperança? Mas claro que ele vai ter — também tenho. Esse é o objetivo, afinal. Então... não fique chateado se não der certo? Também é ridículo. Não há palavras para a magnitude do problema.

Eu: Vejo você na sexta.

Richie: Esse é o livro aberto que eu conheço e amo. Vejo você na sexta, maninho.

57

Tiffy

Sexta de manhã cedo. O grande dia.

Leon está na casa da mãe — eles vão para o tribunal juntos. Rachel e Mo estão na minha. Mo vai conosco ao lançamento; por causa de tudo que fiz para este livro, nem Martin poderia me negar um acompanhante.

Gerty aparece com Mo para me dar um abraço rápido e conversar sobre o caso de Richie. Ela já está usando a peruca ridícula de advogado, como se estivesse imitando um quadro do século XVIII.

Mo está de smoking, muito bonito. Adoro quando Mo se arruma. É como ver aquelas fotos de cachorrinhos vestidos de seres humanos. Ele claramente não está à vontade e dá para notar que está louco para tirar pelo menos os sapatos, mas, quando estende a mão na direção dos cadarços, Gerty rosna e ele recua, ganindo. Quando Gerty vai embora, ele fica muito aliviado.

— Só para você saber, Mo e Gerty com certeza estão transando — diz Rachel, me passando a escova de cabelo.

Eu a encaro pelo espelho. (Não há espelhos suficientes neste apartamento. Deveríamos ter nos arrumado na casa de Rachel, que tem uma parede de armários espelhados no quarto, desconfio que por algum motivo sexual, mas ela se recusa a deixar Gerty entrar lá desde a festa de aniversário de Rachel, quando Gerty comentou que estava tudo bagunçado.)

— Mo e Gerty *não* estão transando — respondo, pegando a escova.

Estou tentando transformar minha juba em um penteado chique de um dos nossos livros. A autora me prometeu que era fácil, mas estou no segundo passo há quinze minutos. São vinte e dois no total, e eu só tenho meia hora.

— Estão, sim — repete Rachel, sem titubear. — Você sabe que eu sempre sei.

Tento me segurar e não lembro a Rachel que Gerty também acha que "sempre sabe" quando um amigo está dormindo com alguém. Não quero que isso se transforme em uma competição, especialmente porque ainda não transei com Leon.

— Eles moram juntos — digo, a boca cheia de grampos. — Estão mais à vontade um com o outro do que antes.

— A gente só fica tão à vontade assim quando dorme junto pelado — insiste Rachel.

— Isso é estranho e nojento. Seja como for, tenho quase certeza de que o Mo é assexual.

Só então confiro para ver se a porta do banheiro está fechada. Mo está na sala. Ele passou a última hora com cara de paciente ou de entediado — dependia se achasse que estávamos olhando ou não.

— Você *quer* pensar isso porque o considera um irmão. Mas ele com certeza não é assexual. Ele deu em cima da minha amiga Kelly em uma festa no ano passado.

— Não posso lidar com esse tipo de revelação agora! — exclamo, cuspindo os grampos.

Eu os peguei cedo demais. São apenas para o quarto passo, e o terceiro está me deixando nervosa.

— Deixa que eu faço — sugere Rachel.

Solto um suspiro. Graças a Deus.

— Você estava me deixando passar sufoco — digo, enquanto ela pega a escova, ajeita os danos que causei até aqui e folheia as instruções do penteado com uma das mãos.

— De que outro jeito você vai aprender? — retruca ela.

• • •

São dez da manhã. É estranho usar um vestido formal tão cedo. Por algum motivo, estou absurdamente paranoica com a possibilidade de derrubar chá no meu novo vestido chique, apesar de ter quase certeza de que não estaria ansiosa assim se estivesse bebendo martíni. Só é estranho beber em uma caneca usando uma roupa de seda.

Rachel se superou — meu cabelo está sedoso e brilhante, preso na nuca em uma série de cachos misteriosos como na foto. Como resultado, uma parte enorme do meu colo está à mostra. Quando experimentei o vestido, estava de cabelo solto — não percebi quanta pele ficaria exposta com o decote princesa e os ombros de fora. Mas, bem, hoje a noite também é minha — sou a editora que fez a aquisição do livro. Tenho todo o direito de me vestir de maneira inadequada.

Meu despertador toca para me lembrar de ver como Katherin está. Ligo para ela, fingindo não reparar que ela está acima da minha própria mãe na lista de números mais discados.

— Você está pronta? — pergunto assim que ela atende.

— Quase! — responde ela, animada. — Só estou fazendo um ajuste rápido na roupa e...

— *Que* ajuste rápido? — pergunto, desconfiada.

— Bom, quando fui experimentar de novo, percebi como o vestido que a equipe de RP escolheu para mim fica sem graça sob a luz forte do dia — explicou ela. — Então ajustei a barra e o decote.

Abro a boca para dar uma bronca, mas me seguro. Primeiro, os danos já foram feitos — se ela subiu a barra do vestido, é um caminho sem volta. Além disso, minha escolha arriscada de roupa vai ficar muito melhor ao lado de alguém que também decidiu mostrar uma quantidade indecente de pele.

— Tudo bem. Vamos buscar você em meia hora.

— Tchauzinho! — diz ela, espero que ironicamente, mas não tenho certeza.

Olho o relógio quando desligo. Faltam dez minutos (tive que levar em conta o tempo para Rachel se arrumar, já que ela leva pelo menos o dobro do que a gente imagina. Ela vai pôr a culpa em mim por ter sido obrigada a arrumar meu cabelo, claro, mas, na verdade, é porque ela é adepta da técnica do contorno e passa pelo menos quarenta minutos alterando sutilmente o formato do rosto, antes mesmo de começar a pintar os olhos e os lábios).

Estou prestes a mandar uma mensagem para Leon e ver como ele está quando o telefone do apartamento toca.

— Que porra é essa?! — grita Rachel do banheiro.

— É o telefone fixo! — respondo, já correndo na direção do som (que parece estar vindo de perto da geladeira).

Correr não é fácil com este vestido; a saia voa para todos os lados e, em pelo menos dois momentos arriscados, meus pés descalços tropeçaram no tule. Eu me encolho quando sinto uma pontada no tornozelo machucado. Já consigo andar, mas não estou curtindo muito essa coisa de correr. Não que meu tornozelo bom goste.

— É o *quê*? — pergunta Mo, impressionado.

— O telefone fixo — repito, vasculhando a enorme quantidade de coisas jogadas no balcão da cozinha.

— Desculpa, você não me disse que a gente estava nos anos 90! — grita Rachel, assim que encontro o telefone.

— Alô?

— Tiffy?

Franzo a testa.

— Richie? Você está bem?

— Vou ser sincero com você, Tiffy — diz ele. — Estou me cagando de medo. Não literalmente. Mas pode ser só questão de tempo.

— Seja quem for, espero que esteja gostando do último CD do Blur! — berra Rachel.

— Espere um pouco. — Vou para o quarto e bato a porta. Com dificuldade, ajeito a saia para me sentar na beira da cama sem rasgar nada. — Você não deveria estar, sei lá, em uma van ou coisa assim? Como está me ligando? Hoje é o dia da sua audiência, não é?

Já ouvi histórias de terror suficientes de Gerty e Leon para saber que nem sempre os prisioneiros chegam ao tribunal como deveriam, graças às várias burocracias da prisão. Eles haviam passado Richie para uma cadeia de Londres (ainda pior) há alguns dias para que ele estivesse na região para a audiência, mas ainda existe o caminho da prisão até o tribunal. Me sinto mal só de pensar em toda essa preparação sendo desperdiçada porque alguém se esqueceu de ligar para a pessoa que ia transportá-lo.

— Não, não, já passei pela parte da van — explica Richie. — Foi superdivertido. Acabei passando cinco horas nela, mas juro que a gente ficou parado metade do tempo. Não, estou no tribunal agora, em uma cela provisória. Não podia estar telefonando, mas a guarda é irlandesa e disse que eu pareço com o filho dela. E que estou com uma cara horrível. Mandou que eu ligasse para minha namorada, mas, como não tenho, pensei em ligar para você, já que é a namorada do Leon e isso já é próximo o bastante. Era você ou a Rita da escola, com quem eu acho que nunca terminei, tecnicamente.

— Você está mudando de assunto, Richie — digo. — O que foi? Está com os nervos à flor da pele?

— "Nervos à flor da pele", assim parece que sou uma velhinha. Estou com *medo*.

— Isso soa melhor mesmo. Mais cara de filme de terror. Não tanto de que você vai desmaiar de tão apertado que seu corpete está.

— Exatamente.

— A Gerty está por aí?

— Ainda não tenho permissão para falar com a Gerty. E, mesmo se tivesse, ela está ocupada fazendo o que quer que os advogados façam. Estou sozinho agora.

O tom de voz dele é leve e autodepreciativo, como sempre, mas não é preciso se esforçar muito para ouvir o tremor em sua voz.

— Você *não* está sozinho — respondo, firme. — Você tem a gente. E lembre-se: quando nos falamos pela primeira vez, você me contou que estava se acostumando com a vida na prisão. Bom, essa é a pior possibilidade. Nada que seja novidade para você.

— E se eu vomitar no tribunal?

— Aí alguém vai tirar as pessoas de lá, chamar um faxineiro e depois vão continuar de onde pararam. Isso não prova que você assaltou uma loja à mão armada, não é?

Ele solta uma risada engasgada. Por um instante, ficamos em silêncio.

— Não quero decepcionar o Leon — diz ele. — Ele está tão esperançoso. Não quero... Não vou aguentar decepcionar meu irmão de novo. Da última vez foi horrível. Sério, horrível mesmo. Ver a cara dele.

— Você nunca decepcionou o Leon. — Meu coração está disparado. Isso é importante. — Ele sabe que não foi você. O... O sistema decepcionou vocês dois.

— Eu deveria ter simplesmente aceitado. Cumprido minha pena e deixado que ele continuasse a vida dele nesse meio-tempo. Tudo isso... Vai ser ainda pior para ele.

— O Leon lutaria por você, não importa o que você fizesse. Ele jamais abandonaria o irmão mais novo. Se você tivesse desistido, *aí* sim ele teria ficado magoado.

Ele respira fundo, trêmulo, e solta o ar.

— Isso é bom — digo. — Respirar. Soube que faz bem quando as pessoas estão nervosas. Você tem algum sal aromático?

Isso rende outra risada, um pouco menos engasgada desta vez.

— Está me chamando de fresco? — pergunta Richie.

— Acredito piamente que você é um homem muito corajoso. Mas, sim, estou te chamando de fresco. Caso isso ajude você a se lembrar de como é corajoso.

— Ah, você é uma boa menina, Tiffy.

— Não sou um cachorro, Richie. E... Agora que está um pouco menos assustado... A gente pode voltar ao “namorada do Leon” que você disse?

Uma pausa.

— Você não é namorada do Leon? — pergunta ele.

— Ainda não. Bom, quer dizer, a gente não falou sobre isso. Só saímos algumas vezes, tecnicamente.

— Ele é louco por você — diz Richie. — Talvez não tenha dito isso em voz alta, mas...

Sinto uma pontada de ansiedade. Sou louca pelo Leon também. Passo a maior parte das horas em que estou acordada pensando nele — e algumas das que estou dormindo também. Mas… não sei. A ideia de ele querer namorar comigo faz com que eu me sinta *encurralada*.

Ajusto o vestido, me perguntando se sou eu que estou tendo problemas com corpetes e nervos à flor da pele. Gosto muito do Leon. Isso é ridículo. Pensando racionalmente, eu gostaria de chamá-lo de "namorado" e apresentá-lo assim para as pessoas. É isso que a gente sempre quer quando está louca por alguém. Mas…

O que Luci diria?

Bom, provavelmente não diria nada. Ela apenas me deixaria ruminar, associando este medo estranho de me sentir encurralada, quase com certeza, ao relacionamento que vivi com um homem que nunca me deixou em paz de verdade.

— Tiffy? — chama Richie. — Acho que tenho que ir.

— Meu Deus, claro — respondo, voltando à conversa. Não sei o que estou fazendo ao me preocupar com a definição de um relacionamento quando Richie está prestes a entrar no tribunal. — *Boa sorte*, Richie. Eu queria estar aí.

— Talvez eu veja você em breve — diz ele, a voz trêmula outra vez. — E, se não conseguir, tome conta do Leon.

Desta vez, o pedido não soa estranho.

— Vou tomar. Prometo.

58

Leon

Odeio este terno. Usei pela última vez no julgamento e depois enfiei no armário da casa da minha mãe. Quase quis tacar fogo nele, como se estivesse contaminado. Que bom que não taquei. Não posso ficar queimando ternos toda vez que o sistema legal não faz justiça. Talvez esta não seja a última apelação.

Minha mãe está chorosa e trêmula. Faço o possível para ser forte por ela, mas não suporto ficar no mesmo cômodo. Seria mais fácil com qualquer outra pessoa, mas, com minha mãe, é horrível. Quero que ela me console, não o contrário, e quase fico irritado por vê-la assim, apesar de também ficar triste com isso.

Olho o telefone.

Acabei de falar com o Richie — ele me ligou para que eu o animasse um pouco. Ele está bem. Vocês todos vão ficar bem, não importa o que aconteça. Me avise se eu puder fazer alguma coisa. Posso atender o celular a hora que for. Bjos, Tiffy

Eu me sinto acolhido por um momento, depois de uma manhã inteira sentindo medo constante. Lembro minha nova resolução de contar a Tiffy de modo claro como me sinto e fazer as coisas seguirem em uma direção mais séria, por exemplo, conhecer pais etc.

Mãe: Querido?

Uma última olhada no espelho. Uma versão mais magra, de cabelo mais comprido e mais alta de Richie me encara de volta. Não consigo tirar meu irmão da cabeça — não paro de me lembrar da cara dele quando a sentença foi lida, o fluxo infinito de bobagens sobre crime premeditado, a sangue-frio, como os olhos dele ficaram arregalados e lívidos de medo.

Mãe: Leon? Querido?

Eu: Estou indo.

Olá outra vez, tribunal.

É tão sem graça. Nada parecido com os bancos de madeira e os pés-direitos altos das séries americanas — só muitos arquivos em mesas, carpete e assentos de diferentes alturas, onde alguns advogados e jornalistas entediados se acomodam para ver. Um dos jornalistas está tentando achar uma tomada para carregar o celular. Uma estudante de direito está lendo o rótulo de uma garrafa de vitamina.

É estranho. No início deste ano, eu teria vontade de gritar com os dois. *Prestem um pouco de atenção, porra. Vocês estão vendo a vida de alguém ser destruída.* Mas tudo faz parte do drama peculiar deste ritual e, agora que a gente sabe jogar o jogo — agora que temos uma advogada que sabe as regras —, o ritual não me incomoda tanto.

Um homem enrugado, vestido com uma longa túnica como um personagem de *Harry Potter*, entra com um guarda e Richie. Richie não está algemado, o que já é uma vitória. Mas está com uma cara tão ruim quanto eu imaginava. Ele ganhou corpo nos últimos meses, voltou a se exercitar, mas, com os ombros curvados, os músculos parecem pesar. Pouco parece o irmão que entrou no tribunal pela primeira vez no ano passado, aquele que tinha total confiança de que, quando somos inocentes, saímos livres. O irmão que cresceu ao meu lado, acompanhando cada passo meu, sempre me apoiando.

Quase não consigo olhar para ele — é doloroso demais ver o medo em seus olhos. De algum modo, vindo de algum lugar, consigo abrir um sorriso encorajador quando ele olha para mim e para nossa mãe. Eles o colocam em uma área cercada com vidro e fecham a porta.

Esperamos. O jornalista consegue achar a tomada e continua lendo o que parece ser o site da Reuters, apesar do cartaz enorme proibindo o uso de celulares bem acima da cabeça dele. A garota da garrafa de vitamina puxa fios soltos de um cachecol fofinho.

Tenho que continuar sorrindo. Gerty está aqui, vestida com aquela roupa ridícula, quase igual aos outros advogados, apesar de eu tê-la visto comendo comida chinesa na minha cozinha. Sinto um arrepio só de olhar para ela. É gutural, instintivo. Tenho que me lembrar o tempo todo que ela está do nosso lado.

Homem envelhecido de túnica: Todos de pé!

Todos se levantam. Três juízes entram na sala em fila. Será que estou generalizando ao dizer que literalmente todos são homens de meia-idade brancos cujos sapatos parecem valer mais que o carro da minha mãe? Tento abafar o ódio enquanto eles se acomodam nos assentos. Folheiam a papelada à frente. Olho, por fim, para Gerty e o promotor. Nenhum deles olha para meu irmão.

Juiz 1: Vamos começar?

59

Tiffy

Katherin é uma figura pequena, magra e coberta de preto no palco. Atrás dela, ampliada em proporções assustadoras, seu close aparece repetidas vezes — um telão mostra apenas suas mãos, para que os espectadores possam observar como ela usa a agulha de crochê, e outros dois se concentram em seu rosto.

É incrível. A plateia está encantada. Estamos bem-vestidos demais para um evento diurno sobre crochê, mas Katherin insistiu na vestimenta formal — apesar dos valores antiburgueses, ela adora uma desculpa para usar roupas chiques. Mulheres de vestidos caros olham o rosto enorme de Katherin, imortalizado nas grandes telas abaixo do teto abobadado. Homens de smoking riem calorosamente das alfinetadas de Katherin. Eu até vejo uma jovem usando um vestido de cetim copiando os movimentos das mãos de Katherin, apesar de estar segurando apenas um canapé de queijo de cabra sem nenhuma agulha de crochê por perto.

Apesar disso tudo, de toda essa distração absurda, não consigo parar de pensar em Richie e em como sua voz falhava ao telefone.

Ninguém notaria se eu desse uma saidinha. Posso estar pouco compatível com um tribunal, mas talvez dê para passar em casa e pegar uma muda de roupa para trocar no táxi...

Caramba, não acredito que estou cogitando pagar um táxi.

— Olha ali! — sibila Rachel de repente, cutucando minhas costelas.

— Aiii! O que foi?

— É a Tasha Chai-Latte!

Olho para onde ela aponta. Uma jovem em um vestido curto lilás se misturou à multidão, um namorado absurdamente lindo atrás dela. Um homem assustador de smoking acompanha os dois — o guarda-costas, imagino.

Rachel tem razão, com certeza é ela. Reconheço as maçãs do rosto altas dos vídeos do YouTube. Sem querer, sinto meio que um arrepio — fico muito idiota quando vejo pessoas famosas.

— Não acredito que ela veio!

— O Martin vai adorar. Você acha que ela vai me deixar tirar uma foto? — pergunta Rachel.

Acima de nós, as Katherin gigantes sorriem para a multidão e suas mãos mostram um quadrado finalizado.

— Eu me preocuparia com o cara enorme de smoking, se fosse você.

— Ela está filmando! Olhe!

O namorado absurdamente lindo de Tasha Chai-Latte sacou uma câmera compacta e aparentemente cara da bolsa e está mexendo nos botões. Tasha confere o cabelo e a maquiagem, batendo com o indicador nos lábios.

— Ai, meu Deus. Ela vai postar o evento no canal dela do YouTube. Acha que a Katherin vai mencionar você no discurso de agradecimento? *A gente vai ficar famosa!*

— Calma — peço, trocando olhares com Mo, que neste momento está destruindo a grande pilha de canapés que reuniu enquanto todos estavam distraídos demais com o crochê para aproveitar a comida.

O namorado de Tasha ergue a câmera. Tasha imediatamente abre um sorriso, o cabelo e a maquiagem esquecidos.

— Chegue mais perto, chegue mais perto — murmura Rachel, empurrando Mo na direção de Tasha.

Vamos até ela, tentando parecer desinteressados, até estarmos perto o bastante para ouvi-los.

— ... Mulher incrível! — diz Tasha. — E este lugar não é *lindo*? Meu Deus, pessoal, tenho tanta sorte de estar aqui e poder compartilhar isso com vocês. E ao vivo! Vocês sabem como me sinto quando posso apoiar artistas de verdade, e é exatamente isso que a Katherin é.

A multidão aplaude, empolgada. Katherin terminou a demonstração. Com um gesto impaciente, Tasha pede que o namorado faça outra tomada. Imagino que estejam se aquecendo para a transmissão ao vivo.

— E agora alguns agradecimentos! — diz Katherin, do palco.

— É agora! — sussurra Rachel, animada. — Ela *com certeza* vai mencionar você.

Meu estômago se revira. Não sei se quero que ela diga meu nome — tem *muita* gente no salão e mais alguns milhões que logo estarão assistindo a tudo pelo canal de Tasha Chai-Latte. Ajeito o vestido, tentando puxá-lo um pouco para cima.

No entanto, não precisava ter me preocupado. Katherin começa agradecendo a toda a sua rede de amigos e parentes, que chega a ser absurda de tão extensa (não posso deixar de me perguntar se é uma piada — seria a cara dela). A atenção da multidão se volta para outro lugar: as pessoas começam a circular em busca de champanhe e comidinhas.

— E, para encerrar — diz Katherin, de maneira grandiosa —, guardei duas pessoas para o fim.

Bom, não pode ser eu. Vão ser os pais dela ou alguma coisa assim. Rachel me lança um olhar decepcionado e volta a atenção para Tasha e o namorado, que estão filmando tudo com uma concentração silenciosa.

— Duas pessoas sem as quais este livro nunca teria saído do papel — continua Katherin. — Elas trabalharam muito para tornar o *Crochê para a vida* possível. E, ainda mais do que isso, acreditaram em mim desde o início, muito antes de eu ter a sorte de conseguir reunir multidões grandes como esta nos meus eventos.

Rachel e eu nos viramos uma para a outra.

— Não vou ser eu — sussurra Rachel, nervosa de repente. — Ela quase nunca se lembra do meu nome.

— Tiffy e Rachel são a editora e a diagramadora dos meus livros há três anos e o motivo do meu sucesso — diz Katherin, solene. A multidão aplaude. — Não tenho palavras para agradecer a vocês por terem lançado o melhor livro que poderia existir. E o mais lindo também. Rachel! Tiffy! Vocês poderiam subir aqui? Tenho uma coisa para as duas.

Olhamos, boquiabertas, uma para a outra. Rachel parece estar hiperventilando. Nunca me arrependi tanto de uma roupa quanto agora. Tenho que subir em um palco na frente de mil pessoas usando um vestido que mal cobre meus mamilos.

Mas, enquanto vamos tropeçando até o palco — o que leva certo tempo, já que estávamos um pouco afastadas —, não posso deixar de notar Katherin sorrindo nas telas gigantes. Na verdade, ela parece ter lágrimas nos olhos. Meu Deus. Eu me sinto uma fraude. Quer dizer, trabalhei quase em tempo integral no livro dela nos últimos meses, mas também reclamei demais e não paguei a ela um bom adiantamento, na verdade.

Já estou no palco antes mesmo de conseguir entender o que está acontecendo. Katherin me dá um beijo na bochecha e me entrega um enorme buquê de lírios.

— Acharam que eu tinha me esquecido de vocês, não foi? — sussurra ela no meu ouvido, com um sorriso irônico. — Mas a fama ainda não me subiu à cabeça.

A plateia está aplaudindo e o som ecoa tanto no teto que não sei dizer de onde está vindo. Sorrio, torcendo para que apenas a força de vontade mantenha meu decote no lugar. As luzes são muito fortes ali em cima — vejo estrelas toda vez que pisco, e tudo ao redor fica muito branco e brilhante ou preto e sombrio, como se alguém tivesse mexido nas definições de contraste.

Acho que é por isso que não noto a comoção até ela chegar à frente da multidão, fazendo cabeças virarem e pessoas gritarem ao perderem o equilíbrio, como se tivessem sido empurradas. Por fim, uma figura abre caminho e sobe no palco.

Não consigo ver direito, os olhos ofuscados por todas aquelas luzes, lírios balançando à minha frente enquanto tento segurar o buquê direito e pensar numa forma de descer do palco com estes sapatos sem poder segurar o corrimão.

No entanto, reconheço a voz. E então todo o resto some.

— Pode me passar o microfone? — pede Justin, porque, claro, por mais inacreditável e impossível que pareça, a figura que abriu caminho pela multidão foi ele. — Preciso dizer uma coisa.

Katherin passa o microfone antes mesmo de parar para pensar. Ela olha para mim no último instante, a testa franzida, mas o microfone já está nas mãos dele. Esse é o Justin: sempre consegue tudo o que quer.

Ele se vira para mim.

— Tiffy Moore — diz —, olhe para mim.

É verdade, não estou olhando para ele. Como se estivesse presa a fios, minha cabeça se vira e meus olhos encontram os de Justin. Lá está ele. Rosto definido, barba bem-feita, ombros fortes sob o paletó do smoking. Os olhos dele estão voltados para o meu rosto como se eu fosse a única mulher em todo o salão. Não consigo ver sinal algum do homem sobre quem venho falando na terapia, o homem que me machucou. O homem na minha frente é um sonho realizado.

— Tiffy Moore...

Tudo parece errado, como se eu tivesse entrado em um mundo alternativo no estilo *De caso com o acaso* e, de repente, todos os vestígios da minha outra vida, em que não preciso de Justin nem o quero, ameaçam me abandonar.

— Não consigo viver sem você.

Há uma pausa. Um silêncio arrastado e doentio ecoa, como uma última nota longa e crua em nossos ouvidos quando a música acaba.

Então Justin se ajoelha no palco.

De repente, percebo a reação da multidão — eles soltam *oohs* e *aahs* — e posso ver os rostos que me cercam, o de Rachel retorcido de choque, a boca de Katherin aberta. Quero fugir, desesperada, apesar de imaginar que, mesmo que pudesse reunir forças para isso, minhas pernas estejam paralisadas demais para obedecer. É como se todos nós no palco estivéssemos atuando em uma peça.

— Por favor... — começo.

Por que tenho que começar implorando? Tento formular a frase outra vez, mas Justin não permite.

— Você é a mulher da minha vida. — Sua voz é baixa, mas se espalha bem com o microfone. — Agora sei disso. Não acredito que deixei de acreditar na gente. Você é tudo que eu poderia querer e mais. — Ele inclina a cabeça, um gesto que eu achava irresistível. — Sei que não mereço você. Sei que você é boa demais para mim, mas…

Algo se estica dentro de mim, como se estivesse prestes a arrebentar. Lembro-me de como Gerty disse que Justin sabe exatamente como me manipular, e aí está: o Justin que me conquistou no início.

— Tiffany Moore, você quer se casar comigo?

Há algo nos olhos dele — eram sempre os olhos que me encantavam. O silêncio se estende, rígido, parecendo me sufocar. A sensação de estar em dois lugares ao mesmo tempo, de ser duas pessoas ao mesmo tempo, é tão intensa que é como estar quase dormindo, presa entre o sono e o despertar. Justin está aqui, implorando para ficar comigo. O Justin que eu sempre quis. O Justin do início, com quem passei por inúmeras brigas e separações, o homem pelo qual sempre acreditei que valia a pena lutar.

Abro a boca e falo, mas sem o microfone, e minha voz se perde atrás dos lírios. Nem eu consigo ouvir minha resposta.

— Ela disse sim! — grita Justin, levantando-se, abrindo bem os braços. — Ela disse sim!

A multidão festeja. O barulho é ensurdecedor. A luz cria faixas sob minhas pálpebras, e Justin me agarra, me abraça, beija meu cabelo. Isso não é estranho, sinto apenas o que sempre sentia: seu corpo firme contra o meu, seu calor, tudo perfeita e horrivelmente familiar.

60

Leon

Srta. Constantine: Sra. Wilson, como nossa primeira testemunha técnica, a senhora poderia começar explicando aos juízes qual é sua especialidade?

Sra. Wilson: Sou analista e técnica de vídeo. Faço isso há quinze anos. Trabalho para a principal equipe forense de análise de vídeo; foi minha equipe que conseguiu obter essas imagens melhoradas [aponta para tela].

Srta. Constantine: Muito obrigada, sra. Wilson. E, com sua experiência examinando imagens de vídeo, o que a senhora pode nos dizer sobre os dois clipes curtos que vimos hoje?

Sra. Wilson: Muita coisa. Primeiro, que não são a mesma pessoa.

Srta. Constantine: É mesmo? A senhora parece ter bastante certeza.

Sra. Wilson: Ah, tenho certeza mesmo. Para começar, olhe a cor do moletom na imagem melhorada. Só um deles é preto. Dá para ver pelo tom, veja. O preto é uma cor mais densa.

Srta. Constantine: Podemos ver as duas imagens na tela, por favor? Obrigada.

Sra. Wilson: E vejam como eles andam! É uma boa imitação, claro, mas o primeiro rapaz está claramente na mão do... Está claramente bêbado, meritíssimos. Vejam como ele anda em zigue-zague. Quase esbarra no display. O outro homem anda de maneira bem mais reta e não se atrapalha quando pega a faca. O primeiro rapaz quase deixou as cervejas caírem!

Srta. Constantine: E com as novas imagens de vídeo de fora do estacionamento, podemos ver esse... andar distinto de modo mais claro.

Sra. Wilson: Isso mesmo.

Srta. Constantine: E do grupo que vemos passando por ali alguns instantes depois da primeira figura, que identificamos como o sr. Twomey... A senhora seria capaz de identificar um deles como o homem que usou a faca na loja?

Sr. Turner, para os juízes: Meritíssimos, isso não passa de especulação.

Juiz Whaite: Vamos permitir. A srta. Constantine está recorrendo ao conhecimento da testemunha.

Srta. Constantine: Sra. Wilson, a partir dessas imagens, algum desses homens pode ser o da loja?

Sra. Wilson: Com certeza. O cara na ponta direita. Aqui ele está sem o capuz e não está imitando o andar, mas veja como o ombro dele baixa a cada passo do pé esquerdo. Veja como esfrega o ombro, o mesmo gesto que o rapaz que assaltou a loja faz antes de puxar a faca.

Sr. Turner: Estamos aqui para reexaminar o veredito dado ao sr. Twomey. Qual é a relevância de culpar uma pessoa aleatória que não podemos identificar?

Juiz Whaite: Entendo seu argumento, sr. Turner. Certo, srta. Constantine: a senhorita tem mais perguntas que sejam pertinentes ao caso em questão?

Srta. Constantine: Não, meritíssimo. Espero poder voltar a esta discussão mais tarde se este caso for reaberto.

O promotor, o sr. Turner, solta uma risada, que tenta esconder com a mão. Gerty lança um olhar glacial para ele. Eu me lembro de como o sr. Turner intimidou Richie durante o julgamento. Chamou meu irmão de delinquente, criminoso violento, uma criança que tomava o que bem entendesse. Vejo o sr. Turner empalidecer sob o olhar de Gerty. Para minha alegria, mesmo de túnica e peruca, ele não é imune à força da cara feia de Gerty.

Olho nos olhos de Richie e, pela primeira vez no dia, abro um sorriso genuíno.

Saio durante o intervalo e ligo o celular. Meu coração não está exatamente disparado, só está... batendo com mais força. Tudo parece exagerado:

quando compro um café, está mais forte; quando o céu clareia, o sol é forte e claro. Não posso acreditar em como as coisas estão indo bem. Gerty é uma força da natureza; tudo que ela diz é tão... *conclusivo*. Os juízes não param de assentir. O juiz nunca assentiu na primeira vez.

Imaginei isso tantas vezes que agora parece que estou em um sonho.

Algumas mensagens de Tiffy. Vou digitar uma resposta rápida, as palmas das mãos suadas, quase com medo de escrever e dar azar. Queria poder ligar para ela. Em vez disso, olho a página de Tasha Chai-Latte no Facebook. Tiffy disse que ela está filmando o lançamento do livro. Já há um vídeo com milhares de visualizações. Parece ser do lançamento, a julgar pelo teto abobadado.

Assisto, me sentando no banco à frente do tribunal, ignorando a baderna dos *paparazzi* esperando por uma chance de tirar uma foto que alguém possa comprar.

É o discurso de agradecimento de Katherin. Sorrio quando ela cita Tiffy. Pelo que Tiffy diz, editores nunca recebem muito crédito, e diagramadores menos ainda — vejo o sorriso de Rachel quando ela sobe no palco com Tiffy.

A câmera sacode. Alguém abre caminho até a frente. Quando o sujeito pula no palco, percebo quem é.

Uma vontade repentina horrível, cheia de culpa, de deixar o tribunal e ir até Islington. Eu me inclino para a frente, olhos vidrados no pequeno vídeo passando na tela.

O vídeo corta depois que ela diz sim.

É incrível como me sinto mal. Talvez a gente só saiba o que sente por alguém depois que ela aceita se casar com outra pessoa.

61

Tiffy

Justin me puxa do palco para as coxias. Vou com ele porque, mais do que tudo, quero que o barulho e as luzes e a multidão desapareçam, mas, assim que passamos pela cortina, puxo a mão. Meu pulso está doendo muito; ele estava segurando com força. Estamos em um corredor estreito, coberto de preto, ao lado do palco, vazio a não ser por um homem vestido de preto com um walkie-talkie e muitos cabos em volta dos pés.

— Tiffy? — diz Justin.

A vulnerabilidade em sua voz é totalmente forjada, dá para ver.

— Que porra foi... — começo. Todo o meu corpo está tremendo; é difícil me manter de pé, especialmente com estes sapatos. — O que foi isso?

— O que foi o quê?

Ele tenta pegar minha mão de novo.

Rachel entra pela cortina atrás de nós, tirando os sapatos.

— Tiff... Tiffy!

Viro-me para ela enquanto Rachel corre na minha direção e deixo que me abrace com força. Justin encara nós duas, os olhos semicerrados — vejo que está planejando alguma coisa, por isso viro o rosto para a massa de tranças de Rachel e me esforço muito, muito para não chorar.

— Tiffy? — grita outra pessoa.

É Mo. Não consigo ver onde ele está.

— Seus amigos vieram dar os parabéns — diz Justin, benevolente, mas seus ombros estão rígidos e tensos.

— Mo? — chamo.

Ele aparece atrás de Justin, passando pelas cortinas que nos separam da área principal dos bastidores. Já sem paletó e com o cabelo bagunçado, como se tivesse corrido até ali.

Em um instante, ele está ao meu lado. Atrás de mim, ouço Katherin no palco, valentemente tentando trazer o foco de volta para *Crochê para a vida*.

Justin olha para nós três. Rachel ainda me abraça, e eu me apoio nela quando olho para Justin.

— Você sabe que eu disse não — digo, direta.

Os olhos dele se arregalam.

— Como assim?

Balanço a cabeça. Sei o que é isso: lembro-me dessa sensação, da noção incômoda de estar errada.

— Você não pode me fazer acreditar em uma coisa que sei que não é verdade.

Um brilho passa pelos olhos dele. Talvez Justin esteja pensando: *Já fiz isso muitas vezes.*

— Não mais — digo. — E sabe como isso se chama, isso que você faz? Se chama *gaslighting*. É um tipo de abuso. Me dizer que as coisas não são como eu vejo.

Isso o abala. Não sei se Rachel ou Mo vão perceber, mas eu noto a pancada. A Tiffy que ele conhece jamais usaria palavras como "*gaslighting*" ou "abuso". Vê-lo hesitar me deixa eletrizada, a mesma sensação de estar muito próxima da beira da plataforma quando o trem passa correndo.

— Você aceitou, sim — diz ele. A luz do palco entra pelas cortinas atrás de nós, deixando uma grande faixa amarela nos traços escurecidos do rosto de Justin. — Eu ouvi! E... você *quer* se casar comigo, não é, Tiffy? Nós nascemos um para o outro.

Ele tenta pegar minha mão. A performance é óbvia demais. Eu me afasto e, rápida como um raio, Rachel dá um tapa na mão estendida dele.

Justin não reage fisicamente. Quando fala, sua voz está suave e ferida.

— Por que você fez isso?

— Não toque nela! — dispara Rachel.

— Acho que você deveria ir embora, Justin — diz Mo.

— O que está acontecendo, Tiffy? — pergunta Justin, a voz ainda suave. — Seus amigos estão chateados comigo porque a gente terminou?

Justin continua tentando se aproximar, apenas alguns centímetros, mas Rachel me abraça com força e, com Mo do outro lado, formamos uma frente unida.

— Posso perguntar uma coisa? — falo, de repente.

— Claro.

O técnico de som de preto olha para a gente, irritado.

— Vocês não podem ficar aqui atrás — diz ele, enquanto a multidão do lado de fora irrompe em aplausos barulhentos.

Eu o ignoro, meus olhos fixos em Justin.

— Como você sabia que eu estaria aqui hoje?

— Como assim? Este evento foi divulgado em todos os cantos, Tiffy. Não dava nem para entrar na internet sem ver isso.

— Mas como você sabia que *eu* estaria aqui? Como sabia que eu estava trabalhando neste livro?

Sei que estou certa. Vejo a hesitação nos olhos dele. Ele passa o indicador por dentro do colarinho da camisa.

— E como sabia que eu estaria no lançamento do livro em Shoreditch? E como sabia que eu estaria naquele cruzeiro?

Ele está abalado. Ri, lançando o primeiro olhar desagradável, depreciativo da noite. Agora sim: esse é o Justin de que comecei a me lembrar.

Por um instante, ele fica indeciso, depois decide abrir um sorriso tranquilo.

— Seu amigo Martin tem me dado umas dicas — diz ele, tímido, como um menino travesso que foi pego no flagra. Doce, inocente. — Ele sabia o quanto eu gostava de você, então estava ajudando a gente a ficar junto de novo.

— Você está de sacanagem — diz Rachel, de repente.

Olho para ela. Seus olhos estão brilhando, e ela parece mais assustadora do que nunca, o que é muita coisa.

— E como você conhece o Martin? — pergunto, sem conseguir acreditar.

— Silêncio! — sibila o técnico de som.

Todos o ignoramos.

— A gente se conheceu numa das saídas com o pessoal do trabalho, não lembra? E que diferença faz? Será que a gente não pode ir para um lugar mais tranquilo, só nós dois, Tiffy?

Não me lembro dessa saída. Não fui à maioria delas porque Justin nunca queria ir e não gostava quando eu ia sem ele.

— Não quero ir a lugar nenhum com você, Justin — respondo, respirando fundo, trêmula. — E não quero me casar com você. Quero que me deixe em paz.

Já me imaginei dizendo isso muitas e muitas vezes. Sempre achei que ele ia ficar magoado, talvez dar um passo para trás, chocado, ou levar a mão à boca. Eu o imaginei chorando e tentando me abraçar; tive até medo de que ele tentasse me prender fisicamente e não me soltasse.

Mas ele parece apenas perplexo. Incomodado. Talvez até irritado, como se tivesse sido ludibriado de alguma maneira e tudo isso fosse muito injusto.

— Você não está falando sério — começa ele.

— Ah, ela está, sim — retruca Mo.

A voz dele é simpática, mas firme.

— Está mesmo — acrescenta Rachel.

— Não — diz Justin, balançando a cabeça. — Você não está dando uma chance para a gente.

— Uma chance? — Eu quase rio. — Voltei para você milhares de vezes. Não consigo nem contar quantas chances já foram. Não quero ver você. Nunca mais.

Ele franze a testa.

— Você disse naquele bar em Shoreditch que precisava ficar sozinha por dois meses. Eu segui suas regras! — diz Justin, esticando os braços. — Estamos em outubro, não estamos?

— Muita coisa mudou em dois meses. Andei pensando muito. E me lembrei de muitas coisas.

Lá está outra vez — um brilho quase de medo nos olhos dele. Ele faz uma última tentativa de me pegar e, desta vez, Rachel dá um tapa na cara dele.

— Eu mesmo não poderia ter feito melhor — murmura Mo, antes de puxar nós duas para trás, para a bagunça de cabos e escuridão, enquanto Justin tropeça para a frente, os olhos arregalados, em choque.

— Você. Fora — diz o técnico de som irritado, firme, para Justin, claramente vendo que ele é a fonte de todo aquele barulho.

Ele dá um passo para a frente, forçando Justin a se afastar mais.

Equilibrando-se, Justin ergue a mão para o técnico de som, um aviso claro. Ele olha por cima do ombro para tentar encontrar a saída e se vira de novo para olhar nos meus olhos.

Por um instante, perco a noção de que Mo e Rachel estão ao meu lado e o técnico de som está ali conosco. Somos só eu e o corpo robusto, com smoking, de Justin naquele espaço apertado e escuro, e eu me sinto desesperada, como se estivesse ficando sem ar. Só dura um ou dois segundos, mas, de certa forma, é pior do que tudo que aconteceu até agora.

Então Justin recua pelas cortinas, entrando nos bastidores, fazendo barulho. Desabo em Rachel e Mo, trêmula. Ele foi embora. Acabou. Mas deixou essa falta de ar desesperadora para trás e, enquanto me agarro a Rachel e Mo com dedos suados, sinto um medo repentino e doentio de nunca ser capaz de esquecê-lo, não importa quantas vezes eu o veja ir embora.

62

Leon

Não consigo pensar. Não consigo pensar em nada. De alguma forma, recupero o controle dos pés e volto ao tribunal, mas a sensação de sonho ganhou uma aura de irrealidade. De forma mecânica, sorrio para Richie. Noto como seus olhos estão brilhando, como ele parece esperançoso. Não consigo sentir nada.

Provavelmente é o choque. Vou me recuperar logo e voltar a me concentrar na audiência. Não acredito que algo conseguiu me distrair. Fico furioso com Tiffy de repente, por escolher hoje, entre todos os dias, para me largar e voltar para Justin, e não posso deixar de pensar na minha mãe, em como ela sempre voltava para aqueles homens, independentemente do que Richie e eu disséssemos.

Parte do meu cérebro lembra que minha mãe não *queria* ficar com aqueles caras. Ela achava que não tinha opção. Ela achava que não tinha valor se estivesse sozinha.

Mas Tiffy não estava sozinha. Ela tinha Mo, Gerty, Rachel e a mim.

Richie. Pense no Richie. Richie precisa de mim aqui e não vou perder meu irmão de jeito nenhum de novo. Não ele.

Gerty está encerrando. Quase consigo ouvir — ela é tão boa que é impossível não acompanhar sua lógica. Então, com uma falta peculiar de alarde, acabou. Todos nos levantamos. Juízes saem. Richie é levado de volta, lançando um olhar esperançoso para mim. Atravessamos o tribunal em silêncio, Gerty mexendo no telefone, minha mãe estalando os dedos sem parar.

Ela olha para mim de soslaio quando chegamos à entrada.

Mãe: Lee? O que houve?

Gerty arqueja baixinho. Leva a mão à boca. Olho para ela, impassível, e noto que ela está assistindo ao vídeo no Facebook.

Gerty: Ai, meu Deus.

Mãe, alerta: O que houve?

Eu: Tiffy.

Mãe: Sua namorada? O que ela fez?

Gerty: Ela *jamais* faria isso.

Eu: Faria, sim. Você sabe que as pessoas fazem. Voltam. É difícil abandonar o que já se conhece. Não é culpa dela. Mas você sabe que as pessoas fazem isso.

O silêncio de Gerty diz o bastante. De repente, mais do que tudo, preciso ir embora.

Eu: A gente não vai saber o veredito neste fim de semana, vai?

Gerty: Não, só na semana que vem. Eu ligo quando...

Eu: Obrigado.

E vou embora.

Ando sem parar. Não consigo chorar, mas estou com a garganta seca e os olhos doloridos. Tenho certeza de que parte disso é medo por Richie, mas só consigo pensar em Justin, os braços abertos, gritando "ela disse sim" para a multidão animada.

Relembro todas as cenas. Os inúmeros bilhetes, Brighton, a noite comendo biscoitos no sofá, a festa de Holly, os beijos na cozinha. Meu estômago se revira ao lembrar como o corpo de Tiffy ficava rígido quando ela pensava em Justin, mas me recuso. Não quero sentir pena dela. Por enquanto, só quero me sentir traído.

Mas não posso evitar. Não paro de pensar como seus joelhos tremiam.

Ah, pronto. Aqui estão as lágrimas. Sabia que elas apareceriam em algum momento.

63

Tiffy

O aroma dos lírios é sufocante. Mo está segurando o buquê ao meu lado enquanto nos abraçamos ali, no escuro, as flores pressionadas contra meu vestido, sujando o tecido de pólen. Quando olho para as marcas na seda, noto que estou tremendo tanto que a saia do vestido balança.

Não me lembro exatamente do que Justin disse quando foi embora. Na verdade, já sinto que não lembro muito bem da conversa que acabou de acontecer. Talvez tenha sido apenas um sonho, e eu ainda esteja de pé no meio da multidão, perguntando-me se Katherin vai mencionar meu nome no discurso de agradecimento e se os enroladinhos na bandeja de canapé são de pato ou frango.

— E se... E se ele ainda estiver ali? — sussurro para Rachel, apontando para as cortinas pretas por onde Justin saiu.

— Mo, segura aqui — pede Rachel.

Acho que ela está falando de mim. Rachel desaparece nos bastidores, enquanto, no palco, Katherin se despede da plateia com aplausos ensurdecedores.

Mo segura meu cotovelo, obediente.

— Está tudo bem — sussurra.

Ele não diz mais nada, só começa um dos silêncios parecidos com abraços que eu tanto adoro. No mundo do outro lado das cortinas escuras, a multidão ainda aplaude. Aqui, o som abafado se parece com chuva pesada caindo no asfalto.

— Vocês não podem mesmo ficar aqui — insiste o técnico de som, exasperado, quando Rachel volta.

Ele dá um passo para trás quando ela se vira e olha para ele. Não o culpo. Rachel está preparada para guerra e parece muito assustadora.

Ela passa por ele sem responder, erguendo a saia para pular os cabos.

— Não tem nenhum ex maluco aqui — diz, voltando para o meu lado.

Katherin entra de repente, vinda do palco. Quase bate em Mo.

— Nossa! — exclama. — Isso tudo foi muito dramático, não foi? — Ela me dá uma série de tapinhas, de um jeito maternal. — Você está bem? Imagino que aquele cara seja…

— O ex-namorado *stalker* da Tiffy — sugere Rachel. — E, falando em *stalkers*, acho que a gente precisa ter uma conversinha com o Martin…

— Agora não — imploro, agarrando o braço dela. — Só fique comigo um pouquinho, está bem?

A expressão dela se suaviza.

— Tudo bem. Posso arrancar os testículos dele outra hora.

— Combinado. Que nojo…

— Não consigo *acreditar* que ele ficava contando para aquele *filho da mãe* onde você estava o tempo todo. Você deveria prestar queixa, Tiffy.

— Com certeza tem que pedir uma ordem de restrição — diz Mo, baixinho.

— Para o Martin? Não vai ser estranho por causa do trabalho? — respondo, sem ânimo.

Mo apenas me encara.

— Você sabe de quem estou falando.

— A gente pode sair deste… lugar escuro… e cheio de cortinas agora? — pergunto.

— Boa ideia — diz Katherin. De maneira discreta, sem que Rachel veja, o técnico de som assente e revira os olhos. — Tenho que ir falar com as pessoas, mas por que vocês não pegam minha limusine?

— Como é que é? — pergunta Rachel, encarando-a.

Katherin fica envergonhada.

— A ideia não foi *minha*. A equipe de RP da Butterfingers reservou para mim. Está lá fora. Podem usar. Não posso ser vista dentro de um carro desse, nem morta. Nunca mais vão me deixar entrar no Clube dos Velhos Socialistas.

— Obrigado — responde Mo.

Eu saio brevemente da névoa de pânico, encantada por saber que a diretora de RP pagou voluntariamente por uma limusine. Ela é conhecida por controlar o orçamento com mão de ferro.

— Então agora a gente só tem que ir embora. Pelo meio da multidão — diz Rachel, a boca fechada em uma linha rígida.

— Mas primeiro você tem que ligar para a polícia e prestar queixa contra o Justin por assédio — diz Mo. — E tem que contar tudo a eles. Todas as outras vezes, as flores, Martin...

Solto uma mistura de gemido e grunhido. Mo esfrega minhas costas.

— Anda, Tiffy — diz Rachel, entregando-me o celular dela.

Passo pela multidão como se fosse outra pessoa. Todos ficam me dando tapinhas nas costas, sorrindo e chamando meu nome. De início, tento dizer "não aceitei, não vou me casar, ele não é meu namorado", mas eles não conseguem ou não querem me ouvir, então, quando chegamos perto da porta, desisto.

A limusine de Katherin está estacionada na esquina. Não é só uma limusine — é uma limusine gigantesca. Isso é ridículo. A diretora de RP deve querer que Katherin faça algo muito importante por pouquíssimo dinheiro.

— Oi, com licença? — diz Rachel para o motorista, pela janela, com sua melhor voz galanteadora. — Katherin disse que a gente podia pegar a limusine.

Em seguida, ocorre uma conversa longa. Como provavelmente é o certo a fazer, o motorista não vai apenas aceitar nossa palavra. Depois de uma rápida ligação para a própria Katherin e a volta do semblante mortífero de Rachel, entramos... graças a Deus. Estou tremendo sem parar, mesmo com o paletó de Mo sobre os ombros.

Dentro do carro é ainda mais ridículo do que fora. Há sofás compridos, um pequeno bar, duas TVs e um aparelho de som.

— Puta merda! — exclama Rachel. — Isso é um absurdo. Você não acha que eles poderiam me pagar mais do que um salário-mínimo?

Ficamos em silêncio por um tempo enquanto o motorista sai com o carro.

— Bom — continua ela —, acho que todos nós concordamos que o dia acabou de um jeito inesperado.

Por algum motivo, essa é a gota d'água. Escondo o rosto nas mãos e choro, apoiando a cabeça no estofado verde de veludo e deixando os soluços dominarem meu corpo como se eu fosse uma criancinha. Mo aperta meu braço de leve.

Ouvimos um zumbido.

— Está tudo bem aí atrás? — pergunta o motorista. — Parece que alguém está tendo um ataque!

— Está tudo bem! — grita Rachel, enquanto choro e soluço, esforçando-me para respirar apesar das lágrimas. — Minha amiga acabou de ser atacada pelo ex-namorado doido na frente de uma multidão de mil pessoas e foi manipulada a ponto de parecer que ia se casar com ele, então a reação dela é perfeitamente natural.

Uma pausa.

— Eita — diz o motorista. — Os lenços estão embaixo do bar.

Quando chego em casa, ligo para Leon, mas ele não atende. Por baixo de toda a loucura cega que dominou meu dia, estou louca para saber os detalhes da audiência. A última mensagem que recebi foi: *Tudo indo bem no tribunal.* Quão bem? Já acabou? Quando Richie vai receber o veredito?

Quero muito falar com ele. Na verdade, quero me aconchegar no peito dele, sentir seu cheiro delicioso, deixar que ele faça carinho nas minhas costas como costuma fazer... e *aí* falar com ele.

Ainda não consigo acreditar. Não posso acreditar em Justin. Como ele me colocou naquela situação, na frente de todas aquelas pessoas... O que ele achou? Que eu fosse aceitar aquilo só porque era o que ele queria?

Talvez antes eu tivesse aceitado, na verdade. Deus, isso é nojento.

Usar Martin para saber de mim leva a coisa toda a outro nível de loucura — todos aqueles encontros estranhos em que ele me fez sentir maluca por pensar que não eram apenas coincidência. Tudo cuidadosamente planejado e calculado. Mas *para quê*? Se quisesse ficar comigo, ele teria conseguido. Eu era dele; teria feito qualquer coisa por ele. Por que Justin me afastou tanto para depois ficar tentando voltar para mim? É tão... estranho. É um sofrimento tão desnecessário.

Rachel não podia voltar para o apartamento conosco — ela vai cuidar da sobrinha hoje à noite, vai passar de uma chorona melequenta para outra —, mas Mo prometeu ficar comigo, o que é muito legal da parte dele. Sinto-me um pouco culpada porque a verdade é que, agora, é Leon que quero.

Fico quase surpresa com esse pensamento. Quero Leon. Preciso dele aqui comigo, remexendo-se, nervoso, abrindo um sorriso torto e fazendo tudo ser mais alegre sem esforço. Depois de toda a loucura de hoje, percebo com outro ânimo que não me importo se o friozinho gostoso na barriga às vezes se transforma em pânico absoluto enquanto volto a aprender sobre relacionamentos. Se eu desistir pelo medo, se deixar que isso me impeça de ficar com Leon, Justin vai ter vencido mesmo.

E vale muito a pena ter medo por Leon. Ele vale muito a pena. Pego o telefone e tento ligar para ele de novo.

64

Leon

Três ligações perdidas da Tiffy.

Não posso falar com ela. Não quero ouvir nenhuma explicação. Ainda estou caminhando, sabe Deus para onde — talvez em círculos. Estou mesmo vendo vários Starbucks parecidos. Todas as ruas desta parte de Londres são estreitas e dickensianas. Paralelepípedos e tijolos sujos de poluição, faixas minúsculas e estreitas de céu entre janelas encardidas. Mas não é preciso andar muito para chegar ao mundo brilhante e azul-claro do centro da cidade. Viro uma esquina e me deparo comigo mesmo, espelhado na sede de vidro de uma firma de contabilidade.

Estou horrível. Exausto e amarrotado neste terno — nunca fiquei bem de terno. Eu deveria ter me esforçado mais para me arrumar; talvez isso tenha um impacto negativo em Richie. Já tenho que lidar com minha mãe, cuja ideia de chique são botas na altura do joelho com um salto um pouco maior.

Paro, surpreso com a maldade desse pensamento. Cruel e preconceituoso. Não gosto de saber que isso veio da minha cabeça. Já consegui perdoar muitas coisas na minha mãe — ou achei que havia conseguido. Mas agora fico irritado só de pensar nela.

Hoje sou um homem irritado. Irritado por ter aceitado ficar feliz pelo simples fato de que juízes ouviram o caso do meu irmão, quando, na verdade, ele nem deveria ter sido levado até lá por um guarda. Irritado por ter me preocupado em mostrar a Tiffy o que sinto, mas por ter feito isso tarde demais, deixando assim um homem que lhe causa pesadelos, embora com certeza saiba planejar um grande gesto romântico, passar a minha frente. Ninguém duvida do que *Justin* sente agora. Ele deixou bem claro.

Realmente acreditei que ela não voltaria para ele. Mas a gente sempre pensa isso, e elas sempre voltam.

Olho para o celular: o nome de Tiffy na tela. Ela me mandou uma mensagem. Não consigo abrir, mas me sinto incapaz de enfrentar a tentação, então desligo o telefone.

Penso em ir para casa, mas minha casa está cheia das coisas de Tiffy. Do cheiro dela, das roupas que a vi usar, do vazio que ela deixa. E uma hora ela vai voltar do lançamento — o apartamento é dela hoje à noite e no fim de semana. Então, não. Posso dormir na minha mãe, claro, mas o estranho é que pareço estar tão furioso com ela quanto com Tiffy. Além disso, não aguento nem pensar em dormir no antigo quarto que eu e Richie dividíamos. Não posso estar onde Tiffy está, não posso estar onde Richie não está.

Não tenho para onde ir. Nenhum lugar é meu lar. Continuo andando.

Essa divisão do apartamento... Queria nunca ter feito isso. Queria nunca ter aberto minha vida assim, deixado alguém entrar e preenchê-la. Eu estava bem — seguro, me virando. Agora o apartamento não é meu, é *nosso*, e, quando ela for embora, só vou ver a ausência de tiffin, livros sobre pedreiros e aquela droga de pufe estampado. Vai ser outro cômodo cheio do que está faltando. Bem o que eu não queria.

Talvez eu ainda consiga salvar Tiffy de uma vida com Justin. Aceitar um pedido de casamento não significa que eles vão mesmo se casar, e ela não podia recusar, não é? Não com todas aquelas pessoas olhando. Sinto uma onda de esperança perigosa e me esforço para reprimi-la. Lembro a mim mesmo que não posso salvar ninguém: isso está nas mãos da própria pessoa. O melhor que podemos fazer é ajudar quando elas estiverem prontas.

Deveria comer. Não lembro quando foi a última vez. Na noite anterior? Já parece uma eternidade. Agora que percebi que estou com fome, meu estômago ronca.

Entro no Starbucks. Passo por duas meninas assistindo ao vídeo de Tasha Chai-Latte de Justin pedindo Tiffy em casamento. Bebo chá com muito leite, como um misto-quente metido a besta cheio de manteiga e encaro a parede.

Percebo, quando a barista limpando a mesa me lança um olhar curioso, de pena, que voltei a chorar. Não consigo parar, então nem tento. Mas, no fim, pessoas estão notando e quero voltar a me mover, sozinho.

Ando mais. Estes sapatos sociais estão fazendo bolhas nos meus calcanhares. Eu me lembro com saudade dos sapatos gastos que uso no trabalho, a perfeição com que se encaixam, e, depois de mais ou menos quinze minutos, fica claro que não estou mais apenas andando, estou andando para algum lugar. Sempre há espaço para outro enfermeiro na casa de repouso.

65

Tiffy

Gerty está ligando. Eu atendo, sem nem pensar — por puro reflexo.

— Alô? — Minha voz soa estranhamente passiva, mesmo para mim.

— Que porra é essa, Tiffy? Que porra é essa?

O susto me faz chorar outra vez.

— Me dê aqui — pede Mo.

Olho enquanto ele tira o telefone da minha mão e prendo a respiração quando vejo a expressão dele. Está muito irritado. Mo nunca fica irritado.

— Que merda você tem na cabeça? — diz ele ao telefone. — Ah, é? Você viu um vídeo, foi? E não pensou em perguntar para a Tiffy o que aconteceu? Dar à sua melhor amiga o benefício da dúvida antes de berrar com ela no telefone?

Meus olhos se arregalam. Um vídeo? Merda. Que vídeo?

E então eu lembro. Tasha Chai-Latte filmando o discurso da Katherin. Supostamente, Martin organizou tudo, o que significa que Justin saberia disso. Não é à toa que ele estava tão disposto a garantir que todos ouvissem minha "resposta" para a bela pergunta dele — ele precisava disso para as câmeras.

Martin também me viu com Leon no castelo no País de Gales, logo depois de Justin ter aparecido no apartamento, encontrado Leon de toalha e ficado desconfiado.

— Mo — falo, com urgência. — Pergunte à Gerty onde o Leon está.

• • •

— Ligue para ele de novo.

— Tiff, o telefone dele ainda está desligado — diz Mo, gentil.

— Ligue de novo! — peço, andando de um lado para outro entre o sofá e a cozinha.

Meu coração bate com tanta força que parece estar tentando escapar do peito. Não consigo suportar a ideia de Leon vendo aquele vídeo e pensando que fiquei noiva de Justin. Não consigo suportar.

— O telefone dele ainda está desligado — repete Mo, meu celular no ouvido.

— Tente ligar do seu. Talvez ele esteja rejeitando as minhas ligações. Ele deve me odiar.

— Ele não odeia você — garante Mo.

— A Gerty odiou.

Mo semicerra os olhos.

— A Gerty tem a tendência de julgar. Ela está trabalhando isso.

— Bom, o Leon não me conhece bem o bastante para saber que eu nunca faria algo assim com ele — respondo, contorcendo as mãos. — Ele sabe que eu gostava muito do Justin, provavelmente acha... Ai, meu Deus.

Estou ficando sem ar.

— O que quer que ele pense, dá para resolver — garante Mo. — A gente só precisa esperar até ele estar pronto para conversar. Ele também teve um dia difícil por causa da audiência do Richie.

— Eu sei! Eu *sei*! Você acha que eu não sei como hoje era um dia importante para ele?!

Mo não diz nada. Seco o rosto.

— Desculpa. Não deveria ter gritado com você. Você tem sido um amigo maravilhoso. Só estou muito irritada comigo mesma.

— Por quê? — pergunta Mo.

— Porque... eu namorei o cara, não foi?

— O Justin?

— Não estou dizendo que o que aconteceu hoje foi culpa minha, eu sei que não funciona assim, mas não posso deixar de pensar... Se ele não tivesse me manipulado, se eu tivesse sido mais forte... a gente nunca teria chegado a esse ponto. Quer dizer, pelo amor de Deus! Nenhuma ex-namorada sua tentou fazer você se casar com ela e depois deu um jeito de acabar com seu relacionamento atual, não é? Não que você tenha um relacionamento atual, mas entende o que estou querendo dizer.

— Hum... — diz Mo.

Olho para ele, secando os olhos outra vez. Estou chorando de um jeito que faz com que meus olhos nunca fiquem secos de verdade. Eles simplesmente não param de escorrer.

— Deixa eu adivinhar. Você e a Gerty?

— Como descobriu? — pergunta Mo, desconfortável.

— Rachel. O radar dela é muito melhor do que o da Gerty, mas não conte... Não, conte, sim. Quem se importa se a Gerty ficar magoada? — digo, irritada.

— Ela está ligando — diz Mo, mostrando meu celular.

— Não quero falar com ela.

— Posso atender?

— Pode fazer o que você quiser. Ela é sua namorada.

Mo me lança um olhar enquanto volto a me sentar no sofá com as pernas trêmulas. Estou sendo infantil, claro, mas Mo estar com Gerty neste momento me passa a impressão de que ele está do lado dela. Quero Mo do meu lado. Quero berrar com Gerty. Ela teve a chance de dizer a Leon que eu nunca faria algo assim com ele, que ele deveria conversar comigo antes de acreditar em qualquer coisa, e não fez isso.

— Ela não está conseguindo encontrar o Leon — diz Mo depois de um tempo. — A Gerty quer muito falar com você, Tiffy. Quer pedir desculpa.

Balanço a cabeça. Não estou pronta para deixar de ficar irritada só porque ela quer se desculpar.

— Ela pediu um telefonema para o Richie quando ele voltar para a cadeia — acrescenta Mo, depois de uma pausa. Posso ouvir a voz de Gerty do outro lado da linha, baixinha e em pânico. — Ela disse que vai contar a ele o que aconteceu de verdade, para ele usar o telefonema que tem e ligar para o celular do Leon. Ele pode ligar para qualquer número na primeira noite. O Richie provavelmente só vai chegar e ser processado bem tarde, talvez até amanhã de manhã, mas ainda é nossa melhor chance de passar o recado para Leon caso ele não volte para casa.

— Amanhã *de manhã*?

Ainda nem anoiteceu.

Mo parece triste.

— Acho que é a nossa melhor opção por enquanto.

É realmente ridículo que um homem preso com direito a um único telefonema seja a melhor opção para falar com alguém.

— O telefone do Leon está desligado — respondo, abatida. — Ele não vai atender.

— Ele vai pensar melhor e vai voltar a ligar, Tiffy — diz Mo, o celular ainda na orelha. — Não vai querer perder uma ligação do Richie.

Sento-me na varanda, encolhida sob dois cobertores. Um deles é a colcha de Brixton que fica na nossa cama — a que Leon usou para me cobrir na noite em que Justin veio até o apartamento e o ameaçou.

Sei que Leon acha que voltei para o Justin. Já passei pela fase do pânico desesperado e agora estou pensando que ele deveria ter um pouco mais de fé em mim, cacete.

Não que eu mereça, na verdade. Eu *voltei* para o Justin, muitas vezes — contei isso a Leon. Mas… eu nunca teria começado a sair com ele se não achasse que desta vez era diferente, se não estivesse pronta para deixar essa parte da minha vida para trás. Eu estava me esforçando tanto. Todo aquele tempo revirando as piores lembranças, as conversas intermináveis com Mo, a terapia. Eu estava me *esforçando*. Mas acho que Leon pensou que eu não tinha mais jeito.

Gerty me liga a cada dez minutos mais ou menos; ainda não atendi. Gerty me conhece há oito anos. Se estou irritada com Leon por não ter fé em mim e ele só me conhece há menos de um ano, estou oito vezes mais irritada com Gerty.

Arranco as folhas murchas e amareladas da única planta de nossa varanda e me esforço muito para não pensar que Justin sabe onde moro. Como ele descobriu? Provavelmente por Martin; é muito fácil conseguir meu endereço quando se tem acesso à minha mesa e aos contracheques que o RH distribui.

Puta merda. Eu sabia que tinha algum motivo para não gostar do cara.

O celular vibra, girando sem parar na mesinha bamba da varanda. O tampo está coberto de cocô de passarinho e aquela poeira espessa e grudenta que cobre tudo que fica algum tempo ao ar livre em Londres. O nome de Gerty ilumina a tela do celular e, com uma pontada de raiva, eu atendo.

— O que foi?

— Sou uma pessoa horrível — responde Gerty, falando muito rápido. — Não acredito que pude pensar isso. Nunca deveria ter imaginado que você voltaria para o Justin. Eu sinto muito, muito.

Paro, impressionada. Gerty e eu já brigamos várias vezes, mas ela nunca pediu desculpas assim de cara, sem incentivo.

— Eu deveria ter acreditado que você conseguiria. Eu *acredito* que você vai conseguir.

— Conseguir o quê? — pergunto, antes de conseguir pensar em uma resposta melhor e mais irritada.

— Se afastar do Justin.

— Ah. Isso.

— Tiffy, você está bem? — pergunta Gerty.

— Bom, não muito — respondo, sentindo meu lábio inferior tremer. Eu o mordo com força. — Imagino que...

— O Richie ainda não me ligou. Você sabe como são essas coisas, Tiffy. Ele pode só ser levado da cela provisória para Wandsworth à meia-noite. E a prisão é uma zona, então não quero dar esperanças a você de que ele vai conseguir o telefonema, muito menos o oficial que obriguei a me prometer que permitiria a ele esse telefonema. Mas, se conseguir falar com ele, vou contar tudo. Vou pedir que ele ligue para o Leon.

Confiro a hora na tela. São oito da noite, e não posso acreditar que o tempo esteja passando tão devagar, como em um pesadelo.

— Estou muito, muito irritada com você — digo a Gerty, porque sei que não passo essa impressão. Estou soando apenas triste, cansada, como se quisesse minha melhor amiga.

— Com certeza. Eu também. Furiosa. Sou a pior amiga do mundo. E o Mo também não está falando comigo, se isso serve de consolo.

— Não serve — respondo, relutante. — Não quero que você seja uma pária.

— Uma o quê? Isso é um tipo de sobremesa?

— Pária. *Persona non-grata*. Excluída.

— Ah, não se preocupe, já aceitei uma vida na desgraça. Eu mereço.

Mantemos um silêncio reconfortante por um tempo. Procuro em mim a enorme piscina de raiva atiçada por Gerty, mas ela parece ter evaporado.

— Eu odeio mesmo o Justin — digo, triste. — Sabia que acho que ele fez isso só para me separar do Leon? Não acho que ele quisesse se casar de verdade comigo. Ele ia só me largar de novo, depois de ter certeza de que me tinha de volta.

— Esse cara precisa ser castrado — fala Gerty, com firmeza. — Ele só fez estrago na sua vida. Já desejei que ele morresse várias vezes.

— Gerty!

— Você não teve que ficar parada vendo isso acontecer. Ver aquele cara tentar transformar você em outra pessoa. Era horrível.

Mexo no cobertor de Brixton.

— Toda essa situação me fez perceber... Eu gosto do Leon de verdade, Gerty. Gosto dele *de verdade*. — Eu fungo, secando os olhos. — Queria que ele tivesse pelo menos me perguntado se eu havia aceitado mesmo. E... e... mesmo que *fosse o caso*... eu queria que ele não tivesse apenas desistido.

— Faz só doze horas. Ele está em choque e exausto depois do julgamento. Passou meses pensando nesse dia. O Justin, como sempre, tem o dom de fazer as coisas no pior momento. Dê um tempinho a ele e acredito que você vai ver o Leon *des-desistir*.

Balanço a cabeça.

— Não sei. Acho que não.

— Tenha fé, Tiffy. Afinal, não é isso que você está pedindo a ele?

66

Leon

Ando pelas alas da casa de repouso como se fosse um fantasma. Será que consigo me concentrar o bastante para tirar sangue de uma veia quando até respirar parece exigir certo esforço? Mas é fácil. Obrigado, rotina. Se tem uma coisa que sei fazer, é isso. Leon, enfermeiro encarregado, quieto, porém confiável.

Noto depois de algumas horas que estou evitando a Ala Coral. Desviando dela.

O sr. Prior está lá, morrendo.

Por fim, o médico de plantão diz que a dose de morfina precisa ser conferida. É isso. Não posso mais me esconder. Lá vou eu. Corredores branco-acinzentados, nus e arranhados, e conheço cada centímetro deles, talvez melhor do que as paredes do meu próprio apartamento.

Paro. Há um homem de terno marrom na porta da ala, antebraços apoiados nos joelhos, encarando o chão. Estranho ver alguém aqui a esta hora — não há visitas no turno da noite. Ele é muito velho, de cabelo branco. Familiar.

Conheço essa postura: é a postura de um homem tomando coragem. Fiz essa pose muitas vezes fora da sala de visitas da prisão e sei como é.

Levo um tempo para entender — mal estou pensando, só seguindo no piloto automático. Mas o homem de cabelo branco que está olhando para o chão é Johnny White VI, de Brighton. A ideia parece ridícula.

JW VI é um homem da minha outra vida. A vida cheia de Tiffy. Mas aqui está ele. Parece que achei o Johnny do sr. Prior, afinal, apesar de ele ter levado algum tempo para admitir.

Deveria ficar feliz, mas não consigo.

Olho para ele. Com noventa e dois anos, ele conseguiu achar o sr. Prior, vestiu seu melhor terno e viajou do litoral até aqui. Tudo por um homem que amou uma vida atrás. Está sentado, a cabeça baixa como se rezasse, esperando força para enfrentar o que deixou para trás.

O sr. Prior tem dias de vida. Horas, talvez. Olho para Johnny White e sinto um soco no estômago. Ele. Deixou. Para. O. Último. Minuto.

Johnny White olha para cima e me vê. Não falamos nada. O silêncio se estende pelo corredor entre nós.

Johnny White: Ele morreu?

Sua voz sai rouca, falhada.

Eu: Não. Você não chegou tarde demais.

Chegou, sim, na verdade. Que dor ele deve ter sentido ao vir até aqui sabendo que seria só para se despedir?

Johnny White: Levei um tempo para achá-lo. Depois da sua visita.

Eu: Você deveria ter dito alguma coisa.

Johnny White: Pois é.

Ele olha de novo para a porta. Dou um passo para a frente, rompo o silêncio e me sento ao lado dele. Examinamos o linóleo arranhado lado a lado. Isso não tem a ver comigo. Não é minha história. Mas... Johnny White naquele banco de plástico, cabeça baixa, é o resultado de quando abrimos mão de tentar.

Johnny White: Não quero entrar lá. Estava pensando em ir embora quando vi você.

Eu: Você chegou até aqui. Falta só entrar por aquela porta.

Ele ergue a cabeça como se carregasse um peso.

Johnny White: Tem certeza de que ele vai querer me ver?

Eu: A verdade é que talvez ele não esteja consciente, sr. White. Mas, mesmo assim, não tenho dúvida de que ele vai ficar mais feliz com o senhor aqui.

Johnny White fica de pé, passa a mão pela calça do terno, cerra os dentes, salientando os traços hollywoodianos.

Johnny White: Bom, antes tarde do que nunca, não é?

Ele não olha para mim, apenas abre caminho pelas portas duplas, que ficam balançando atrás dele.

Sozinho, sou o homem que jamais atravessaria aquelas portas. E aonde isso já levou alguém?

Levanto. Hora de agir.

Eu, para o residente: O enfermeiro de plantão pode conferir a morfina. Este turno não é meu.

Residente: Eu estava me perguntando por que você não está de uniforme. O que está fazendo aqui se não é seu turno? Vai para casa!

Eu: É. Boa ideia.

São duas da manhã; Londres está imóvel e coberta pela escuridão. Ligo o celular enquanto corro até o ônibus, o coração disparado.

Inúmeras ligações perdidas e mensagens. Olho aquilo, assustado. Não sei por onde começar. Mas nem preciso fazer nada, porque o celular vibra com um número desconhecido de Londres basicamente no instante em que o ligo.

Eu: Alô?

Minha voz está falhando.

Richie: Ah, graças a Deus. O guarda já está ficando irritado. Estou ligando para você há dez minutos. Tive que passar um tempão explicando que eu ainda estava no primeiro telefonema porque você não estava atendendo. A gente tem uns cinco minutos de crédito, falando nisso.

Eu: Está tudo bem?

Richie: Se *eu* estou bem? Estou bem, seu idiota, só bizarramente irritado com você... e com a Gerty.

Eu: O quê?

Richie: Tiffy. Ela não disse sim. Aquele maluco do Justin só respondeu por ela, você não percebeu?

Paro de repente a dez metros do ponto de ônibus. Eu... não consigo absorver a ideia. Pisco. Engulo em seco. Sinto certo enjoo.

Richie: É. A Gerty ligou para ela e começou a dar uma bronca por ela ter voltado com o Justin, e o Mo surtou. Disse que ela era uma péssima amiga por não ter fé na Tiffy para pelo menos perguntar antes de supor que ela voltaria para ele.

Recupero a voz.

Eu: A Tiffy está bem?

Richie: Ela ficaria muito melhor se conseguisse falar com você, cara.

Eu: Eu estava indo para casa, mas…

Richie: Estava?

Eu: É. Tive uma visita do Fantasma dos Natais Futuros.

Richie, confuso: É meio cedo para falar em Natal, não?

Eu: Bom. Você sabe o que dizem. Começa mais cedo todo ano.

Eu me recosto no ponto de ônibus. Animado e passando mal ao mesmo tempo. O que eu estava *fazendo*? Por que vim aqui e perdi todo esse tempo?

Eu, atrasado, com uma onda de medo: A Tiffy está em um lugar seguro?

Richie: O Justin ainda está solto, se é isso que você quer dizer. Mas o Mo está lá e, segundo a Gerty, ele acha que o Justin vai sumir por um tempo. Que vai lamber as feridas e elaborar um plano. Ele costuma ter um plano para tudo: faz parte do estilo dele, de acordo com o Mo. Você sabia que, esse tempo todo, o filho da mãe estava usando aquele cara do trabalho da Tiffy, o tal do Martin, para conseguir informações sobre onde ela estaria?

Eu: Martin. E… Ah. Porra.

Richie: Isso tudo foi para separar vocês dois, cara. Fazer aquela youtuber filmar tudo para ter certeza de que você veria.

Eu: Eu não… Não acredito que caí nisso.

Richie: Olha, cara, vai consertar logo isso, está bem? E conte a ela sobre nossa mãe.

Eu: Contar o quê?

Richie: Não preciso ser psicólogo para saber que você ter largado nossa mãe no tribunal com a Gerty e não ter voltado para a casa dela teve alguma coisa a ver com isso. Olha, eu entendo, cara. Nós dois temos problemas com ela.

O ônibus se aproxima.

Eu: Não... sei direito por que isso seria relevante.

Richie: Só porque nossa mãe sempre voltava para os caras que deixavam ela na merda, ou achava outra versão do mesmo cara, não significa que a Tiffy ia fazer a mesma coisa.

Eu, de forma automática: Não era culpa dela. Ela sofria abusos. Era manipulada.

Richie: É, é, eu sei, você sempre diz isso. Mesmo assim não é fácil quando se tem doze anos, é?

Eu: Você acha...

Richie: Olha, tenho que ir. Vai pedir desculpas à Tiffy e dizer que estragou tudo, que foi criado por uma mãe solteira maltratada e que basicamente teve que cuidar sozinho do irmão mais novo. Isso deve resolver tudo.

Eu: Isso parece... chantagem emocional, não? Além do mais, será que ela vai gostar de ser comparada com a nossa mãe?

Richie: É uma questão. Tudo bem. Faça o que achar melhor. Só resolva isso e volte com ela, porque aquela mulher é a melhor coisa que já aconteceu na sua vida. Está bem?

67

Tiffy

Nós nos esquecemos totalmente de comer e agora são duas e meia da manhã e me lembrei de sentir fome. Mo saiu para comprar comida. Ele me deixou na varanda com uma grande taça de vinho tinto e uma tigela ainda maior de biscoito, que tenho certeza de que são de Leon, mas quem se importa? Se ele pode achar que vou me casar com outra pessoa, que pense também que sou capaz de roubar comida dele.

Não sei mais com quem estou irritada. Estou sentada aqui há tanto tempo que sinto câimbras nas pernas — já passei por quase todas as emoções disponíveis nesse meio-tempo, e agora estão todas misturadas em uma grande sopa nojenta de tristeza. Minha única certeza é que *gostaria* de nunca ter conhecido Justin.

Meu telefone toca.

É Leon.

Estou esperando a noite toda para ver o nome dele. Meu estômago se revira. Será que ele falou com Richie?

— Alô?

— Oi.

A voz dele soa falhada. É como se ele tivesse perdido toda a energia.

Espero que ele diga mais alguma coisa. Olho fixamente o trânsito que passa abaixo de mim, deixo os faróis desenharem faixas amarelo-esbranquiçadas nos meus olhos.

— Estou segurando um buquê enorme — diz ele.

Não digo nada.

— Achei que precisava de um símbolo concreto para a enormidade do meu pedido de desculpas — continua Leon. — Mas acabei de perceber que o Justin também deixou um buquê enorme para você, e eram flores muito mais bonitas e caras, na verdade. Então agora estou pensando que talvez não tenha sido uma boa ideia. Mas aí, quando cheguei, percebi que tinha deixado a chave do apartamento na casa da minha mãe porque eu ia ficar lá hoje. Então eu teria que bater à porta, e achei que isso ia assustar você, já que você está tendo que lidar com um ex-namorado maluco.

Observo os carros passarem na rua. Nunca vi Leon falar por tanto tempo de uma vez só.

— E onde você está agora? — pergunto, por fim.

— Olhe para a frente. Na outra calçada, perto da padaria.

Ah, estou vendo. A silhueta dele surge contra a forte luz amarela da placa do estabelecimento, o celular na orelha, um buquê de flores no braço. Ele está de terno — claro, não deve ter se trocado desde o julgamento.

— Imagino que você esteja magoada.

Sua voz é gentil e me faz derreter. Estou chorando de novo.

— Desculpe, Tiffy. Eu nunca deveria ter acreditado. Você precisou de mim hoje e eu não estava aqui para apoiar.

— Eu precisei *mesmo* de você — digo, chorando. — O Mo, a Gerty, e a Rachel são ótimos, amo todos eles e eles me ajudaram muito, mas eu queria *você*. Do seu lado, eu pouco me importava se o Justin existia ou não. Eu sentia que você gostava de mim mesmo assim.

— E gosto. E não faz diferença mesmo. — Ele está atravessando a rua agora, vindo para a calçada do prédio. Consigo ver seu rosto, os traços suaves e definidos de suas maçãs, a curva delicada de seus lábios. Está olhando para mim. — Todo mundo ficava me dizendo que eu ia perder você se não dissesse o que sentia e aí vem o Justin, o rei dos gestos românticos…

— Românticos? *Românticos?* E eu lá quero essa porra de gesto romântico? Por que eu ia querer isso? Já tive e foi uma merda!

— Eu sei — responde Leon. — Você está certa. Eu deveria ter imaginado.

— E eu estava contente por você não estar me pressionando. A ideia de entrar de cabeça em um relacionamento sério me assusta demais! Tipo, olha como foi difícil me livrar do último!

— Ah — diz Leon. — É. Isso... É, entendi.

Ele parece murmurar: *aquele idiota do Richie.*

— Já dá para ouvir você sem o telefone agora, sabia? — comento, erguendo a voz o bastante para superar o barulho do trânsito. — Além disso, estou gostando da desculpa para gritar.

Ele desliga e recua um pouco.

— Vamos gritar então! — berra.

Semicerro os olhos, então tiro todos os cobertores, largo a taça de vinho e os salgadinhos e vou até a grade.

— Uau! — exclama Leon, baixando a voz para que apenas eu escute. — Você está linda.

Olho para mim mesma, um pouco surpresa ao descobrir que ainda estou usando o vestido tomara que caia da festa. Só Deus sabe como está meu cabelo, e a maquiagem com certeza perdeu uns dois centímetros da espessura que tinha hoje de manhã, mas o vestido é *mesmo* espetacular.

— Para de ser legal! — grito. — Quero ficar irritada com você!

— Ah, é! Verdade! Vamos gritar — berra Leon, ajustando a gravata e voltando a abotoar o colarinho como se estivesse se preparando.

— Eu nunca vou voltar para o Justin! — Já que gritar isso me faz muito bem, tento de novo: — Nunca vou voltar para o Justin!

Um alarme de carro dispara em algum lugar por perto, e sei que é só coincidência, mas mesmo assim é muito bom — agora só preciso que um gato mie e um monte de lixeiras caia no chão. Respiro fundo e abro a boca para continuar a berrar, mas paro. Leon está com uma das mãos erguidas.

— Posso falar uma coisa? — pergunta. — Quer dizer, gritar uma coisa?

Um motorista reduz a velocidade ao passar, olhando com interesse para as duas pessoas berrando feito loucas, a dois andares de distância. Percebo que Leon provavelmente nunca gritou na rua antes. Fecho a boca, um pouco abalada, e assinto.

— Eu estraguei tudo! — Ele pigarreia e tenta berrar um pouco mais alto. — Fiquei com medo. Sei que não é desculpa, mas tudo isso é assustador para mim. A audiência. Você, nós dois. Não sou bom com mudanças. Eu fico...

Ele hesita, como se estivesse sem palavras, e algo quente surge em meu peito.

— Atabalhoado? — sugiro.

Sob a luz do poste, vejo os lábios dele abrirem um sorriso torto.

— É. Gostei da palavra. — Ele pigarreia outra vez, aproximando-se da varanda. — Às vezes me parece mais fácil ser do jeito que eu era antes de você. Era mais seguro. Mas... olhe só o que você conseguiu fazer. Como foi corajosa. E é assim que eu quero ser. Está bem?

Coloco as mãos no parapeito e olho para ele.

— Você está falando muito, Leon Twomey!

— Parece que, em emergências, fico muito verborrágico!

Eu rio.

— Mas não mude *tanto* assim. Gosto de você do jeitinho que é.

Ele sorri. Está desgrenhado e lindo de terno e, de repente, tudo que quero é dar um beijo nele.

— Bom, Tiffy Moore, também gosto de você.

— Pode repetir? — grito, pondo a mão perto da orelha.

— Gosto muito, muito de você! — berra ele.

A janela do andar de cima se abre, fazendo barulho.

— Dá *pra parar*? — grita o Homem Estranho do Apartamento 5. — Estou tentando dormir! Como vou conseguir levantar para fazer minha ioga antigravidade se ficar acordado a noite inteira?

— Ioga antigravidade! — sussurro para Leon, encantada.

Eu me pergunto o que ele faz toda manhã desde o dia em que me mudei para cá!

— Não deixe a fama lhe subir à cabeça, Leon — avisa o Homem Estranho do Apartamento 5, antes de fechar a janela de novo.

— Espere! — grito.

O homem olha para mim.

— Quem é você?

— Sou sua outra vizinha. Olá!

— Ah, você é a namorada do Leon?

Hesito, depois sorrio.

— Sou — respondo, firme, e ouço uma comemoração da rua. — E tenho uma pergunta.

Ele apenas me encara como alguém esperando para ver o que uma criança vai aprontar.

— O que você faz com todas as bananas? Sabe, as bananas das caixas vazias que ficam na sua vaga?

Para minha surpresa, ele abre um grande sorriso meio banguela. Fica muito simpático quando sorri.

— Eu destilo! Dá uma ótima sidra!

E, com isso, ele bate a janela.

Leon e eu olhamos um para o outro e caímos na gargalhada ao mesmo tempo. Logo, estou rindo tanto que começo a chorar. Seguro a barriga, em uma risada feia, arquejando e franzindo o rosto inteiro.

— Ioga antigravidade! — ouço Leon sussurrar, a voz audível apenas por causa da interrupção do trânsito. — Sidra de banana!

— Não consigo ouvir — falo, mas não grito por medo de incitar a ira do Homem Estranho do Apartamento 5 outra vez. — Chegue mais perto.

Leon olha em volta e recua alguns passos.

— Pega! — pede ele em um sussurro bem alto, antes de me jogar o buquê.

As flores voam tortas, soltando folhas e alguns crisântemos, mas, com um pulo perigoso em direção ao parapeito e um grito meio desafinado, consigo pegá-lo.

Quando seguro as flores direito e as ponho na mesinha, Leon desapareceu. Inclino-me para fora da varanda, confusa.

— Cadê você? — grito.

— Marco! — diz uma voz de algum lugar próximo.

— Polo?

— Marco.

— Polo! Isso não está ajudando!

Ele está escalando a calha. Caio na gargalhada outra vez.

— O que você está *fazendo*?

— Chegando mais perto!

— Não imaginava que você fosse um cara que escala calhas — digo, encolhendo-me quando ele estende a mão para subir um pouco mais.

— Nem eu — responde ele, virando-se para me olhar enquanto procura um ponto de apoio para o pé esquerdo. — Você obviamente me transforma em uma pessoa melhor.

Ele está a apenas alguns metros de mim agora; a calha passa direto por nossa varanda, e Leon está quase chegando no parapeito.

— Ei! São os meus biscoitos? — pergunta ele, estendendo a mão com cuidado para cima.

Eu apenas o encaro.

— ... É, tudo bem — diz Leon. — Você poderia me dar uma mãozinha?

— Isso é loucura — respondo, mas o ajudo mesmo assim.

Com cuidado, ele solta um dos pés, depois o outro, até estar pendurado pelas mãos na grade da nossa varanda.

— Meu Deus...

É quase assustador demais para olhar, mas não consigo tirar os olhos dele, especialmente porque pensar em não estar prestando atenção caso Leon caia é muito pior do que vê-lo pendurado ali, tentando achar um apoio para o pé na base da grade.

Ele ergue o corpo. Eu o ajudo com o que me resta de força, agarrando a mão dele, que pula para dentro da varanda.

— Pronto! — diz Leon, limpando as roupas.

Ele para, sem fôlego, e olha para mim.

— Oi. — De repente estou um pouco tímida em meu vestido formal.

— Desculpa, Tiffy — pede Leon, abrindo os braços para me abraçar.

Acabo grudada a ele. Seu terno tem cheiro de outono, aquele aroma de ar livre que fica no nosso cabelo nesta época do ano. O resto dele cheira a Leon mesmo, bem do jeito que eu quero. Fecho os olhos e respiro fundo, sentindo a força de seu corpo contra o meu.

Mo aparece na porta segurando uma sacola plástica da Something Fishy.

Eu nem o ouvi entrar, então me assusto um pouco, mas, com os braços de Leon me envolvendo, a ideia de Justin aparecer no apartamento não é nem de longe mais tão assustadora.

— Ah — diz Mo, olhando para a gente. — Vou levar meu peixe com fritas embora, está bem?

68

Leon

Eu: Provavelmente não é um bom momento.

Tiffy: Espero de verdade que você esteja brincando.

Eu: Não estou brincando, mas com certeza estou torcendo para você me dizer que estou errado.

Tiffy: Você está errado. Agora é o momento perfeito. Estamos sozinhos, no apartamento, *juntos*. Não dá para ser melhor do que isso.

Nós nos encaramos. Ela ainda está usando aquele vestido incrível, que parece que vai cair com um único puxão. Estou desesperado para tentar fazer isso. Mas resisto — ela diz que está pronta, mas não foi um dia bom para esse tipo de sexo de arrancar as roupas um do outro. Talvez para um sexo lento, gentil, com roupas mantidas por um tempo sedutoramente longo.

Tiffy: Vamos para a cama?

Essa voz — exatamente como Richie descreveu, grave e sexy. Muito mais sexy quando diz coisas como "vamos para a cama".

Paramos ao pé da cama e viramos um para o outro de novo. Eu me inclino para segurar seu rosto e beijá-la. Sinto seu corpo derreter contra o meu enquanto nos beijamos, percebo a tensão abandoná-la, e eu me afasto para observar seus olhos azuis e brilhantes. O desejo é instantâneo, surge no momento em que nossos lábios se tocam, e tenho que me esforçar muito para apenas pousar as mãos em seus ombros nus.

Tiffy solta minha gravata e tira meu paletó. Desabotoa minha camisa devagar, me beijando enquanto seus dedos se movem. Ainda há certo espaço entre nós, como se estivéssemos mantendo uma distância respeitosa, apesar dos beijos.

Ela se vira, puxando o cabelo para a frente para que eu possa abrir o zíper do vestido. Tiro o cabelo das mãos dela e dou um leve puxão, enrolando-o em meu pulso, e ela geme. Não consigo lidar com esse som. Acabo com o espaço entre nós, beijando os ombros dela, subindo pelo pescoço até onde o cabelo encontra a pele, me aproximando o máximo possível até ela tentar abrir o próprio zíper.

Tiffy: Leon. Foco. Vestido.

Tiro os dedos dela do zíper e o baixo devagar, mais devagar do que ela quer. Tiffy se remexe, impaciente. Recua, colando o corpo no meu até minhas pernas baterem na cama e nossos corpos estarem grudados um no outro, pele nua e seda.

Por fim, o vestido cai no chão. É quase cinematográfico — um brilho de seda e ela está ali, lingerie preta e mais nada. Ela se vira em meus braços, os olhos em chamas, e eu a afasto de mim para observá-la.

Tiffy, sorrindo: Você sempre faz isso.

Eu: O quê?

Tiffy: Me olha assim. Quando eu... tiro alguma coisa.

Eu: Quero ver tudo. É importante demais para ter pressa.

Ela ergue uma das sobrancelhas de um jeito incrivelmente sexy.

Tiffy: Sem pressa?

Ela passa os dedos pelo elástico da minha cueca. Põe a mão por dentro, a um centímetro de onde quero que esteja.

Tiffy: Você vai se arrepender de ter dito isso, Leon.

Já estou arrependido no momento em que ela diz meu nome. Seus dedos passeiam por minha barriga e, então, muito lentamente, pegam a fivela do meu cinto. Depois de ter baixado o zíper, tiro a calça e as meias, o tempo inteiro ciente do olhar dela, atento como o de um gato. Quando tento puxá-la para mim de novo, ela põe a mão firme no meu peito.

Tiffy, com uma voz grave: Cama.

O espaço volta a surgir entre nós por um instante; vamos automaticamente cada um para seu lado da cama: ela para a esquerda, e eu, para a direita. Nós nos encaramos enquanto entramos embaixo das cobertas.

Eu me deito de lado, olhando para Tiffy. Seu cabelo se espalha pelo travesseiro e, apesar de ela estar sob o edredom, posso sentir sua nudez. Ponho uma das mãos no espaço entre nós. Ela a pega, ultrapassando a linha que estabelecemos em fevereiro, e beija meus dedos. Depois os põem entre os lábios e, de repente, o espaço desaparece e ela está grudada em mim, bem onde deveria estar, pele com pele, nem uma fração de centímetro entre nós dois.

69

Tiffy

— Você já me viu pelada agora. Já fez o que quis comigo. E *ainda* está me olhando assim.

O sorriso dele se torna aquela coisa torta e linda, o sorriso que me encantou tantas semanas atrás em Brighton.

— Tiffany Moore — diz ele. — Tenho plena intenção de continuar a olhar para você desse jeito por muitas luas ainda.

— Muitas luas!

Ele assente, solene.

— Como você foi charmoso e inteligentemente vago.

— Bom, alguma coisa me disse que sugerir um relacionamento longo poderia fazer você fugir correndo para as colinas.

Paro para pensar nisso, voltando a descansar a cabeça no peito dele.

— Entendo o que você quis dizer, mas, na verdade, acho que sua frase só conseguiu me deixar feliz e zonza de uma maneira curiosa.

Leon não diz nada, apenas beija minha cabeça.

— E eu também não seria capaz de chegar ao topo de uma colina correndo sem parar.

— Talvez Herne Hill. Você conseguiria subir Herne Hill.

— Bom — falo, virando-me de bruços e me apoiando nos cotovelos. — Não tenho nenhuma vontade de correr para Herne Hill. Gostei do plano das muitas luas. Acho que… Ei, você está me ouvindo?

— Oi? — responde Leon, erguendo o olhar. — Desculpa. Você conseguiu me distrair até de você mesma.

— E eu pensando que era impossível você se distrair.

Ele me beija, uma das mãos traçando círculos em meu seio.

— Claro. Nunca distraído. E *você* é...

Já não consigo pensar direito.

— Louca por você?

— Eu ia dizer: "felizmente fácil de distrair".

— Vou bancar a difícil desta vez.

Ele faz uma coisa com a mão que ninguém nunca fez. Não tenho ideia do que está acontecendo, mas parece envolver o polegar dele, meu mamilo e umas cinco mil ondas quentes e arrepiantes.

— Vou lembrar isso a você daqui a dez minutos — diz Leon, dando uma série de beijos em meu pescoço.

— Você está muito *metido*.

— Estou feliz.

Afasto-me para olhar para ele. Percebo que minhas bochechas estão começando a doer e acho que realmente é de tanto sorrir. Quando contar isso para Rachel, sei exatamente o que ela vai fazer: enfiar o dedo na boca e fingir vomitar. Mas é verdade — apesar de tudo que aconteceu hoje, estou ridícula e absurdamente feliz.

Ele ergue as sobrancelhas.

— Não vai me responder com alguma coisa engraçadinha?

Arquejo enquanto seus dedos traçam desenhos na minha pele que não consigo identificar.

— Estou pensando em uma... Só me dê... um minuto...

Enquanto Leon está no banho, escrevo nossa lista de tarefas para o dia seguinte e prendo na geladeira. É a seguinte:

1. Fazer muito esforço para não pensar no veredito.

2. Pedir uma ordem de restrição.

3. Falar com Mo e Gerty, bem, sobre Mo e Gerty.

4. Comprar leite.

Estou inquieta, esperando que Leon apareça. Então desisto e pego o celular. Só vou que ter que prestar atenção no chuveiro.

— Alô? — diz a voz sonolenta de Gerty do outro lado da linha.

— Oi!

— Ah, graças a Deus! — exclama Gerty, e quase posso ouvi-la desabar nos travesseiros outra vez. — Você e Leon se acertaram?

— É, a gente se acertou.

— Ah, e você dormiu com ele?

Sorrio.

— Seu radar voltou a funcionar.

— Então não estraguei tudo?

— Você não estragou nada. Mas, para ser clara, o Justin teria estragado tudo, não você.

— Nossa, você está muito benevolente hoje. Usaram camisinha?

— Sim, mãe, a gente usou camisinha. Você e Mo usaram quando fizeram as pazes hoje de manhã? — pergunto, muito doce.

— Pare — pede Gerty. — Já é ruim o bastante eu pensar no pênis do Mo, você não deveria pensar também.

Começo a rir.

— Será que a gente poderia tomar café amanhã, só nós três? Quero saber como vocês acabaram juntos. Por alto, sem pênis.

— E perguntar como se pede uma ordem de restrição? — sugere Gerty.

— É a Tiffy? — Ouço Mo perguntar ao fundo.

— Que legal ele ouvir "ordem de restrição" e pensar em mim — digo, entristecendo-me um pouco com a mudança de assunto. — Sim, a gente pode conversar sobre isso.

— Você está segura?

— A gente voltou a falar de contracepção?

— Tiffy. — Gerty nunca apoiou minhas técnicas de distração. — Você se sente segura no apartamento?

— Com Leon aqui, sim.

— Certo. Ótimo. Mesmo assim, a gente precisa conversar sobre um pedido emergencial de afastamento para você ficar tranquila até a audiência.

— Até a… Espere aí, vai haver uma audiência?

— Deixe a coitada pensar — pede Mo ao fundo. — Estou feliz por você e Leon terem se acertado de novo, Tiffy! — grita ele.

— Obrigada, Mo.

— Acabei com a sua alegria? — pergunta Gerty.

— Um pouco. Mas tudo bem. Ainda tenho que ligar para a Rachel.

— É, pode discutir os detalhes sórdidos com ela — informa Gerty. — Café amanhã. Mande mensagem para avisar quando e onde.

— Até mais — digo, desligando e fazendo uma pausa para ouvir.

O chuveiro *ainda* está ligado. Ligo para Rachel.

— Sexo? — diz ela ao atender o telefone.

Dou risada.

— Não, obrigada, já sou comprometida.

— Eu *sabia*! Fizeram as pazes?

— E mais um pouco — respondo, de um jeito exageradamente sexy.

— Detalhes! Detalhes!

— Conto tudo na segunda. Mas… descobri que meus peitos foram mal aproveitados por toda a minha vida adulta.

— Ah, claro — diz Rachel, entendida. — Um problema comum. Você sabia que tem…

— *Shhh*… — O chuveiro desligou. — Tenho que ir!

— Não me abandone assim! Eu ia explicar tudo sobre mamilos!

— O Leon vai achar estranho eu ter ligado para meus melhores amigos depois do sexo — sussurro. — Estamos no começo. Ainda tenho que fingir que sou normal.

— Tudo bem, mas vou marcar uma reunião de duas horas na segunda de manhã. Assunto: Tudo que você precisa saber sobre peitos.

Desligo — e, alguns segundos depois, Leon aparece de toalha, o cabelo penteado para trás, os ombros brilhando com gotículas de água, e examina minha lista de tarefas.

— Acho que dá para fazer — diz ele, abrindo a porta e pegando o suco de laranja. — Como estão a Gerty e a Rachel?

— Oi?

Ele sorri para mim por sobre o ombro.

— Você quer que eu volte lá para dentro? Imaginei que só precisava dar tempo para você fazer duas ligações, já que a Gerty estaria com o Mo.

Sinto minhas bochechas ficarem vermelhas.

— Ah, eu, é...

Ele se inclina para a frente, o suco de laranja na mão, e me beija na boca.

— Não se preocupe. Meu plano é continuar sem saber quanto você conta para a Rachel.

— Quando terminar de contar tudo, ela vai achar que você é um deus grego — informo, relaxando e pegando o suco de laranja.

Leon estremece.

— E ela vai conseguir olhar para a minha cara de novo?

— Claro. Só que provavelmente vai querer olhar para outro lugar.

70

Leon

O fim de semana chega e passa em uma névoa de prazer cheio de culpa. Tiffy mal sai dos meus braços, a não ser para tomar café com Gerty e Mo. Estava certo em pensar que temos que lidar com alguns gatilhos; eu a perdi rapidamente para uma lembrança ruim na manhã de sábado, mas já estou aprendendo a trazê-la de volta. É muito satisfatório.

Ela com certeza está mais nervosa em relação a Justin do que demonstra — criou uma mentira elaborada sobre as compras estarem pesadas para fazer com que eu fosse encontrá-la no café e trazê-la de volta para casa. Quanto mais cedo resolvermos a história da ordem de restrição, melhor. Instalei uma correntinha na porta enquanto ela estava fora e consertei a porta da varanda, só para fazer alguma coisa.

Tenho a segunda-feira de folga, então levo Tiffy até o metrô e depois preparo um café da manhã completo e chique, com morcela e espinafre.

Ficar sozinho não é bom. Estranho — normalmente adoro ficar sozinho. Mas, quando Tiffy está fora, sinto a ausência dela como um dente faltando.

Por fim, depois de muito andar de um lado para outro e não olhar para o celular, ligo para minha mãe.

Mãe: Leon? Amor? Você está bem?

Eu: Oi, mãe. Estou bem. Desculpa ter ido embora daquele jeito na sexta.

Mãe: Tudo bem. Todos nós ficamos chateados, e essa história da sua namorada nova se casar com aquele outro cara… Ah, Lee, você deve estar muito triste!

Ah, claro... Quem teria contado para minha mãe?

Eu: Foi um mal-entendido. A Tiffy tem um, é… um ex-namorado doido. Foi ele. Na verdade, ela não aceitou se casar com ele. O cara só tentou forçar a Tiffy a fazer isso.

Ouço um arquejo dramático, novelístico do outro lado da linha. Eu me esforço muito para não achar irritante.

Mãe: Coitadinha!

Eu: É, bom, mas ela está bem.

Mãe: Você foi atrás dele?

Eu: Atrás dele?

Mãe: Do ex! Por causa do que ele fez com a Tiffy!

Eu: … O que está sugerindo, mãe?

Decido não dar tempo para ela responder.

Eu: A gente vai pedir uma ordem de restrição.

Mãe: Ah, claro, isso é ótimo.

Pausa incômoda. Por que acho essas conversas tão difíceis?

Mãe: Leon?

Espero. Mexo os pés. Olho para o chão.

Mãe: Leon, tenho certeza de que a Tiffy não tem nada a ver comigo.

Eu: O quê?

Mãe: Você sempre foi um fofo em relação a isso, ao contrário do Richie, com todos os gritos e as fugas e tal, mas sei que você odiava os homens que eu namorava. Quer dizer, eu também odiava, mas você odiava todos desde o início. Sei que dei… Sei que dei exemplos horríveis.

Eu me sinto profundamente desconfortável.

Eu: Mãe, está tudo bem.

Mãe: Estou mesmo melhorando, Lee.

Eu: Eu sei. E não era culpa sua.

Mãe: Sabe que agora estou quase acreditando nisso?

Paro. Penso.

Quase acredito nisso também. Quem iria imaginar? Quando repetimos uma verdade vezes o bastante, quando nos esforçamos o suficiente, um dia funciona.

Eu: Te amo, mãe.

Mãe: Ah, meu amor. Eu também te amo. E a gente vai trazer o Richie para casa e cuidar dele, não é, como sempre cuidamos?

Eu: Isso mesmo. Como sempre.

Ainda é segunda-feira. Segunda é interminável. Odeio dias de folga — o que as pessoas fazem nos dias de folga? Não paro de pensar em tribunal, casa de repouso, Justin, tribunal, casa de repouso, Justin. Mesmo as lembranças mais calorosas sobre Tiffy estão brigando por atenção.

Eu: Oi, Gerty, é o Leon.

Gerty: Leon, eu não soube de nada. Os juízes não ligaram para dar o veredito. Se os juízes ligarem para informar o veredito, você vai ficar sabendo. Não precisa me ligar para perguntar.

Eu: Certo. Claro. Desculpa.

Gerty, cedendo: Acho que vai ser amanhã.

Eu: Amanhã?

Gerty: É tipo hoje, mas um dia depois.

Eu: Hoje um dia depois. É.

Gerty: Você não tem um hobby ou algo para se distrair?

Eu: Na verdade, não. Meio que costumo trabalhar o tempo todo.

Gerty: Bom, você mora com a Tiffy. O que não falta é material sobre hobbies para ler. Vá ler um livro sobre crochê ou artesanato com papelão ou coisa assim.

Eu: Obrigado, Gerty.

Gerty: De nada. E pare de me ligar. Estou muito ocupada.

Ela desliga. É um pouco irritante quando faz isso, não importa quantas vezes já tenha se repetido.

71

Tiffy

Não consigo acreditar que Martin teve a coragem de aparecer no trabalho hoje. Sempre o considerei um covarde, mas, na verdade, de nós dois, pareço estar com mais medo do confronto. É como se... estivesse falando com Justin por tabela. O que, para ser sincera, é assustador, não importa o quanto diga a Leon que estou bem. Martin, por outro lado, está andando pela empresa, tranquilo, se gabando do sucesso da festa. Imagino que ainda não saiba que eu sei.

Noto que ele ainda não comentou nada sobre o pedido de casamento. Nem ninguém no escritório. Rachel espalhou a notícia de que eu não estava mesmo noiva, o que pelo menos me salvou de uma manhã estranha recusando parabéns.

Rachel [10:06]: Eu poderia ir até lá, dar um chute no saco dele e acabar com esse assunto.

Tiffany [10:07]: É tentador.

Tiffany [10:10]: Não sei por que estou sendo tão covarde. Eu tinha essa conversa toda planejada na cabeça ontem. É sério, preparei respostas *ótimas*. E agora elas simplesmente sumiram e eu estou um pouco assustada.

Rachel [10:11]: E o que a Terapeuta Que Não é Mo diria? Você sabe?

Tiffany [10:14]: Luci? Ela me diria que é natural ficar assustada depois do que aconteceu na sexta, eu acho. E que conversar com o Martin seria um pouco como enfrentar o Justin.

Rachel [10:15]: Tudo bem, eu entendo isso, mas… o Martin é o Martin. Aquele Martin magrelo, mesquinho e malicioso. Que chuta minha cadeira e menospreza você nas reuniões e puxa o saco da diretora de RP como se fosse um cabo de guerra.

Tiffany [10:16]: Tem razão. Como eu posso estar com medo do Martin?

Rachel [10:17]: Quer que eu vá junto?

Tiffany [10:19]: Vou ser muito ridícula se disser que quero?

Rachel [10:20]: Você ia me deixar superfeliz.

Tiffany [10:21]: Então quero. Por favor.

Esperamos até a reunião matinal da equipe terminar. Cerro os dentes para todos os parabéns que Martin recebe pela festa. Alguns olhares curiosos são lançados na minha direção. Ruborizo de vergonha. Odeio o fato de todos nesta sala saberem que estou envolvida em um drama com meu ex-namorado. Aposto que todos estão imaginando os próprios motivos absurdos para eu não estar mais noiva e que ninguém descobriu a verdade.

Rachel pega minha mão e a aperta com força, depois me dá um leve empurrão na direção de Martin, enquanto ele junta seus cadernos e papéis.

— Martin, posso falar com você? — peço.

— Não é um bom momento, Tiffy — responde ele, com um ar de pessoa muito importante que quase nunca tem tempo para reuniões espontâneas.

— Martin, querido, ou você entra nessa sala de reunião com a gente ou vamos adotar o *meu* plano, que é chutar seu saco agora, na frente de todo mundo — diz Rachel.

Uma expressão de medo toma o rosto dele, e minha ansiedade desaparece. Olhe só para ele. Martin agora desconfia que sabemos, então está recuando. De repente, mal posso esperar para ouvir as desculpas que ele vai inventar.

Rachel o empurra para a única sala de reuniões vazia e fecha a porta depois que entramos. Então se apoia nela, os braços cruzados.

— Do que estão falando? — pergunta Martin.

— Por que não tenta adivinhar, Martin? — sugiro.

Minha voz sai surpreendentemente suave e agradável.

— Não faço ideia — cospe ele. — Vocês estão com algum problema?

— Se estivermos, em quanto tempo o Justin vai ficar sabendo? — pergunto.

Martin olha nos meus olhos. Parece um gato acuado.

— Não sei do que você...

— Ele me contou. O Justin sempre foi dedo-duro.

Martin parece desanimar.

— Olhe, eu só estava tentando ajudar. Ele me procurou para falar do nosso apartamento em fevereiro, disse que estava tentando ajudar você a encontrar uma casa nova e fez um acordo com a gente para que eu oferecesse o quarto extra para você por quinhentos por mês.

Em *fevereiro*? Pelo amor de Deus.

— Como ele sabia quem você era?

— A gente é amigo no Facebook há um tempo. Acho que ele me adicionou quando vocês começaram a namorar. Na época, achei que ele queria saber quem eram os homens com quem você trabalhava, sabe? Mas postei o anúncio sobre o apartamento e foi assim que ele entrou em contato.

— Quanto ele ofereceu para você?

— Ele disse que ia pagar a diferença — explica Martin. — Hana e eu achamos muito gentil da parte dele.

— Ah, esse é o Justin — respondo, com dentes trincados.

— E, quando você recusou o quarto, ele pareceu ficar muito triste. A gente começou a bater papo quando ele apareceu para conversar sobre o acordo e aí perguntou se eu podia ligar para ele de vez em quando, só para avisar como você estava e o que estava fazendo para ele não ficar preocupado.

— E você não achou isso, sei lá, *suspeito*? — pergunta Rachel.

— Não! — Martin balança a cabeça. — Não parecia suspeito. E ele nem estava me pagando nem nada. A única vez que aceitei dinheiro dele foi para contratar Tasha Chai-Latte para filmar o evento, está bem?

— Você aceitou *dinheiro* dele para perseguir a Tiffy? — pergunta Rachel, claramente cheia de ódio.

Martin se encolhe.

— Espere. — Eu levanto as mãos. — Volte para o começo. Ele pediu para você avisar como eu estava de vez em quando. Então foi assim que ele ficou sabendo que eu estaria no lançamento do livro em Soreditch e no cruzeiro?

— Acho que sim.

Martin se balança para a frente e para trás como uma criança que precisa ir ao banheiro, e eu me pego começando a sentir um pouco de pena, algo que imediatamente me proíbo de fazer porque a única coisa que está me fazendo aturar esta conversa é a raiva.

— E a viagem para a sessão de fotos no País de Gales? — pergunto.

Martin começa a suar visivelmente.

— Eu… É... ele me ligou para saber disso depois que mandei uma mensagem para dizer onde você estaria…

Sinto um arrepio. É tão nojento que quero tomar um banho agora.

— … e me perguntou sobre o cara que você ia levar para ajudar com as fotos. Dei a ele a descrição física que você tinha me passado. Ele ficou muito quieto e pareceu bem chateado. Falou que ainda amava muito você e que conhecia esse cara e ele ia estragar tudo…

— Então você passou o fim de semana todo atrapalhando a gente.

— Achei que estivesse ajudando!

— Bom, você foi péssimo, porque a gente foi se pegar na cozinha às três da manhã, então RÁ!

— Você está correndo o risco de perder a moral, Tiffy — lembra Rachel.

— É, é. Então você contou tudo ao Justin quando a gente voltou?

— Contei. Ele não ficou feliz em saber como lidei com as coisas. De repente, eu me senti mal, sabe? Não tinha feito o bastante.

— Nossa, esse cara é bom *mesmo* — comenta Rachel, baixinho.

— Bom, aí ele quis planejar um pedido de casamento. Era tudo muito romântico.

— Especialmente a parte em que ele pagou você para chamar a Tasha Chai-Latte para filmar — digo.

— Ele disse que queria que o mundo todo visse! — protesta Martin.

— Ele queria que o *Leon* visse. E quanto aquilo custou? Eu deveria saber que não podia ter saído do orçamento do livro.

— Quinze mil — responde Martin, envergonhado. — E dois mil para mim, por organizar tudo.

— Dezessete mil libras? — berra Rachel. — Meu Deus!

— E ainda sobrou, então contratei a limusine para tentar convencer a Katherin a dar aquela entrevista para o Piers Morgan. Eu só… imaginei que Justin devia amar muito você — explica Martin.

— Não, não imaginou — digo, direta. — Você não se importava, na verdade. Só queria que o Justin gostasse de você. Ele tem esse efeito em muitas pessoas. Ele já entrou em contato desde que me pediu em casamento?

Martin faz que não com a cabeça, parecendo nervoso.

— Imaginei pelo jeito que você saiu da festa que o resultado não tinha sido bem o que ele esperava. Você acha que ele vai ficar irritado comigo?

— Se acho… — Respiro fundo. — Martin, não estou nem aí se o Justin vai ficar irritado com você. Logo, logo vou processá-lo por assédio ou perseguição, assim que minha advogada descobrir de qual termo ela gosta mais.

Martin fica ainda mais pálido do que de costume, o que é muito. Quase posso enxergar o quadro através dele.

— E aí? Está disposto a testemunhar? — pergunto, rude.

— O quê? Não!

— Por que não?

— Bom, é… Isso seria *muito* vergonhoso para mim, e estou em uma época muito importante no trabalho…

— Você é um fraco, Martin.

Ele pisca com força. Seu lábio treme um pouco.

— Vou pensar nisso — responde ele, por fim.

— Ótimo. Vejo você no tribunal.

Saio da sala com Rachel atrás de mim e, enquanto sigo até minha mesa, sinto-me eufórica. Especialmente porque Rachel está cantarolando, bem baixo, mas de forma clara, "Eye of the Tiger" enquanto andamos pelo escritório.

• • •

O mundo parece um lugar um pouco melhor depois da discussão com Martin. Eu me sento com as costas mais retas e decido não ter vergonha do que aconteceu na festa. Então meu ex-namorado me pediu em casamento e eu não aceitei… e daí? Não há nada de errado nisso. Na verdade, Ruby me cumprimentou em silêncio enquanto eu seguia para o banheiro no meio da tarde e Rachel ficou me mandando músicas *girl power* a cada quinze minutos, então comecei a me sentir muito… empoderada.

Preciso me esforçar para me concentrar no trabalho, mas no fim consigo: estou pesquisando a nova moda no mundo das coberturas de cupcakes quando recebo a ligação. Quase no mesmo instante, percebo que vou me lembrar para sempre deste site sobre bicos de confeiteiro. É esse tipo de ligação.

— Tiffy? — pergunta Leon.

— Oi.

— Tiffy…

— Leon, você está bem?

Meu coração está disparado.

— Ele vai ser solto.

— Ele…

— O Richie.

— Ai, meu Deus. Repete.

— O Richie vai ser solto. Inocente.

Solto um berro que faz todas as pessoas do escritório me encararem. Faço uma careta e cubro o telefone por um instante.

— Um amigo ganhou na loteria! — balbucio para Francine, a intrometida mais próxima, e deixo que ela saia para espalhar aquela notícia específica. Se eu não cortar o assunto logo, todos vão achar que estou noiva outra vez.

— Leon, eu nem… Achei que eles só dariam o veredito amanhã!

— Eu também. E a Gerty também.

— Então… ele vai simplesmente… sair? Da prisão? Meu Deus, não consigo imaginar o Richie solto! Como ele é, falando nisso?

Leon ri, e o som me dá um friozinho bom na barriga.

— Ele vai lá para casa hoje à noite. Você vai finalmente conhecer meu irmão.

— Inacreditável.

— Eu sei. Não consigo... Fico achando que é um sonho.

— Nem sei o que dizer. Onde você está agora? — pergunto, pulando na cadeira.

— Estou no trabalho.

— Hoje não era sua folga?

— Eu não sabia o que fazer. Você quer vir para cá quando terminar? Não tem problema se for muito longe, vou estar em casa às sete, mas só achei...

— Vou chegar às cinco e meia.

— Na verdade, eu deveria ir encontrar você...

— Posso ir sozinha. De verdade. Tive um dia bom, eu consigo. Vejo você às cinco e meia!

72

Leon

Percorro as alas, conferindo fichas, aplicando soro. Falo com pacientes e fico impressionado ao conseguir soar normal e falar sobre outra coisa que não o fato de meu irmão estar finalmente voltando para casa.

Casa.

Richie está voltando para casa.

Não paro de tentar esquecer a ideia, como sempre tive que fazer — minha cabeça coloca Richie de novo em minha vida, então afasta esse pensamento de supetão, como se tivesse tocando em algo muito quente, porque eu não me deixava acreditar nisso. Era doloroso demais. Uma carga muito forte de esperança.

Mas agora é real. Vai ser real em questão de horas.

Ele vai conhecer Tiffy. Eles vão conversar, como fazem, pelo telefone, mas agora cara a cara, no meu sofá. É bom demais para ser verdade. Até eu lembrar que ele não deveria nem ter ido para a cadeia, claro, mas nem mesmo essa ideia pode acabar com minha euforia.

Estou na cozinha da casa de repouso, fazendo chá, quando ouço meu nome sendo repetido cada vez mais alto.

Tiffy: Leon! Leon! Leon!

Eu me viro bem a tempo. Ela pula em mim, cabelo molhado de chuva, bochechas rosadas, sorriso enorme.

Eu: Opa!

Tiffy, muito perto do meu ouvido: Leon Leon Leon!

Eu: Ai?

Tiffy: Desculpa. Eu só...

Eu: Você está *chorando*?

Tiffy: O quê? Não.

Eu: Está, sim. Você é incrível.

Ela pisca, surpresa, os olhos brilhantes com lágrimas de felicidade.

Eu: Você nem conhece o Richie.

Ela passa o braço pelo meu e me vira de novo para a chaleira quando a água começa a ferver.

Tiffy: Bom, eu conheço *você*, e o Richie é seu irmão mais novo.

Eu: Só para você saber, ele não é tão novo assim.

Ela abre o armário com as xícaras e pega duas, depois analisa os saquinhos de chá e serve a água como se entrasse e saísse desta cozinha há anos.

Tiffy: Seja como for, sinto que já conheço o Richie. A gente já se falou milhares de vezes. Não preciso encontrar uma pessoa pessoalmente para conhecê-la.

Eu: Falando nisso...

Tiffy: Aonde a gente vai?

Eu: Venha comigo rapidinho. Quero mostrar uma coisa a você.

Tiffy: Os chás! Os chás!

Paro e espero que ela acrescente leite com muito cuidado. Ela lança um olhar insolente por cima do ombro; no mesmo instante, quero tirar sua roupa.

Eu: Tudo pronto?

Tiffy: Está bem. Tudo pronto.

Ela me entrega uma xícara e eu pego, junto com a mão que a ofereceu. Quase todos por quem passamos no corredor dizem: "Ah, oi, Tiffy!", ou "Você deve ser a Tiffy!", ou "Ai, meu Deus, o Leon tem mesmo uma namorada!", mas estou de muito bom humor para achar isso irritante.

Puxo Tiffy de volta quando ela vai abrir a porta da Ala Coral.

Eu: Espera, olhe pela janela.

Nós dois nos inclinamos para perto do vidro.

Johnny White não saiu do lado dele desde o fim de semana. O sr. Prior está dormindo, mas ainda assim sua mão enrugada e manchada de sol segura a de Johnny White. Eles tiveram três dias inteiros juntos, muito mais do que JW podia esperar.

Sempre vale a pena atravessar as portas.

Tiffy: Johnny White VI é o verdadeiro Johnny White? Esse é o melhor dia de todos os tempos! Já houve algum tipo de anúncio? Puseram um elixir no café da manhã de todo mundo? Um tíquete dourado na caixa de cereal?

Dou um beijo nela, empolgado. Atrás de nós, um dos residentes diz para outro:

— Incrível. Sempre achei que o Leon não gostasse de ninguém que não tivesse uma doença terminal!

Eu: Acho que é só um bom dia, Tiffy.

Tiffy: Bem, acho que todos nós precisávamos disso.

73

Tiffy

— Certo, como estou?

— Relaxe — pede Leon, deitando de novo na cama, um braço atrás da cabeça. — O Richie já adora você.

— Vou conhecer sua família! Quero estar bonita. Quero parecer... inteligente, bonita e esperta e talvez ficar um pouco parecida com a Sookie nas primeiras temporadas de *Gilmore Girls*.

— Não faço a menor ideia de quem você está falando.

Bufo.

— Tudo bem. Mo!

— Oi? — grita Mo da sala.

— Você pode me dizer se esta roupa me deixa bonita e sofisticada ou cansada e maternal, por favor?

— Se você precisa perguntar, troque de roupa! — berra Gerty.

Reviro os olhos.

— Não te perguntei nada! Você não gosta de nenhuma roupa minha!

— Isso não é verdade, gosto de algumas. O problema são as combinações que você faz.

— Você está perfeita — diz Leon, sorrindo para mim.

Todo o rosto dele está diferente hoje, como se alguém tivesse ligado um interruptor que eu não conhecia e tudo agora estivesse mais iluminado.

— Não, a Gerty está certa — digo, tirando o vestido cruzado na frente e pegando minha calça jeans verde favorita e um suéter de tricô de pontos largos. — Estou exagerando.

— Você está fazendo tudo na medida certa — corrige Leon, enquanto pulo em uma perna só, colocando a calça.

— Tem alguma coisa que eu poderia dizer hoje que não faria você concordar comigo automaticamente?

Ele estreita os olhos.

— É um paradoxo. A resposta é não, mas dizer isso faria com que eu me contradissesse.

— Ele concorda com tudo que eu digo e é muito inteligente também!

Engatinho pela cama até me sentar no colo de Leon e lhe dar um beijo, deixar meu corpo derreter sobre o seu. Quando me afasto para colocar a blusa, ele reclama, me abraçando, e eu sorrio, afastando suas mãos.

— Até você ia admitir que esta roupa não é apropriada — lembro.

O interfone toca três vezes, e Leon se levanta tão rápido que quase sou jogada no chão.

— Desculpa! — diz ele por sobre o ombro enquanto vai até a porta.

Ouço Mo ou Gerty irem atender para abrir a portaria para Richie.

Meu estômago se revira enquanto ponho o suéter e arrumo o cabelo com os dedos. Espero para ouvir a voz de Richie à porta, querendo dar a ele e Leon o momento tão aguardado.

Em vez disso, ouço Justin.

— Quero falar com você — diz.

— Ah. Oi, Justin — cumprimenta Leon.

Neste momento, percebo que já estou me abraçando com força e pressionando o corpo contra o armário para que ninguém que olhe da porta para conferir o apartamento consiga me ver no quarto e de repente tenho vontade de gritar. Ele não pode vir até aqui e fazer isso comigo. Quero que ele *vá embora*, de verdade, não só da minha vida, mas da minha cabeça também. Estou cansada de me esconder atrás de portas e de sentir medo.

Bom, não estou, claro, porque não dá para superar essas merdas tão rápido, mas, temporariamente, estou farta e vou aproveitar ao máximo essa onda atual de confiança louca e irritada. Saio do quarto.

Justin está à porta, ombros largos, musculoso e claramente irritado.

— Justin — chamo, seguindo até parar ao lado de Leon.

Ponho a mão na porta, pronta para batê-la.

— Vim aqui falar com o Leon — informa Justin, direto.

Ele nem olha para mim.

Eu me encolho, sem querer, minha confiança desaparecendo.

— Se você está pensando em me pedir em casamento também, a resposta é não — responde Leon, simpático.

Os punhos de Justin se fecham ao ouvir a piada. Ele avança, o corpo retesado, os olhos brilhando. Sinto um arrepio.

— Cuidado com o pé, Justin — diz Gerty, irritada, atrás de mim. — Se pisar neste apartamento, seu advogado e eu vamos ter uma conversinha.

Vejo a ideia atingir Justin e percebo que está repensando sua decisão.

— Não me lembro de seus amigos se meterem tanto quando a gente estava junto, Tiffy.

Ele cospe as palavras, e meu coração dispara. Acho que está bêbado. Isso não é bom.

— Ah, vontade não faltou — lembra Mo.

Respiro fundo, trêmula.

— Me deixar foi a melhor coisa que você já fez por mim, Justin — falo, esforçando-me ao máximo para ficar de pé com as costas tão retas quanto as dele, fora do apartamento. — Acabou. Chega. Me deixe em paz.

— Não acabou — diz ele, impaciente.

— Vou pedir uma ordem de restrição — disparo, antes que ele possa dizer outra coisa.

— Não vai, não — responde Justin, rindo. — Anda, Tiffy. Pare de ser infantil.

Bato a porta na cara dele com tanta força que todos se assustam, inclusive eu.

— Porra! — berra Justin do outro lado.

Então ouvimos um punho esmurrar a porta e a maçaneta sacudir.

Solto um gemido sem querer, recuando. Não acredito que bati a porta na cara dele.

— Polícia — sussurra Leon para nós.

Gerty pega o celular e digita o número, estendendo a outra mão para apertar a minha com força. Mo está ao meu lado em um segundo, e fica perto de mim enquanto vejo Leon passar a nova correntinha no trinco e se apoiar na porta.

— Que loucura — falo, sentindo-me fraca. — Não acredito que isso está mesmo acontecendo.

— Me deixe *entrar*! — ruge Justin lá fora.

— Alô, é da polícia? — diz Gerty ao telefone.

Justin esmurra a porta com as duas mãos, e penso na insistência dele ao apertar a campainha tantas semanas atrás, recusando-se a desistir até Leon abrir a porta. Engulo em seco. Cada batida parece mais alta do que a anterior, até eu sentir que estão em meus ouvidos. Meus olhos estão marejados, Gerty e Mo mal conseguem me consolar. A história de estar cansada de ter medo acabou. Enquanto Justin ruge e ataca a porta, observo Leon, o rosto sério, enquanto ele procura outros modos de travar a porta. À minha esquerda, Gerty responde perguntas ao telefone.

Então, de repente, toda a loucura e o barulho cessam. Leon nos lança um olhar de dúvida, depois confere a maçaneta. A porta ainda está trancada.

— Por que ele parou? — pergunto, segurando a mão de Gerty com tanta força que posso ver meus dedos ficarem esbranquiçados.

— Ele parou de bater na porta — diz Gerty ao telefone. Ouço uma vozinha responder. — Ela disse que talvez ele esteja tentando encontrar um jeito de arrombar a porta. A gente deveria ir para outro cômodo. Saia de perto da porta, Leon.

— Esperem — sussurra Leon, inclinando-se para ouvir o que está acontecendo no corredor.

O rosto dele se abre em um sorriso sombrio. Ele nos chama para mais perto com um gesto. Com cuidado e os joelhos trêmulos, deixo que Mo me guie até a porta. Gerty fica para trás, falando baixinho no telefone.

— Você ia adorar a cadeia, Justin — diz uma voz calorosa do outro lado da porta, com um sotaque inconfundível. — É sério. Tem vários caras iguais a você lá.

— Richie! — sussurro. — Mas... ele não pode...

Richie *acabou* de sair da prisão. Uma briga com Justin não vai acabar bem para ele, mesmo que isso signifique tirar Justin do prédio a curto prazo.

— Bem lembrado — diz Leon, os olhos ficando arregalados.

Ele começa a destrancar a porta, e noto que suas mãos estão um pouco trêmulas. Pelo som das vozes, Richie parece estar mais perto da porta, e Justin, mais longe, próximo da escada, mas mesmo assim. Esfrego os olhos com força. Não quero que Justin saiba o que faz comigo. Não quero dar esse poder a ele.

Justin corre quando Leon abre a porta, mas Richie o empurra, sem parecer se esforçar, e Justin cai contra a parede, soltando um palavrão. Nesse meio-tempo, Richie entra e Leon bate a porta. Tudo acaba em segundos; mal tenho tempo de processar a expressão no rosto de Justin quando ele salta na minha direção, desesperado para entrar. O que *aconteceu* com ele? Nunca foi assim. Nunca foi violento. Sua raiva era sempre bem controlada; suas punições, sempre inteligentes e cruéis. Isso é ridículo e desesperado.

— Seu ex é um cara ótimo — diz Richie para mim, com uma piscadela. — Tem um caso sério de insanidade temporária acontecendo lá fora. Ele vai se arrepender de esmurrar tanto a porta amanhã de manhã, com certeza.

Ele joga um molho de chaves no balcão. Deve ter sido assim que entrou no prédio sem tocar o interfone.

Pisco algumas vezes e olho para Richie. Não à toa Justin ficou quieto quando ele apareceu no corredor. Richie é *enorme*. Tem pelo menos um metro e noventa e os músculos de quem não tem nada para fazer a não ser se exercitar. O cabelo preto é bem curto, e Richie tem uma série de tatuagens nos antebraços, além de uma no pescoço, aparecendo sob o colarinho da camisa usada no tribunal — junto com um colar de corda, igual ao de Leon, aposto. Ele tem os mesmos olhos castanhos carinhosos do irmão, mas com certo brilho atrevido.

— A polícia vai chegar daqui a dez minutos — informa Gerty, calma. — Oi, Richie. Como está?

— Arrasado por descobrir que você tem namorado — responde Richie, batendo no ombro de Mo com um sorriso. Posso jurar que Mo afunda um centímetro no carpete. — Estou te devendo um jantar!

— Ah, não vou tentar impedir isso — diz Mo, rápido.

Richie abraça Leon com tanta força que ouço o corpo dos dois colidindo.

— Não se preocupem com o idiota no corredor — diz ele para nós dois quando se afasta.

Do outro lado da porta, Justin arremessa alguma coisa. Seja o que for, se despedaça contra a parede, e eu estremeço. Estou tremendo — começou quando ouvi a voz dele pela primeira vez —, mas Richie abre um sorriso amistoso e firme e é como uma cópia do sorriso torto de Leon: caloroso, do tipo que faz a gente se sentir à vontade no mesmo instante.

— É um prazer conhecer você de verdade, Tiffy. E obrigado por cuidar do meu irmão.

— Não sei se estou fazendo um bom trabalho — consigo dizer, apontando para a porta chacoalhando.

Richie balança a mão.

— Sinceramente… Se ele entrar aqui, vai se ver comigo, com Leon e… Desculpa, cara, a gente não foi apresentado.

— Mo — diz ele, parecendo muito o tipo de cara cuja profissão é ficar sentado numa cadeira e conversar, e que, de repente, pode se dar mal justamente por causa disso.

— E comigo e com a Tiffy — completa Gerty, irritada. — O que é isso, a Idade Média? Meu soco é melhor que o do Leon.

— Me deixa *entrar*, caralho! — ruge Justin.

— E ele está bêbado também — diz Richie, animado, antes de erguer a poltrona e nos tirar do caminho para colocá-la na frente da porta. — Pronto. Agora a gente não precisa mais ficar aqui, não é? Lee, a varanda ainda é no mesmo lugar?

— Hum, é — responde Leon, parecendo um pouco abalado.

Ele tomou o lugar de Mo ao meu lado. Aperto sua mão quando ele começa a fazer carinho nas minhas costas, deixando a sensação me tornar plena outra vez. Toda vez que Justin grita ou bate na porta, eu me encolho, mas agora que Richie está aqui levantando móveis e Leon está me abraçando, não sinto um pânico e um medo paralisantes. O que é bom.

Richie leva todos nós para a varanda e fecha a porta de vidro. Nós mal cabemos ali: Gerty se aconchega em Mo em uma ponta e eu me encaixo na frente de Leon na outra, deixando a maior parte do espaço para Richie, já que é exatamente disso que ele precisa. Ele respira fundo e expira, sorrindo para a vista da varanda.

— Londres! — grita, abrindo bem os braços. — Senti falta disso. Olhem só para esta cidade!

Atrás de nós, no apartamento, a porta bate sem parar. Leon me abraça com força, enterrando o rosto em meu cabelo e respirando perto do meu pescoço, caloroso e tranquilizador.

— E a gente vai ter uma visão ótima quando a polícia aparecer — lembra Richie, virando-se para mim e dando outra piscadinha. — Devo dizer que não achei que os veria tão cedo.

— Desculpe — falo, triste.

— Não é sua culpa — diz Richie, firme.

No mesmo instante, Leon balança a cabeça no meu cabelo e Mo responde:

— Não peça desculpas, Tiffy.

Até Gerty revira os olhos de um jeito carinhoso.

Olho para todos eles, reunidos na varanda comigo. Isso ajuda — só um pouquinho, mas acho que nada poderia me ajudar muito agora. Fecho os olhos e me apoio em Leon, tentando me concentrar na minha respiração do jeito que Luci ensinou. Tento imaginar que o barulho das batidas é apenas isso — um barulho e nada mais. Vai parar uma hora. Respirando fundo, com os braços de Leon me envolvendo, sinto um novo tipo de certeza se estabelecer. Nem Justin pode durar para sempre.

74

Leon

A polícia leva Justin embora. Ele está espumando pela boca. Só de olhar já dá para ver o que aconteceu: um homem que sempre teve o controle… perdendo o controle. Mas, como Gerty lembra, isso pelo menos vai facilitar a ordem de restrição.

Nós analisamos a porta. Ele marcou a madeira com chutes, arrancou pedaços da tinta com os punhos. Há sangue também. Tiffy vira a cabeça para o lado ao ver isso. Eu me pergunto como ela deve se sentir, depois de tudo que passou. Ao saber que amou aquele homem e que ele a amou, do jeito dele.

Graça a Deus Richie chegou. Meu irmão irradia alegria. Enquanto conta outra história sobre as coisas que "Fofão" fazia para ser o primeiro a usar o supino, vejo a cor voltar ao rosto de Tiffy, seus ombros se erguerem, seus lábios formarem um sorriso. Melhor. Também estou relaxando a cada sinal de melhora. Não estava aguentando vê-la daquele jeito, assustada, chorando, com medo. Nem ver Justin ser levado pelo policial foi o suficiente para acabar com minha raiva.

Mas agora, três horas depois do drama com a polícia, estamos espalhados pela sala como eu imaginei. Se apertasse os olhos, mal daria para notar que a noite que estive esperando durante todo o último ano foi interrompida por um homem irado, que tentou arrombar a porta. Tiffy e eu estamos no pufe. Gerty está no lugar mais confortável no sofá, apoiada em Mo. Richie domina a sala na poltrona, que ainda não voltou para o lugar de costume, depois de ter sido usada para barricar a porta, e agora está em algum ponto entre o corredor e a sala.

Richie: Eu adivinhei. É sério.

Gerty: Mas quando? Porque também adivinhei, mas você não podia saber desde o...

Richie: No momento em que o Leon me disse que ia arrumar uma mulher para dormir na cama dele enquanto ele estivesse fora.

Gerty: Impossível.

Richie, expansivo: Ah, por favor! Não dá para duas pessoas dividirem uma cama e não compartilharem mais nada, se é que me entende.

Gerty: Mas e a Kay?

Richie balança a cabeça.

Richie: Ah, a Kay.

Tiffy: Gente, fala sério...

Richie: Ah, ela era muito gentil, mas nunca foi a pessoa certa para o Leon.

Eu, para Gerty e Mo: O que vocês acharam no início então?

Tiffy: Ai, meu Deus, não pergunte isso a eles.

Gerty, na hora: A gente achou que era uma péssima ideia.

Mo: Você podia ser qualquer pessoa.

Gerty: Podia ser um pervertido nojento, por exemplo.

Richie cai na gargalhada e pega outra cerveja. Ele não bebe há onze meses. Penso em lembrá-lo de que sua tolerância pode não estar como antes, depois penso em como Richie reagiria a essa sugestão (com certeza bebendo mais para provar que estou errado) e decido não me dar o trabalho.

Mo: A gente até tentou dar dinheiro para a Tiffy não fazer isso...

Gerty: E ela recusou, é claro...

Mo: E aí percebemos que isso fazia parte do processo de se afastar do Justin e tivemos que deixar que ela fizesse o que queria.

Richie: E vocês não pensaram que isso fosse acontecer? A Tiffy e o Leon ficarem juntos?

Mo: Não. Para ser sincero, não achei que a Tiffy estaria pronta para um cara como o Leon ainda.

Eu: Que tipo de cara?

Richie: Lindo de morrer?

Eu: Magrelo? Orelhudo?

Tiffy, seca: Ele quer dizer um cara normal.

Mo: Bom, é. É preciso muito tempo para superar relacionamentos assim…

Gerty, brusca: Pare de falar do Justin.

Mo: Desculpa. Eu só queria salientar como a Tiffy se saiu bem. Como deve ter sido difícil para ela se afastar disso tudo antes que se tornasse um costume.

Richie e eu trocamos um olhar. Penso na nossa mãe.

Gerty revira os olhos.

Gerty: Sinceramente… Namorar um terapeuta é horrível. O Mo não tem noção de como manter uma conversa leve.

Tiffy: E você tem?

Gerty cutuca Tiffy com o pé.

Tiffy, agarrando o pé dela e puxando: Bom, é sobre *isso* que eu quero falar. Você ainda não me contou direito sobre você e o Mo! Como? Quando? Quero saber tudo, exceto os detalhes envolvendo pênis, como já combinamos.

Richie: Oi?

Eu: É mais fácil só escutar. É melhor deixar as piadas internas passarem. Uma hora, elas começam a fazer um pouco de sentido.

Tiffy: Espere só até você conhecer a Rachel. A rainha das piadas internas pouco apropriadas.

Richie: Parece meu tipo de mulher.

Tiffy fica pensativa ao ouvir isso, e eu ergo as sobrancelhas para ela, em alerta. Péssima ideia arranjar alguém para Richie. Por mais que ame meu irmão, ele costuma partir corações.

Eu: Continuem, Mo e Gerty.

Mo, para Gerty: Conte você.

Tiffy: Não, não, a versão da Gerty vai parecer alguma coisa que ela leu no tribunal. Mo, nos dê a versão romântica dos acontecimentos, por favor.

Mo olha de lado para Gerty para ver se ela ficou irritada. Por sorte, ela já bebeu três taças de vinho e se contentou em olhar irritada para Tiffy.

Mo: Tudo começou quando a gente foi morar junto.

Gerty: Mas Mo já era apaixonado por mim há um tempão.

Mo lança um olhar levemente irritado para ela.

Mo: E a Gerty gostava de mim há mais de um ano, segundo ela mesma me disse.

Gerty: Em segredo!

Tiffy faz um ruído impaciente.

Tiffy: E vocês estão apaixonados? Dormindo na mesma cama e tudo?

Um silêncio um pouco incômodo toma a sala. Mo olha para os próprios pés, desconfortável. Tiffy sorri para Gerty, estendendo a mão para apertar a da amiga.

Richie: Bom, parece que vou ter que arranjar uma colega de apartamento, não é?

SETEMBRO

Dois anos depois

EPÍLOGO

Tiffy

Há um bilhete na porta do apartamento quando chego do trabalho. Isso não é estranho por si só, mas, em geral, Leon e eu tentamos confinar nossos recados ao interior da casa. Tipo, para não espalhar nossas peculiaridades para os vizinhos.

Cuidado: gesto romântico iminente.
(Fique tranquila, o orçamento foi bem reduzido.)

Rio e destranco a porta. O apartamento parece igual: entulhado, colorido, meu lar. É só quando vou jogar a bolsa no lugar de sempre, perto da porta, que vejo o bilhete na parede.

Primeiro passo: vista-se para a aventura. Por favor, pegue sua roupa no armário.

Olho para o bilhete, confusa. Isso é excêntrico até para os padrões de Leon. Tiro o casaco e o cachecol e os penduro nas costas do sofá (é um sofá-cama agora, que mal cabe na sala, mesmo depois de termos sacrificado a TV, mas nenhum lugar vai ser nossa casa a não ser que haja uma cama para Richie ficar).

Por dentro da porta do armário, o bilhete está dobrado e preso com fita adesiva. Nele, está escrito:

Já está usando alguma coisa bem Tiffy?

Quer dizer, estou, mas é uma roupa de trabalho, então pende mais para a normalidade do que de costume (ou seja, tentei usar pelo menos duas peças que não são diretamente opostas na escala de cores). Vasculho o guarda-roupa em busca de alguma coisa apropriadamente "aventureira", seja lá o que isso signifique.

Paro em um vestido azul e branco que comprei há alguns anos. O que Leon chama de vestido dos Cinco. É pouco prático para um dia frio, mas com uma meia-calça cinza grossa e a jaqueta amarela do brechó...

Depois de colocar o vestido, pego o bilhete da porta do guarda-roupa e leio a mensagem.

Oi de novo. Aposto que você está linda.

Ainda é necessário pegar algumas coisas antes de começar sua aventura. A primeira está onde a gente se viu pela primeira vez. (Não se preocupe. É à prova d'água).

Sorrio e vou para o banheiro, andando rápido agora. O que Leon está fazendo exatamente? Aonde vou ter que ir? Agora que já estou usando meu vestido aventuresco, o cansaço do fim do dia de trabalho sumiu — provavelmente Leon sabia que eu me sentiria melhor usando algo colorido. Uma empolgação borbulhante começa a se formar em meu estômago.

Encontro um envelope pendurado no chuveiro, muito bem embrulhado em papel-filme. Do lado de fora, há um Post-it.

Não me leia ainda, por favor.

A próxima coisa de que você vai precisar está no lugar em que nos beijamos pela primeira vez. (Bom, não no lugar exato, já que o sofá mudou. Mas, por favor, ignore isso pelo bem do gesto romântico.)

É outro envelope, enfiado entre as almofadas do sofá. Este diz: *Me abra*, então é o que eu faço. Dentro dele, há uma passagem de trem para

Brighton. Franzo a testa, totalmente desconcertada. Por que Brighton? Não voltamos lá desde antes de começarmos a namorar, quando estávamos procurando os Johnny White.

O bilhete atrás da passagem diz:

A última coisa de que você vai precisar está com Bobby, por segurança. Ele está esperando você.

Bobby é o homem que conhecíamos como Homem Estranho do Apartamento 5. Agora ele é um bom amigo e, por sorte, percebeu que é impossível fazer sidra com banana e passou para a sidra mais convencional de maçã. É muito saborosa e sempre me dá uma ressaca horrível.

Subo a escada dois degraus de cada vez e toco a campainha.

Ele atende usando sua calça de ginástica favorita (costurei o buraco para ele ano passado. Estava ficando indecente. Só que consertei com um pedaço de guingão rosa que tinha sobrando em casa, então ele não parece muito *menos* estranho).

— Tiffany! — exclama ele, afastando-se no mesmo instante.

Espero na porta, esticando o pescoço. Por fim, ele volta, trazendo uma pequena caixa de papelão com um Post-it colado.

— Aqui está! — diz, sorrindo. — Pode ir!

— Obrigada? — respondo, examinando a caixa.

Quando você chegar a Brighton, vá para a praia perto do píer. Você vai encontrar o lugar com facilidade.

É a viagem de trem mais dolorosa que já fiz. Estou louca de curiosidade. Mal consigo ficar sentada. Quando chego a Brighton, está escuro, mas é fácil achar o caminho até a praia. Caminho tão rápido na direção do píer que estou quase correndo, algo que faço apenas em emergências, então devo estar mesmo muito animada.

Vejo o que Leon quis dizer assim que chego. Não daria para não encontrar o lugar.

Há uma poltrona sobre as pedras, a mais ou menos trinta metros do mar. Está cheia de cobertores coloridos e, espalhadas em torno dela, entre os seixos, há dezenas de pisca-piscas.

Tapo a boca. Meu coração está disparado. Enquanto sigo até lá, tropeçando nas pedras, olho em volta, procurando Leon, mas não há sinal dele. A praia está deserta.

O bilhete na poltrona está preso com uma grande concha.

Sente-se, enrole-se com um cobertor quentinho e abra o envelope quando estiver pronta. E depois a caixa.

Rasgo o papel-filme e abro o envelope assim que me sento. Para minha surpresa, me deparo com a letra de Gerty.

Cara Tiffy,

Leon pediu que Mo e eu o ajudássemos neste esquema maluco porque diz que você valoriza nossa opinião, mas acho que na verdade ele está com um pouco de medo e não queria fazer isso sozinho. Bem, não vou criticá-lo. Um pouco de humildade faz bem.

Tiffany, nunca vimos você tão feliz quanto agora. Isso veio de você — você construiu essa felicidade para si mesma. Mas é fácil dizer que Leon ajudou.

Nós amamos o Leon. Ele é bom para você de um jeito que apenas um homem muito bom poderia ser.

A decisão é sua, claro, mas ele queria que você soubesse: ele tem nossa bênção.

Beijos,

Mo e Gerty.

P.S: Ele me pediu para dizer que não pediu a permissão do seu pai porque isso seria "um pouco arcaico e patriarcal", mas que está "bastante confiante de que Brian concorda".

Rio, trêmula, secando as lágrimas. Meu pai *adora* Leon. Ele o chama de "filho" em situações sociais constrangedoras há pelo menos um ano.

Minhas mãos tremem quando pego a caixa de papelão. Levo um tempo horrivelmente longo para soltar a fita, mas, quando consigo tirar a tampa, começo a chorar.

Há um anel dentro, aconchegado em um bolo de papel nas cores do arco-íris. É lindo: *vintage*, um pouco torto, com uma pedra âmbar oval no centro.

E há um último bilhete.

Tiffany Rose Moore, do apartamento 3, Madeira House, Stockwell, você aceita se casar comigo?

Pense um pouquinho. Se quiser me ver, estou no Bunny Hop Inn, no quarto 6.

Te amo. Bjos

Quando consigo, quando meus ombros param de tremer com as lágrimas de felicidade e depois que enxugo os olhos e assoo o nariz, sigo pela praia até a luz calorosa do Bunny Hop Inn.

Ele está esperando por mim na cama do quarto 6, sentado de pernas cruzadas. Parece nervoso.

Eu pulo em cima dele. Ele solta um *uff* alegre quando o faço rolar pela cama.

— Sim? — pergunta ele depois de alguns segundos, tirando meu cabelo do rosto.

— Leon Twomey — digo —, só você encontraria um jeito de me pedir em casamento que não exigisse sua presença. — Dou um beijo empolgado nele. — Sim. Com certeza absoluta, sim.

— Tem certeza? — pergunta ele, afastando-se para olhar direito para mim.

— Tenho certeza.

— Absoluta?

— Absoluta.

— Não foi exagerado, foi?

— Pelo amor de Deus, Leon! — digo, exasperada.

Olho em volta e pego o bloquinho do hotel da mesa de cabeceira.

SIM. Eu adoraria me casar com você.

Agora que isto está escrito, é certo e deve valer como prova em um tribunal, mas é melhor conferir com a Gerty porque eu acabei de inventar isso.

Bjos

Balanço o bilhete sob o nariz dele para que entenda o que escrevi, depois o enfio no bolso de sua camisa. Ele me puxa e pressiona os lábios no topo da minha cabeça. Sinto que está abrindo um daqueles sorrisos tortos e tudo parece bom demais, como se não merecêssemos isso, como se estivéssemos pegando felicidade demais e não deixando o suficiente para o restante das pessoas.

— Este é o momento em que a gente liga a TV e uma guerra nuclear está começando — digo, virando-me para me deitar ao lado dele.

Leon sorri.

— Acho que não. Não funciona assim. Às vezes, a felicidade simplesmente acontece.

— Olhe só para você, todo otimista! Esse costuma ser meu papel, não o seu.

— Não sei direito o que provocou isso. O noivado recente? O futuro feliz? O amor da minha vida nos meus braços? É difícil dizer.

Dou risada, enfiando o nariz em seu peito, sentindo seu cheiro.

— Você tem cheiro de casa — digo, depois de um instante.

— Você *é* a minha casa — responde Leon. — A cama, o apartamento… — Ele para, como sempre faz quando está procurando palavras que representem algo grande. — E só se tornou minha casa quando você apareceu, Tiffy.

Agradecimentos

Meu primeiro agradecimento vai para a incrível Tanera Simons, que acreditou em Tiffy e Leon antes de qualquer um, dando início ao período mais maluco e maravilhoso da minha vida. O seguinte vai para Mary Darby, Emma Winter, Kristina Egan e Sheila David, por tudo que fizeram para levar este livro às prateleiras. Sou muito sortuda por ter sido recebida na Agência Darley Anderson.

Talvez você não acredite, depois de conhecer Martin e Hana, mas, na verdade, as editoras são cheias de pessoas maravilhosas, e o grupo que tirou *Teto para dois* do papel é especialmente incrível. Estou em dívida com Emily Yau e Christine Kopprasch, minhas editoras maravilhosas na Quercus and Flatiron: obrigada por tornarem este livro infinitamente melhor com suas sugestões e por todas as coisas que tiraram o melhor dele. Agradeço também a Jon Butler, Cassie Browne, Bethan Ferguson, Hannah Robinson, Hannah Winter, Charlotte Webb, Rita Winter e todas as outras pessoas lindas da Quercus, que me ajudaram a transformar este livro em realidade. E obrigada a todas as minhas maravilhosas editoras internacionais, por acreditarem na Tiffy e no Leon tão cedo e tornarem este sonho ainda maior.

Meus próximos agradecimentos vão para: Libby, por ser minha musa; Nups, por ser minha rocha, lutar comigo contra o mofo do banheiro e me dizer (de maneira muito enfática) que este livro era "o melhor que já tinha lido na vida"; e Pooja, por ser uma amiga maravilhosa e generosa e dedicar tanto tempo e conhecimento a mim. Obrigada a Gabby, Helen, Gary, Holly e Rhys pelas primeiras leituras, pelas boas ideias e pelas noites confusas no Adventure Bar. E obrigada a Rebecca Lewis-Oakes, por ter me dado uma bela bronca quando fiquei com medo de mandar o original para as editoras. E desculpe por manter o nome Justin!

À minha família maravilhosa e à incrível família Hodgson: obrigada por sempre me apoiarem e por ficarem animados com todas as notícias sobre o livro. Aos meus pais, obrigada por seu apoio constante e por encher minha vida de amor e livros. E ao Tom, obrigada pela ajuda com os detalhes. Amo vocês e penso em vocês todos os dias.

Ao Sam. Esta é a parte mais difícil porque me sinto como Leon: não tenho palavras para expressar algo tão importante. Obrigada por sua paciência, sua bondade, seu entusiasmo inocente por tudo que a vida nos traz e por ler e rir nos momentos mais importantes. Este livro é dedicado a você, mas na verdade não é só para você, mas também por sua causa.

Por fim, muito obrigada a todos os leitores que compraram este livro e a todos os livreiros que ajudaram isso a acontecer. Sinto-me muito grata e honrada por terem feito isso.

intrinseca.com.br

@intrinseca

editoraintrinseca

@intrinseca

@editoraintrinseca

intrinsecaeditora

1ª edição	SETEMBRO DE 2019
reimpressão	MAIO DE 2025
impressão	BARTIRA
papel de miolo	HYLTE 60 G/M²
papel de capa	CARTÃO SUPREMO ALTA ALVURA 250 G/M²
tipografia	NUSWIFT